STEFAAN VAN LAERE

TANGO MORTALE

Davidsfonds/Literair

Laere, Stefaan van
Tango Mortale

Blijde-Inkomststraat 79-81, 3000 Leuven
Omslagontwerp: Roscan
Omslagfoto: Benn Deceuninck

D/2004/0201/09
ISBN: 90-6306-494-2
NUR: 332

www.stefaanvanlaere.be

Proloog

Twee hoog in de veilige buik van de randstad, alles leek rustig en een slaperige taxichauffeur had net zijn laatste passagier afgeleverd. Het einde van zomaar een week om snel te vergeten, nauwelijks een notitie in het dagboek van Annemie waard.

Met zijn hoofd half onder het kussen lag George Bracke gelukzalig te snurken, nog nagenietend van het geslaagde avondmaal. De combinatie van tarbot met mosterdsaus en gemberkroketten was gewaagd geweest, en het huzarenstukje had hem vooraf enig hoofdbreken gekost. Zou het zilte van de vis niet al te zeer met de bittere smaak van de wortel vloeken? En was de bijbehorende chocoladesaus met amandelschilfers niet net iets te vergezocht?[1] Maar het uiteindelijke op-en-top geslaagde resultaat had zelfs Bracke verbaasd.

En daar lag hij nu gelukzalig van te dromen. Hij hoorde de welgemeende complimentjes van Cornelis nog zachtjes nazinderen. Het dineetje zou op kantoor het gespreksonderwerp van de dag worden, en iedereen zou komen polsen wanneer zijzelf eens de gast van Bracke mochten zijn. Dat was voor de meerderheid een utopie. Voor je op die lijst kwam, moest je eerst een indrukwekkende staat van verdiensten hebben.

Annemie had zich weer in haar geliefde foetushouding genesteld, haar armen rond het middel van haar echtgenoot geklemd. Mijn ventje, fluisterde ze in zijn oor net voor ze samen in slaap doezelden. Knabbelend aan zijn oorlelletje, zijn meest erogene zone. Maar hij reageerde niet. Dat gebeurde de laatste tijd wel meer. Mannen, ze zouden wel altijd vreemde wezens blijven.

Zie ze daar eens liggen, dacht de inbreker met een gemengd gevoel van vertedering en afgunst. De situatie meester, handen in de broekzakken. Hij had de deur op een kier, en gluurde op zijn gemak naar binnen.

1 Zie p. 265

Meneer de commissaris Bracke en mevrouw de woordvoerder van de politie Vervloet. Menig rancuneus misdadiger zou wat graag in zijn plaats geweest zijn en een stengun bovenhalen om wraak te nemen.

Soepel gleed de man naar binnen. Zijn rubberen voetzolen maakten op het dikke tapijt geen enkel geluid. Hij lichtte bij met een potlooddun zaklampje. Zijn geoefende handen doorzochten snel de commodes aan beide zijden van het bed. Het dagboek van Annemie trok zijn speciale aandacht. Hij bladerde er uitgebreid in, en las hier en daar een bladzijde die hem beviel.

Een zware opkomende hoestprikkel zette zijn longen in vuur en vlam, maar hij klemde de tanden op elkaar. Hij bleef stokstijf staan en haalde diep adem. Hij spoot een weeë vloeistof in zijn keel. Met veel moeite hield hij de hoestbui binnensmonds.

Even stokte het gesnurk. De inbreker bleef kalm. Hij knipte het zaklampje uit en drukte zich tegen de muur aan. Met zijn zwarte pak en masker viel hij in het donker niet op. Hij streek met zijn wijsvinger langs zijn geschoren wangen. Het voelde vreemd aan, dat die baard van vele jaren weg was.

Vals alarm. Bracke draaide zich op zijn andere zij en sliep heerlijk verder, een glimlach op de lippen. Hij droomde nu dat Cornelis de potten schoonlikte en zelfs ongegeneerd zijn vingers in de mond stak.

De inbreker moest zich bedwingen om niet in gezang uit te barsten. Hij was een vrolijk man, en hief graag een lied aan. Vandaar de bijnaam Adamo die hij voor zichzelf bedacht had. *Vous permettez, monsieur*, neuriede hij binnensmonds, en hij doorsnuffelde de portefeuille van Bracke die lukraak op een stoel lag. De ene hand tastte vaardig tussen de bankbiljetten en briefjes met geheugensteuntjes die de geldbeugel deden opbollen, de andere roffelde vrolijk de maat mee op het kalfsleder, een geschenk voor Brackes 45ste verjaardag.

Hoogst interessant, mompelde hij. Adamo haalde een balpen boven en begon te schrijven. Hij hield even op om Annemie beter te kunnen bekijken. Elke curve van haar lichaam nam hij in zich op alsof hij haar beeltenis voor eeuwig op zijn netvlies wilde branden. Zijn ademhaling ging wat sneller.

Op de gang was gestommel te horen, vast van een van de kinderen. De inbreker bleef roerloos staan. Hij legde de portefeuille keurig op zijn plaats en wachtte af. Zijn hand rustte op het pistool in zijn binnenzak. De trouwe vriend die hem nog nooit in de steek gelaten had.

Adamo schatte de situatie in. Drie tieners, een slaapdronken commissaris en zijn in dromenland vertoevende vrouw, ze waren geen partij voor hem. Hij zou niet de fout begaan Bracke te onderschatten, maar de flik had geen schijn van kans. De eerste kogel zou voor hem bestemd zijn, en de rest was kinderspel. De drie snotapen neerleggen, en dan had hij Annemie voor zich alleen. Bij die zoete gedachte gingen zijn neusvleugels spontaan sneller open en dicht. Hij kon een gevoel van opwinding niet onderdrukken.

In de badkamer zat een slaapdronken Jorg op de toiletpot vloekend de witte vlekken uit zijn pyjamabroek te vegen. Het was hopeloos. Zijn moeder zou het ongetwijfeld merken, want voor haar kon je niets verborgen houden. Maar het was sterker dan hemzelf, en hij maakte zich zorgen dat hij abnormaal was.

In zijn ogen wrijvend slofte Jorg geeuwend naar zijn kamer terug. Opnieuw naar de schunnige droom met de blonde van K3, al mocht die rosse er ook best zijn.

Dus toch geen bloedbad, dacht de inbreker, en hij had er een beetje spijt van. Maar wat niet is, kan nog komen.

Hij nam ruim de tijd om de werkkamers van Bracke en Annemie te onderzoeken. Methodisch, zonder iets over te slaan. Hier kon hij eindelijk de hoest die hij al die tijd had ingehouden de vrije loop laten, en hij smoorde hem in zijn zakdoek. Even moest hij gaan zitten, om te bekomen. Hij veegde met toegewijde aandacht de stoel schoon.

Zorgvuldig legde hij alles weer keurig op zijn plaats. Het was al bijna ochtend toen hij klaar was.

Terug in de wagen gaf hij plankgas. Hij reed door het rode licht en zong uit volle borst mee met de grijsgedraaide cassette, hoeveel pijn het ook aan zijn longen deed. *Dolce Paola,* de luidsprekers deden de autoruiten trillen.

1

De ontbijttafel was een slagveld. Ooit had Annemie de stelregel uitgevaardigd dat lezen tijdens het eten verboden werd, maar ze was zelf de eerste geweest om die regel te overtreden. Het voornemen om telkens een halve euro boete in de pot te doen had evenmin effect gesorteerd. George had nooit muntstukken bij de hand, Jorgs zakgeld was aan cd's opgegaan, kortom, iedereen had wel een smoes.

Weer lag de tafel vol politierapporten. Annemie had haar leesbril op en knabbelde tussendoor aan een geroosterde boterham met perenjam. Een klodder jam dreigde van de boterham te druipen, recht op een verslag van een inbraak bij een kledingzaak in de Zonnestraat.

Jorg zag het gevaar, maar vertikte het om iets te zeggen. Dat ze het zelf uitzocht, verdomme. Hij wist ook niet waarom hij zo chagrijnig was. De leeftijd, zou zijn vader zeggen. Maar die zei zoveel.

Julie en Jonas zaten geeuwend achter een kom honingcornflakes. Er heerste complete stilte. Julie nam nog even haar huiswerk door, Jonas las het tijdschrift van de NBA. De poster van de basketbalspeler van de maand had hij al uitgescheurd. Kobe Bryant hing nu ongetwijfeld boven zijn bed, zwevend in de lucht en klaar om te *dunken*. Jammer toch dat zijn idool in een onverkwikkelijke rechtszaak was verwikkeld. Een grietje had hem voor de rechtbank gedaagd wegens misbruik op een hotelkamer.

George bleef op de trap even staan om het tafereel beter te kunnen bekijken. Annemie zag er met haar leesbril als een directrice uit, maar dan wel van het soort waarbij je graag elke dag om je portie strafwerk kwam. En stiekem hoopte op een portie billenkoek.

'Bevalt het uitzicht je?' vroeg Annemie, zonder op te kijken.

'Ik heb het al slechter geweten,' antwoordde Bracke prompt, eerlijk als altijd.

'Ik heb lekker geslapen,' rekte Annemie zich heerlijk uit. 'En dat was lang geleden.'

'Ik niet,' gromde Bracke. 'Ik had constant het gevoel dat er iets ergs zou gebeuren. Alsof iemand ons stond te beloeren. Toen ik wakker werd, was mijn rug helemaal bezweet.'

'Dat zal je slechte geweten zijn. Wellicht kwam een van die vele kerels die je in de doos gedraaid hebt spoken,' spotte Annemie. 'Stoere bandietenjager die je bent. Maar er 's nachts wel van dromen.'

Het verslag hing intussen al vol met jam.

Bracke haalde de schouders op.

'Misschien heb je wel gelijk. Wij worden verondersteld in ons beroep gevoelloos te zijn. Een moordzaak feilloos op te lossen, het bloed van ons lijf te wassen en fluitend naar huis te gaan, alsof er niets gebeurd is. Een schouderklopje van de baas, en de volgende dag gezond weer op om de volgende boef te vangen.'

Annemie kende haar pappenheimers. Bracke had steeds meer twijfels over zijn job. Ze zocht naar troostende woorden, maar vond er geen. Het beste wat ze kon doen, was hem laten uitrazen. Of een vluggertje in de slaapkamer, maar dat was net iets van het goede te veel. Een vluggertje, hoe lang was dat al niet geleden?

'Kop op, Bracke.'

Ze knipoogde, maar hij merkte het niet. Of deed alsof. Hoe langer ze hem kende, hoe minder ze hem leek te begrijpen. Al een tijdje leek hij er met zijn gedachten niet helemaal bij. Ze bekeek hem en besefte ineens dat ze geen flauw idee had wat in hem omging.

George snoot hard zijn neus, om zichzelf een houding te geven. Hij ging in de keuken dan maar een omelet bakken. Op de vensterbank knipte hij verse bieslook, en mengde hem met een wolkje melk, wat versnipperde peterselie en slordig stukgescheurde basilicum door de eierstruif. Sakkerend zocht hij vruchteloos naar de nootmuskaat.

Annemie hoorde hem in de kasten rommelen en vloeken. Ze glimlachte. Hoe ouder de kinderen werden, hoe meer ze de boel overhoop leken te zetten.

'Alles lijkt hier pootjes te krijgen,' knorde Bracke. 'Mijn pantoffels vind ik ook al niet meer.'

'Arme schat,' spotte Annemie. Ze wilde haar armen om hem heen slaan, maar hij weerde haar af. 'Dan maar niet.'

'Sorry, maar ik heb mijn dag niet. En op kantoor zal het waarschijnlijk ook weer *the same shit as usual* zijn.'

'Je interne rapport,' raadde Annemie.

Bracke was er al twee weken zoet mee. Minister van Justitie De Ceuleer had hem in het grootste geheim aangezocht om een persoonlijke doorlichting van het korps op papier te zetten. Dit tijdens een etentje in Het Aards Paradijs[2] in Merendree, waar de minister kind aan huis bleek te zijn. Maar wel denigrerend deed over de gesauteerde lotte met artisjokken en gegratineerd citroengras, het allerbeste wat Bracke ooit gegeten had.

De kinderen holden de deur uit om de schoolbus niet te missen. Dat zou weer net lukken. Van Julie kreeg Bracke een zoen, Jonas en Jorg gromden iets onverstaanbaars.

'Ik heb de laatste dagen al meer achter mijn computer gezeten dan die jongelui van tegenwoordig op een heel schooljaar.'

Hij liet haar heerlijk warme hand op zijn borst nu wel toe. Ze gleed in zijn hemd naar binnen, maar bleef met haar duim achter een knoop steken. Ze kreeg de slappe lach. Tot zover de romantiek. Maar hij zou er niet aan ontkomen. Het was de laatste tijd naar haar gevoel veel te stil op dat front. Merkte hij haar signalen dan niet?

'Zeg, George, heb je mijn dagboek niet gezien?'

Hij keek haar met grote ogen aan. Wat vroeg ze nu weer! Niet terwijl hij aan het koken was.

'Ik heb overal gezocht,' zei ze verontschuldigend. Ze sprak het niet uit, maar hij wist dat ze dacht aan die keer dat ze hem betrapt had terwijl hij in het dagboek stond te lezen. Ze had een week niet tegen hem gesproken.

'Ik zie je het wel denken,' zei hij zonder van zijn pan op te kijken. 'Ik heb er één keer in gesnuisterd, en ik schaam mij er nog voor. Ik zal het nooit meer doen, dat heb ik plechtig gezworen. Ik vind het

2 Zie p. 266

erg dat je me niet gelooft.'

Ze wou zeggen dat het haar speet, maar kreeg de woorden niet over haar lippen. Nu zou een van de twee iets moeten zeggen, maar de stilte woog steeds zwaarder.

Gelukkig bracht het eten redding. De omelet smaakte perfect, succulent en knapperig tegelijk.

Bij elke hap werden haar ogen wat zachter, en de spanning verdween. Bracke genoot. Hij merkte een stukje eierschaal in de omelet op en lepelde het snel naar binnen, voor ze het zag. Kritiek kon hij vandaag even niet hebben. Hij bleef rustig naar haar kijken tot alles op was.

'Nog veertien dagen, en vroem!' Ze maakte met haar hand het gebaar van een opstijgend vliegtuig.

'Ik wou dat we vandaag al konden vertrekken. Ik heb nog nooit zo naar een vakantie uitgekeken.'

'Vakantie? We gaan niet naar Buenos Aires om aan sightseeing te doen, Bracke,' zei Annemie ondeugend.

Ze nam de bovenste rapporten van de stapel en toverde halfweg de papierberg een reeks brochures te voorschijn. Hij had het kunnen denken. Ze was gisteren naar de tangoles geweest, en dansleraar Pol Van Assche had haar natuurlijk weer de nodige lectuur meegegeven. Hij zou met die man toch eens een hartig woordje moeten praten. Ze stalde de brochures en tijdschriften op de keukentafel uit. Haar ogen glinsterden nog meer.

'Je hebt je goed voorzien, zie ik.'

'Kwestie van voorbereid te zijn. Trouwens, vanavond ontkom je er niet aan, Bracke. Ik heb je dansschoenen al ingevet.'

2

Op het hoofdkwartier heerste de drukte van alledag, niets bijzonders dus. André Cornelis reed met zijn bureaustoel vlot naar de archiefkast. De wieltjes piepten, en hij nam zich voor op zoek te gaan naar een oliespuit.

Cornelis was in een goed humeur. Hij zette de radio wat luider, want ze speelden een van zijn lievelingsliedjes, *Christine* van Will Ferdy. Hij kreeg spontaan weer de tranen in de ogen toen hij eraan dacht hoe moedig de zanger was geweest door zich in het conservatieve Vlaanderen te *outen*. Pas recent had Ferdy de oorspronkelijke versie uitgebracht, die toepasselijk *Mijn vriend* heette. De zanger was nu een kloeke zeventiger, maar in zijn ogen brandde nog altijd het heilige vuur van de grote dagen.

Zolang het liedje niet was uitgestorven, bleef Cornelis roerloos zitten luisteren. Puur uit respect, want hij kende het nummer intussen van achteren naar voren. Een inspecteur klopte aan en kwam een dossier afgeven, maar nog bewoog hij niet. Hij schaamde zich niet voor zijn tranen en had iets van een onvoltooide glimlach op zijn lippen.

'Sorry,' zei Abdel Hassim. Hij maakte onwillekeurig een kleine buiging. 'Ik kom later wel even terug.'

'Het geeft niet,' wimpelde Cornelis de terughoudendheid van zijn ondergeschikte weg. 'Echt niet.'

Hij gebaarde dat Hassim moest gaan zitten. Samen luisterden ze naar de laatste noten van het lied. Hassim zat ongemakkelijk op zijn stoel te draaien, want hij had niet de minste voeling met Vlaamse zangers. Hij hield van rap en de pompende raï van Khaled.

'Laten we eens even kijken,' zei Cornelis, en methodisch nam hij het dossier door met een toewijding een betere zaak waardig. Op slag was hij weer de professional. Hassim begon hem intussen wat te kennen, en verbaasde er zich niet meer over dat de commissaris van het ene op het andere ogenblik helemaal van stemming kon veranderen.

Cornelis had een complimentje over Hassims verzorgde uiterlijk op de lippen, maar hield het voor zich. Die jongen begon ook zo snel te blozen.

De cursus snellezen die Cornelis samen met Bracke op kosten van de gemeenschap in een wetenschappelijk instituut in Aken had mogen volgen, wierp vruchten af. In een mum van tijd was het dossier verwerkt, en hij zou foutloos *par coeur* de hoofdlijnen kunnen opsommen.

'Puik werk,' prees hij. 'Maar wanneer heb je dat allemaal gedaan, mijn jongen?'

Nu begon Abdel dan toch te blozen.

'In mijn vrije tijd,' bekende hij na enig aarzelen.

Cornelis smakte bewonderend met de lippen.

'Hier en daar kunnen je bewoordingen nog wat helderder geformuleerd worden, maar ik moet toegeven dat dit een indrukwekkend rapport is.'

'Ik heb me beperkt tot de laatste dertig jaar,' zei Hassim. 'Maar ik ben nog lang niet klaar, vrees ik. In het archief zit nog heel wat bruikbaar materiaal. En ik moet eerlijk zeggen dat Staelens me goed geholpen heeft.'

'Ja, onze Stormvogel heeft zijn talenten,' kon Cornelis niet ontkennen. 'Ik denk dat dit een mooie basis voor je eindwerk wordt. Heb je al een titel?'

Hassim krabde zich in de haren. Dat gebaar had iets sensueels, vond Cornelis. Maar ook die gedachte hield hij voor zichzelf.

'Als ik een tip mag geven: gooi er wat dure woorden tegenaan. Is professor Hendrickx niet je promotor?'

Hassim knikte.

'Dat is een ouwe rot in het vak, misschien wel de beste criminoloog van het land. Giet er een sausje met geleerde termen overheen, daar kickt die ijzervreter op. Kwantitatieve analyse van onopgeloste zaken blablabla, wat Engelse termen à la *unsolved crime cases*, en natuurlijk veel uitvoerige tabelletjes met de bijbehorende grafieken. Ik wil best een aanbeveling voor je schrijven.'

'Daar zou ik u zeer erkentelijk voor zijn,' zei Hassim eerlijk, blij verrast.

'Komt in orde. Maar als je mij nu wilt excuseren? Ik heb binnen tien minuten een vergadering met Van Aken, en we kunnen de grote Manitoe toch niet laten wachten, nietwaar.'

Hassim zuchtte. Zelf zou hij zulke woorden nooit in de mond durven nemen.

'O, ik onderbreek een leuk onderonsje, zie ik. Sorry hoor,' zei Staelens spottend. Zijn imposante gestalte hing al half in de deuropening.

'Dat komt ervan als je nooit geleerd hebt te kloppen,' knorde Cornelis. 'Zeg het eens, Stormvogel. Waaraan heb ik je bezoek te danken?'

Hassim besloot zich discreet terug te trekken. Die twee konden elkaar behoorlijk afkatten. Het was een publiek geheim dat Staelens en Cornelis een wederzijdse allergie hadden ontwikkeld, maar als het er echt op aankwam werkte wellicht niemand beter samen.

'Nee, Hassim, blijf gerust. Het kan alleen maar leerzaam voor je zijn.'

Zuchtend ging Hassim zitten. En dacht aan zo weinig mogelijk. Aan niets eigenlijk.

*

In Het Waterhuis aan de Bierkant[3] zat George Bracke geduldig te wachten. Hoe rusteloos van karakter hij soms ook was, wachten had hij intussen als geen ander geleerd. Ook de tijger zit vaak urenlang ogenschijnlijk rustig in het gras naar zijn prooi te loeren, klaar om in die ene veerkrachtige en dodelijke sprong alle frustratie en kracht te ballen.

Zoals altijd was Johan Martens weer te laat. Bracke had de laatste weken verschillende keren met de fotograaf afgesproken, maar ijverige kleine zelfstandige die Martens was moest hij vooraf altijd wel weer een of andere lucratieve persklus opknappen. Maar op een mooie dag als vandaag besloot Bracke het zich allemaal niet aan te trekken. Misschien moest Johan voor het plaatselijke uitblad *Zone 09* een of ander café fotograferen dat vervolgens door een van de recensenten van het blad wellustig in de grond werd geboord.

3 Zie p. 266

Bracke had een kop koffie besteld die op het dienblad van de kelner veelbelovend stond te dampen. Het was te vroeg op de dag en te warm voor een malt, hield hij zichzelf voor. Nonsens natuurlijk, voor een whisky was er steeds wel een geschikt moment. Dat hadden ze twee maanden geleden bij Bob in whiskyclub Glengarry nog bewezen met *The Ultimate Whisky Day*. Men was er begonnen met een heus whiskyontbijt, een stevige pan spek en eieren, geparfumeerd met een vleugje Dalwhinnie. Daarna volgde een sherryachtige aperitiefwhisky, gevolgd door een heus whiskymenu waarbij de whisky's niet alleen dienden als parfumering bij elk gerecht, maar ook nog eens als begeleidende drank in de plaats van wijn. Vervolgens was er een digestiefwhisky en als ultieme afsluiter 's avonds in bed een dartele stoeiwhisky.

Op nutteloze ogenblikken als deze snakte hij naar een sigaret, maar hij wist dat hij daaraan niet mocht toegeven. Bijna acht jaar hield hij het nu bijna vol, en het had een hele tijd geduurd voor zijn verdoofde geur- en smaakzin weer enigszins hersteld was.

Hoofdschuddend bekeek Bracke de map foto's die Martens in de bus had gestoken. Het was weer een onzinnig idee van de minister van Justitie geweest. De Ceuleer wou een promotieboek over het politieleven maken, en Bracke werd de taak om een fotograaf te zoeken in de schoenen geschoven. De keuze was niet moeilijk geweest, al had Martens toch even vreemd opgekeken toen de commissaris hem in de gemakkelijke fauteuils van Bobs whiskyclub bij een stoere Lagavulin[4] het voorstel had gedaan.

'Je hoeft natuurlijk niet meteen te beslissen. *Off the record*: het budget is geen probleem. Met andere woorden: stevig doorrekenen graag, je vooral niet inhouden.'

Johan had meteen ja gezegd, in eerste instantie omdat de vraag van de commissaris kwam en natuurlijk omdat hij met twee opgroeiende kinderen in huis altijd wat extra centen kon gebruiken. En natuurlijk ook omdat hij gewoon graag fotografeerde.

4 Zie p. 267

Die foto's zijn veel te goed, bedacht Bracke. Sommige van de beelden leken zo uit een tentoonstelling weggelopen. Maar dat was net het uitgangspunt van De Ceuleer geweest.

'Ik zie het al zo voor me!' had hij enthousiast gezegd. 'Een salontafelboek op glanzend papier met artistiek verantwoorde foto's die het belang van het korps in de verf zetten. Dat moet de mensen aan het dromen brengen. Let op mijn woorden: dat zal ons heel wat nieuwe rekruten opleveren.'

De gsm van Bracke ging. Julie had de beltoon veranderd in *Ne me quitte pas*, maar Bracke werd er gek van. Jacques Brel draaide zich ongetwijfeld om in zijn graf.

'Ja, Cornelis? Wat voor nieuws, ouwe jongen?'

'Wat een enthousiasme! Het doet altijd deugd te weten dat mensen ernaar snakken je stem te horen,' zei André sarcastisch. 'Het is maar dat ik hier in de papieren dreig te verdrinken en ik even behoefte had aan een gesprek.'

Bracke zou het nooit openlijk toegeven, maar hij was blij met de afleiding. Hij had net zijn derde kop koffie laten aanrukken en beklaagde zich dat nu al. Sinds hij thuis op thee was overgeschakeld en nog alleen op verplaatsing koffie dronk, leek hij niet meer tegen cafeïne te kunnen.

'Ik heb net het eindwerk van Hassim zitten lezen,' zei Cornelis, zomaar *out of the blue*, om iets te zeggen. 'Behoorlijk indrukwekkend, moet ik zeggen. Ik wou hem een compliment maken, maar het schatje moest helaas op patrouille. Iets met een burenruzie.'

'Tja, zo zal hij het leren,' siste Bracke. 'Maar waarom ga je vanavond geen glas met hem drinken?'

'Die arme knul begint al te blozen als hij nog maar met mij in dezelfde kamer staat,' lachte Cornelis. 'Ik denk niet dat hij op een uitnodiging van mij durft in te gaan. Het is zo'n lieverd, George. Maar ik vrees dat een knuffel er niet in zit. En dat is echt het enige wat ik van hem verlang. Ik heb thuis mijn *goesting* zitten.'

'Zijn vrouw zou zo'n stevige knuffel tussen mannen niet bepaald leuk vinden, vrees ik,' merkte Bracke droog op. 'Die Berbers zijn nog behoorlijk conservatief. Maar aan de andere kant: je bent toch zijn superieur.'

'Nou, en?'

'Als een meerdere je het bevel geeft om mee op café te gaan, moet je luisteren,' grinnikte Bracke kwaadaardig. 'Maar ik moet nu ophangen. Werk aan de winkel.'

Johan Martens liet zich puffend op de enige nog vrije stoel op het terras neerploffen. 'Sorry, hoor, maar het is ook zo een drukke boel met dat flikkengedoe.'

'Orders van het opperhoofd,' raadde Bracke.

Martens schudde mistroostig het ietwat kalende hoofd.

'Vanmorgen kreeg ik zijne excellentie De Ceuleer in hoogsteigen persoon aan de lijn. Enfin, het was niet echt een gesprek, veeleer eenzijdig geblaf van zijn kant. Kan die vent zeuren, zeg.'

'Wat een eer. Je weet toch hoe je een minister moet aanspreken?'

'Geen flauw idee. "Meneer" zal ook wel goed zijn zeker. Hij wilde dat ik dadelijk op mijn motor stapte om foto's in de Ardennen te gaan nemen. Daar was een of ander opleidingskamp voor agenten aan de gang, en dat moest tot elke prijs voor het nageslacht vereeuwigd worden.'

Martens zat op zijn horloge te kijken. Het is te zeggen, sinds hij een gsm had was het horloge van zijn plechtige communie naar een lade van de bureaukast verbannen.

'Haast?'

'Ik heb mijn vrouw en kinderen de laatste dagen nauwelijks gezien,' zei Martens eerlijk.

'Doe er dan maar een flink stuk bij op je factuur,' knipoogde Bracke. 'Nu ja, veel werk hebben wij hier niet. De Ceuleer heeft mij de taak gegeven een selectie uit je foto's te maken omdat ik tenslotte de supervisie over zijn intern rapport doe, maar hij kan mijn rug op. Wat weet ik in godsnaam af van fotografie! Ik zou zeggen: kies er zelf honderd foto's uit, verzin een of ander hoogdravend onderschrift en bezorg mij alles. Ik zal dan wel een begeleidende nota opmaken, er mijn naam onderzetten en klaar is Kees. En wee zijn gebeente als hij langer dan een maand wacht met je te betalen.'

'Eh, mij goed,' zei Martens verbouwereerd. 'Maar ik en schrijven, dat gaat niet samen. Ik ben al blij als ik mijn naam onder mijn facturen kan zetten. Nu ja, ik vind altijd wel een hongerige journalist die voor een appel en een ei wat tekstjes wil schrijven. Nu het met de kranten zo slecht gaat, lopen er genoeg van die armoedzaaiers rond.'

'Geen zin om mee een hapje te gaan eten? Ik heb met Annemie hiernaast in Chez Leontine afgesproken,' zei Bracke.

De fotograaf twijfelde even.

'Bedankt voor de invitatie, maar liever een andere keer. Geef haar een zoen van mij.'

'Zal zeker gebeuren!'

Martens haalde zijn portefeuille boven, maar Bracke wees met het vingertje.

'Dit is hier op kosten van de staat.'

'Dan ga ik maar. Voor ik weer een boete heb. Nu ja, ik ken de juiste mensen. Ik zal wel niet moeten afdokken.'

Dat denk ik ook niet, dacht Bracke. Tot zover de nieuwe politiecultuur. Hij wuifde Martens na. En bestelde dan toch maar een Auchentoshan, met een glas ijsgekoeld water.

*

Maïsstraat huppeldepup, Hassim kon het juiste huisnummer in zijn notitieboekje niet ontcijferen, maar dat hoefde ook niet. Het kabaal uit nummer 9 was tot wel honderd meter ver te horen, en een troepje nieuwsgierige buren had zich reikhalzend rond de woning verzameld. Er werd binnen keihard geroepen, en aan het gerinkel te oordelen was intussen wellicht zowat de hele huisraad gesneuveld.

'Teef!'

'Geile bok!'

'Hoer!'

'Wie we daar dan toch nog hebben,' zei een van de omstanders sarcastisch. 'Als dat onze vrienden van de politie niet zijn! Verdwaald zeker?'

'Dag meneer Verbeke,' knikte Hassim beleefd. Hij kende deze buurt als zijn broekzak. Het voorbije jaar was hij talloze malen moeten uitrukken voor een heetgebakerde kerel op de Nieuwevaart, die zijn Turkse buren terroriseerde door tijdens de ramadan 's nachts keiharde techno te draaien en de gevulde luiers van zijn twee kinderen over het bouwvallige muurtje te gooien. De man schreef ook boeken, althans, hij pende stapels papier vol nonsens en stuurde die met tientallen tegelijk naar alle mogelijke uitgeverijen uit Vlaanderen en Nederland die hem de zending elke keer opnieuw met hetzelfde beleefde weigerende typebriefje terugzonden.

Het lawaai in de woning leek even verstomd. Wel was in het gehorige huis duidelijk het geluid van bonkende voetstappen op een trap te onderscheiden.

Van alle kanten werden Hassim en zijn kersverse partner Eddy Daeninck door buurtbewoners aangeklampt.

'Dat koppel is gek!'

'Sinds de schepen hier niet meer woont gaat het van kwaad naar erger!'

'Er zullen nog ongelukken gebeuren!'

'Ho maar! Niet allemaal tegelijk!' probeerde Hassim de gemoederen te bedaren, maar dat bracht weinig zoden aan de dijk. Enkele Turkse jongemannen begonnen in hun moedertaal te ratelen, maar de inspecteur greep snel in.

'Daar begrijp ik geen woord van. Zo komen we nergens. Doet u uw verhaal maar, meneer Verbeke.'

De man krabde in zijn schaarse haren.

'Het is weer hetzelfde liedje, alleen wat luider dan anders. Ronny verwijt zijn vrouw Erna dat ze hem horens zet, maar hij doet achter haar rug net hetzelfde.'

'Zijn er kinderen binnen?'

Verbeke schudde het hoofd.

'Dat is net het probleem. Het schijnt dat Erna onvruchtbaar is, iets met een ontsteking aan haar eierstokken. Enfin, dat zegt hij toch. Zij steekt de schuld op hem. En ze slingert hem in zijn gezicht dat ze het eens op een ander gaat proberen om te zien of het daar wel lukt. Enfin, dan krijg je dit natuurlijk.'

Het leek alsof Erna en Ronny binnen op die woorden zaten te wachten. Weer werd keihard en gemeen heen en weer gebruld, en het onderscheid tussen de mannen- en vrouwenstem was nog nauwelijks te maken.

'Mag ik u vragen wat plaats te maken,' zei Hassim.

Hij belde driemaal lang aan, maar er kwam geen reactie. Integendeel, binnen zette iemand de stereo keihard aan, de cd van *Idool 2003*. Toch kwam bloedstollend geroep nog boven de muziek uit.

'Oké, nu is het welletjes,' knikte Hassim zijn collega Eddy toe. Ze namen een aanloop en zetten hun stevige schouders tegen de voordeur, die het meteen begaf. De twee inspecteurs vielen letterlijk met de deur in huis.

'Rommel uit de Gamma,' pufte de zwaarlijvige Daeninck terwijl hij zich het stof van de kleren klopte. Dat was nodig, want het huis leek wel een ruïne. De vloer was bezaaid met scherven, lege flessen en blikjes, en in een hok lag een konijn te slapen. Dat leek althans zo, want het beest was al twee dagen dood.

De deur van het trapgat stond op een kier. Het geruzie van de bewoners in de kelder zou nooit door de censuurcommissie raken.

En het bleef duidelijk niet bij woorden. Van boven aan de trap zag Hassim hoe Erna haar overspelige echtgenoot met een stalen staaf achternazat. Het was moeilijk om in de kleine enge ruimte aan de klappen te ontsnappen, en aan zijn gezicht te zien had Erna al een paar keer raak gemept.

Ronny struikelde over een aardappel. Erna hief de staaf om hem de genadeslag te geven.

'Dat zou ik maar niet doen, Erna,' riep Hassim van boven aan de trap. 'Zware verwondingen of moord met een flik als getuige, dat komt niet zo goed op de rechter over.'

Erna keek verwonderd naar boven en merkte pas toen de inspecteurs op. Traag liet ze de staaf vallen.

'Kom nu allebei maar rustig naar boven,' zei Daeninck. 'Eerst Erna.'

Ronny had enige ondersteuning nodig. Zijn neus hing er wat vreemd bij, en boven zijn linkeroog had hij een geweldige jaap. Het was alsof hij pas nu de pijn voelde. Hij tastte kreunend naar zijn hoofd, dat helemaal gezwollen was. Maar dat kon ook van de drank zijn.

Daeninck nodigde het koppel uit aan tafel plaats te nemen. Als je het ronde plastic geval met drie poten een tafel mocht noemen. Hassim had intussen een ambulance gebeld. Ronny leek elk ogenblik te kunnen instorten.

'Nog even volhouden, ze zijn onderweg.'

'Zo, beste Erna, vertel maar. En mag ik eerst even je identiteitskaart, als het niet te veel gevraagd is?'

Zuchtend begon Erna in een kartonnen doos te rommelen. Ze vond er een halve sigaret in, en zocht vruchteloos naar lucifers. Hassim gooide haar een doosje toe.

Ze maakte geen enkele beweging toen de lucifers haar voorbijzoefden, richting trap. Het doosje viel net voor de trapdeur neer. Erna stak de sigaret aan. Ze gooide de nog brandende lucifer naar beneden.

'Wel, ik eh...' stak Erna van wal.

Maar verder zou ze niet komen. Een luide knal deed het huis op zijn grondvesten daveren.

3

'Niets te melden dus,' zei Van Aken nadenkend. Hij wreef over zijn stoppelbaard die hij bij wijze van nieuw imago vakkundig onverzorgd à la Paul Jambers liet groeien. Iedereen op het hoofdkwartier hield er dezelfde mening op na: het was geen gezicht.

'Op een paar inbraken en een wegverzakking aan de Korenmarkt met een spectaculaire kop-staartbotsing tot gevolg na is het vandaag inderdaad erg rustig,' beaamde Cornelis, en dat vond hij prima.

Nog enkele dagen en hij kon aan een snipperweek beginnen. Het hotel in het Zwarte Woud was al maanden geleden geboekt, en zijn vriend Bart had hemel en aarde bewogen om vrijaf te kunnen nemen.

'Maar goed ook, dan raken we eindelijk eens door de paperassen heen,' zuchtte Van Aken. 'Sinds De Ceuleer minister is lijkt de papiermolen alleen nog maar sneller te draaien, de belofte van de premier om de administratie te vereenvoudigen ten spijt.'

'Dat was een dure eed tijdens de vorige verkiezingscampagne. Wedden dat het bij de volgende stembusgang opnieuw een thema wordt?'

Van Aken zat op iets te dubben, voelde Cornelis. Hij ging er prat op de officier met het beste psychologische doorzicht te zijn, en vriend en tegenstander moesten toegeven dat hij niet eens ongelijk had.

'Zeg het maar, chef. Je weet dat ik zwijg als het graf.'

Ook dat was algemeen bekend.

Van Aken zocht naar zijn woorden. In gedachten zat hij te wikken en te wegen.

'Heb je de laatste tijd niets aan Bracke gemerkt?'

Cornelis pulkte aan zijn neus. Dat deed hij alleen als zijn hersencellen op volle toeren draaiden.

'Ik bedoel maar, hij lijkt de laatste tijd niet helemaal zichzelf. Het kan natuurlijk ook gewoon een indruk zijn,' haastte Van Aken zich om zijn woorden af te zwakken, want nu hij zijn twijfels geuit had vond hijzelf dat het veel te zwaar klonk.

Cornelis zette een zuinig mondje op.

'Ik zou me nog maar geen zorgen maken, chef. George loopt er misschien niet helemaal met zijn gedachten bij, maar je kent hem. Die kloteopdracht van De Ceuleer is niet bepaald zijn *cup of tea*. En hij zit met zijn hoofd natuurlijk al in Buenos Aires.'

'Ach ja, natuurlijk, de samba,' zei Van Aken gerustgesteld. 'Dat zal het zijn.'

'De tango, bedoel je,' schudde Cornelis ongelovig het hoofd, treurig door zoveel gebrek aan elementaire kennis.

'Om het even,' klonk het kregelig. Van Aken werd niet graag gecorrigeerd, zeker niet wanneer hij besefte dat hij ongelijk had.

'Wanneer komt Verlinden terug?' gooide Cornelis het over een andere boeg. Hij wist dat Van Aken nog steeds nagenoot van zijn overwinning bij de keuze van de nieuwe politiechef. Verlinden had nipt het loodje moeten leggen, en Van Aken gebruikte zo vaak hij kon zijn hogere plaats op de hiërarchische ladder.

'Vrijdagmorgen landt hij om achttien punt twaalf uur op Zaventem,' wist Van Aken uit het hoofd.

'Volgezogen met de kennis van de allernieuwste technieken van de FBI,' zei Cornelis niet zonder enige afgunst. Hij was zich zelf graag in de States gaan bijscholen, maar het was een publiek geheim dat Verlinden over dezelfde partijkaart als de minister van Justitie beschikte.

Van Aken keek gestoord.

'Het laatste nieuws van het front: zaterdagavond zit Verlinden samen met De Ceuleer in het discussieprogramma op de openbare omroep. Onderwerp van de avond: de steeds toenemende professionalisering van het politiekorps. In die zin is het mooi meegenomen dat het hier op het front windstil is.'

'Extra werk aan de winkel dus voor Annemie,' schatte Cornelis perfect in. Ongetwijfeld zou ze Verlinden in zijn luchtgekoelde hotelkamer in New York al een blauwdruk gemaild hebben van de krachtlijnen die hij in het interview moest naar voren brengen. En ook haar collega-woordvoerder bij het ministerie van Justitie zou de komende dagen beslist grondig gebrieft worden.

De telefoon ging. Laat het niets bijzonders zijn, hoopte Cornelis heimelijk. Vandaag had hij echt geen zin in overwerk. Vanavond stond de eerste repetitie op het programma van *De alpinist*, een toneelstuk van een plaatselijk niet-onverdienstelijk auteur van wie hij zich met de beste wil van de wereld de naam niet meer kon herinneren. Het amateurgezelschap had kosten noch moeite gespaard en zelfs een heuse compositieopdracht gegeven aan Luc Callaert, een eveneens onbekende lokale muzikant die weliswaar overliep van talent maar door zijn eigenzinnige houding nooit potten zou breken. Als hij nog zong tenminste, en niet ergens buitenwipper in een dancing geworden was.

'Juist, ja,' zei Van Aken, 'ik begrijp het.' Zijn pupillen vernauwden zich toen hij inhaakte. Nadenkend tastte hij naar zijn baardstoppels.

Cornelis wachtte enkele ogenblikken, tot hij het niet meer kon houden.

'Iets bijzonders?'

'Een ontploffing in de Maïsstraat,' zei Van Aken. 'Het is niet helemaal duidelijk wat er precies gebeurd is, maar in ieder geval zijn er twee inspecteurs bij betrokken.'

Cornelis hield de adem in. Hij kende de buurt van de Maïsstraat goed omdat het gezelschap daar ooit een tijd in de parochiekring gerepeteerd had en hij wist dat de wijk een potentieel kruidvat was. Het viel maar te hopen dat de lont niet tot ontbranding gekomen was.

'Wie?'

'Hassim en Daeninck. Dat is die knul die pas vanuit Brussel is overgekomen.'

Cornelis stond al met de deurknop in de hand.

'Ik ga even een kijkje nemen.'

Van Aken nam zijn vest van de kapstok.

'Ik ga met je mee. Een ogenblikje.'

Via de intercom waarschuwde hij zijn secretaresse.

'Verbind de belangrijke telefoons door via mijn gsm.'

In de gang stond Cornelis met Bracke te bellen. Die had net het toetje achter de rug en zat vooral te zuchten. Hij zou het niet eens merken als ik een andere bril droeg, dacht Annemie.

'De Maïsstraat? Een aanslag op een Turkse woning?' vroeg Bracke. Als wijkagent had hij destijds vaak in de buurt gepatrouilleerd, toen de straat nog niet door allochtonen was ingepalmd. Het was snel gegaan, en op enkele jaren tijd had de wijk een overwegend exotisch kleurtje gekregen.

'Volgens Van Aken gaat het om een huis van een Vlaams koppel,' zei Cornelis. Hij zat intussen al achter het stuur van zijn Volkswagen en gaf verkwistend gas. Een fietser die nog net op tijd aan de kant kon springen hief woedend zijn gebalde vuist.

'Om het eerst ter bestemming,' jende Bracke. Hij had al betaald en de ober een royale fooi gegeven. De wagen stond tegen alle verkeersregels in op de Groentemarkt geparkeerd, en Annemie had als vanzelfsprekend de rol van chauffeur op zich genomen..

'Ik ben al bijna aan het Rabot,' zei Cornelis triomfantelijk.

'Weet ik,' juichte Bracke. 'Voor je kijken en mooi lachen, zou ik zeggen.'

'Hoe bedoel je?' zei Cornelis niet-begrijpend.

'Als ik achteromkijk, kan ik lekker een foto van je nemen. En zou je niet snel je gordel omdoen, André?'

Cornelis sloeg met de platte hand op het stuur. Hij moest toch wel toegeven dat hij behoorlijk kippig werd.

*

Twee patrouillewagens hadden beide kanten van de Maïsstraat afgezet, maar de agenten hadden de handen meer dan vol om de opdringerige nieuwsgierigen tegen te houden. Voor één keer spraken allochtonen en autochtonen wel met elkaar, want niemand wist wat er gebeurd was. Het woord terrorist was blijkbaar universeel.

De voorgevel van het huis zag er nog redelijk intact uit, maar binnen was het een enorme ravage. Waar ooit een eetkamer had gestaan, lag nu een diepe krater. De technische ploeg was al druk in de weer om de boel te analyseren.

'Weet je al iets over Abdel en eh, die nieuwe?' vroeg Bracke. Hij voelde de warme adem van Annemie in zijn nek.

Staelens maakte met zijn hand een afwerend gebaar midden in zijn gesprek. Toen schakelde hij zijn gsm uit.

'Het ziet er blijkbaar erger uit dan het is. Abdel heeft een stuk van het dak op zijn hoofd gekregen, maar die knul heeft gelukkig een harde kop. Verder zijn er nog twee bewoners van onder het puin gehaald, maar daar heb ik nog geen gegevens over. Ze leefden nog bij aankomst in het UZ, maar dat is ook alles wat ik erover weet.'

Van Aken was intussen ook aangekomen. Zich bewust van zijn positie kwam hij met de neus in de wind poolshoogte nemen, maar hij werd door een van de technische jongens teruggefloten.

'Achteruit, man! De boel kan hier elk ogenblik instorten! Moet je daar zo oud voor geworden zijn!'

Van Aken keek maar sip. Hij besloot de naam van de man te noteren. Bracke lachte in zijn vuist, maar liet niets merken. Annemie kneep hem zachtjes in de hand, hij gaf eventjes tegendruk.

'Leuke boel,' knorde Cornelis. 'Maar we staan hier onze tijd te verknoeien. Wedden dat het gewoon een ongeluk is? Die gasleidingen zijn waarschijnlijk in geen jaren nog gekeurd. En het zijn in deze beurt allemaal doe-het-zelvers die met hun kortingbonnetjes in de Gamma staan aan te schuiven.'

'Je hebt wellicht gelijk,' moest Van Aken toegeven. 'Dit is een werkje voor de technische ploeg.'

En weg was hij, de handen op de rug. Met de tred van een geslagen hond. De reprimande zat hem hoog. Hij dacht er ernstig over na de man een blaam wegens gebrek aan respect voor een meerdere te geven.

'Wat kwam die hier doen?' knorde Bracke. 'Nog goed dat de pers er nog niet is, want die zouden gesmuld hebben. Al dat hooggeplaatste politievolk, ze zouden meteen denken dat hier iets ernstigs aan de hand was.'

'Je kent Van Aken, hè. Zo heel af en toe krijgt hij zijn kuren. Wil hij zich tussen het volk mengen en zo, ter plaatse gaan om voeling met de materie te houden,' lachte Annemie. 'Maar je hebt gelijk, goed dat we de persjongens geklopt hebben. Of ik kon het weer gaan uitleggen. Knoeien met gemeenschapsgeld, dat staat altijd leuk in een artikel. Hoe sneller we hier weg zijn, hoe beter.'

'Trouwens, lekker gegeten bij Leontine?' vroeg Cornelis, en het klonk oprecht geïnteresseerd.

'Zeker weten,' zei Annemie, die prompt het interieur begon te beschrijven. De huiskamer van tante Leontine met overal prullaria, en obers die verhalen vertelden over haar twee gestorven echtgenoten die ze uiteindelijk zelf waren beginnen te geloven. En dat ze nog wel een pousse-café wilde, want dat was erbij ingeschoten. Daar kon voor gezorgd worden, vond Bracke. En Cornelis was toch al van plan vandaag vroeger te stoppen om zeker niet te laat voor de repetitie te zijn.

Vrolijk keuvelend stapten ze naar hun wagens.

Zie hem daar lopen, dacht Adamo. De blaaskaak. Hij werd er helemaal kribbig van. En dat beterde niet omdat hij van een agent zo vlak bij *the crime scene* geen sigaret mocht opsteken, vanwege het ontploffingsgevaar. Zijn draagbare cd-speler bracht evenwel soelaas. *Inch allah*, klonk het opzwepend in zijn koptelefoon. De muziek stond zodanig luid dat de Marokkaanse kruidenier die dankbaar vanwege de afleiding stond toe te kijken, spontaan en talentvol met de heupen begon mee te wiegen.

*

Het was een van die momenten die Bracke in feite had kunnen voorspellen, want het dreigde net prettig te worden. De ober was in aantocht met de bestelling, een Irish coffee voor Bracke en Annemie en een watertje voor Cornelis, die zijn hoofd helder wilde houden voor de repetitie. Bracke had eerst even getwijfeld of hij een Scotch coffee zou vragen, dus met Schotse whisky in plaats van Ierse, maar besloot uiteindelijk niet te overdrijven.

Cornelis was in een lankmoedige bui en citeerde uit *De alpinist*, waarin hij een vertwijfelde leraar speelde die in een berghotelletje van een hopeloos huwelijk probeerde te bekomen.

'Soms kan ze zo zacht zijn. Dan wandelen we langs de waterkant, arm in arm, en ik vertel haar over de bergen. En over de sneeuw die alles bedekt. We drinken warme uiensoep in een berghut.'

'Werkelijk?' teemde Bracke. Er zou weer geen ontkomen aan zijn. Annemie had de première allang in haar agenda genoteerd.

'Kun je nog wat hebben?' vroeg Cornelis bedachtzaam, en hij keek hierbij alleen naar Annemie die enthousiast knikte. Cornelis schraapte de keel en begon geaffecteerd te citeren.

'Je wordt weer helemaal kil. Is ons ogenblik van geluk weg? Is de magie opgebruikt? Je bent wispelturig, Inge. Nooit kan ik eens ernstig met je praten. Nooit gun je me een blik in wat er werkelijk in je omgaat. Voor jou ben ik maar een nar, een marionet die je heen en weer kunt laten bengelen naargelang het je belieft.'

Annemie kreeg er vochtige ogen van. En Bracke zou het nooit toegeven, maar ook hij raakte langzaam in de ban van zijn collega, die bij elk woord een beetje meer de gefrustreerde leraar werd.

Bracke stond op het punt om zelf nog om een citaat te verzoeken, in de vorm van een flauw grapje, maar dat zou Cornelis ongetwijfeld doorzien.

Toen ging die rotgsm. Had ik hem maar moeten uitzetten, gromde Bracke. Of in de Leie slingeren.

'Ja?'

'Ik hoop dat je niet met iets leuks bezig bent, Bracke. Keer meteen terug naar de Maïsstraat,' zei Van Aken zo autoritair mogelijk, nog net niet blaffend.

'Nieuwe verwikkelingen?'

'Zo zou je het kunnen noemen,' zei Van Aken cryptisch.

'Toch niets mis met Abdel en Daeninck?'

'Die zijn binnen voor observatie, maar op het eerste gezicht zijn er geen vitale functies bedreigd. En ook de twee bewoners komen er met barstende hoofdpijn en een paar meter verband wellicht goedkoop vanaf.'

'Was het dan toch een aanslag?'

'Toch niet, hoor,' lachte Van Aken bijna. Dat treiterige toontje van ik-weet-het-en-jij-lekker-nog-niet joeg Bracke de gordijnen in. Hij moest een uiterste krachstinspanning doen om beleefd te blijven.

'Mag ik vragen wat er dan wel gebeurd is, meneer de hoofdcommissaris?'

Het sarcastische toontje ontging Van Aken, of hij deed tenminste toch alsof.

'Mevrouw Erna Huylebroeck heeft in haar enthousiasme bij het aframmelen van haar teerbeminde ook de gasbuizen in de kelder een flinke mep verkocht, en toen ze later een brandende lucifer in het keldergat gooide heeft dat voor een prachtige ontploffing gezorgd Meer moet je er niet achter zoeken. Een hoogst ongelukkige samenloop van omstandigheden.'

'En moet ik daar nu in galop voor terug naar de Maïsstraat? Dat kunnen onze jongens ter plaatse toch wel afhandelen?' zeurde Bracke. Hij was niet van plan toe te geven.

'In theorie wel, maar bij het bergen van het puin hebben ze iets verdachts gevonden,' klonk Van Aken nog steeds raadselachtig. 'Aan jou om vast te stellen wat precies. En eh, stuur Annemie ook maar terug naar het bureau. We zullen haar hulp hier goed kunnen gebruiken.'

De verbinding werd verbroken. Even staarde Bracke sprakeloos naar zijn mobieltje. Hij dronk zijn Irish coffee, die intussen aardig koud geworden was, in één teug leeg en rilde. Die Ierse rommel ook.

'Is het erg?' vroeg Cornelis, maar hij wist het antwoord al. Als Bracke zo plomp reageerde, was er storm op komst. Stilzwijgend stapten ze naar de wagen van Bracke. Steeds sneller, want de plicht riep.

*

Zonder erbij na te denken op een bevel reageren, zo kon je snel carrière maken. Die gedachte spookte door het hoofd van commissaris Bracke toen hij uitstapte. Hij parkeerde manifest verkeerd half op de stoep en genoot ervan, een van de voorrechten van met een onderzoek bezig te zijn. Want hij veronderstelde dat hij nu inderdaad in functie was.

'Keurig gedaan,' prees Cornelis. 'Schuin op straat en half op de stoep tegen de gevel aan zodat niemand er langs kan, zo bruin heb ik het nog niet gebakken.'

In de Maïsstraat heerste ter hoogte van het nummer 9 een koortsachtige bedrijvigheid. De ene na de andere container werd gevuld afgevoerd. Twee agenten hielden aan beide kanten van de straat nieuwsgierigen op een afstand en haalden de dranghekken voor de weggesleepte containers weg.

Bracke knikte de agent toe.

'Dag inspecteur Hellebuyck. Hoe lang nog voor je met pensioen bent?'

Hellebuyck zette een zuur gezicht op. Hij verlangde al naar zijn pensioen toen hij nog maar pas in dienst was. Hij telde de 42 maanden steeds nadrukkelijker af. Hellebuyck verkoos het stilzwijgen te bewaren en keek waardig voor zich uit. Althans, dat dacht hij want eigenlijk zag hij er met zijn grote snor, toupetje en bolle kop potsierlijk uit.

'Varkenssmoel,' knorde Cornelis, die de voorzitter van de bodybuilderclub van de politie niet kon luchten.

De voorgevel van het huis was intussen helemaal gesloopt. Van de woning bleef zo goed als niets meer over. Achteraan stond tussen het puin een badkuip of toch iets wat daarop leek. Het ding zat helemaal onder het stof, maar Bracke twijfelde eraan dat het allemaal van de explosie kwam.

Ter plaatse werden Bracke en Cornelis snel op de hoogte gebracht.

'Ik ging net inpakken. Zaak zo klaar als een klontje: explosie door een beschadigde gasleiding. Tot mijn assistent Hendrik toch nog even onder het puin verder zocht,' zei Hans Bruneel, chef van de Technische Ploeg Oost. Het was zijn eerste missie in die functie, en hij liep over van de ambitie om het perfect te doen.

Bracke zou nooit willen toegeven dat hij brandde van nieuwsgierigheid. Maar hij gunde die knul best zijn moment van glorie.

'En die assistent van je heeft natuurlijk iets gevonden.' Bracke hield zijn hoofd schuin. Hij lette er zo veel mogelijk op dat te vermijden, want sommige collega's maakten zich daar vrolijk om. Maar zijn aandacht ging nu helemaal naar de vondst in de kelder.

Cornelis gaf hem een por.

'Kop recht. Of je verstand loopt er nog uit.'

'In het midden was de vloer helemaal verzakt, en Hendrik stootte met zijn voet toevallig op iets hols. Eerst dachten we dat het een kist was, maar het bleek om een betonnen omhulsel te gaan. Best een stevig geval, maar de ontploffing had een scheur in het beton gemaakt.'

'En er zit niet alleen lucht in, veronderstel ik,' zei Bracke.

'Een vergeten zeeroversschat misschien?' hoopte Cornelis. 'Die kunnen we dan onder ons drietjes verdelen, en dan lekker naar de Bahama's.'

'Kom zelf maar eens kijken.'

Bruneel ging Bracke en Cornelis voor naar de kelder. Zijn mannen hadden een noodtrap aangelegd die ongetwijfeld heel wat steviger was dan zijn voorganger.

Beneden was al heel wat puin geruimd, ruim vier containers vol. Bracke kon alleen maar bewondering hebben voor de efficiëntie van de hulpdiensten. In die korte tijd hadden ze de nodige stutwerken uitgevoerd zodat de ruïne niet helemaal zou instorten.

Een man in grijze kiel zat geconcentreerd over een kuil gebogen.

'Hier zijn die commissarissen, Hendrik. De staat heeft blijkbaar geld genoeg om ze per twee te sturen.'

Cornelis zette een verstoord gezicht op. Normaliter had hij het patent op de flauwe grappen.

Hendrik keek amper op. Met een betonzaag zaagde hij zorgvuldig door de dikke laag heen. Met het puntje van zijn tong likte hij langs zijn lippen.

'Net klaar,' glunderde hij. 'Als de heren commissarissen even een kijkje willen nemen?'

Bracke hield helemaal niet van dit soort toestanden. Doorgaans waren het geen leuke dingen om te zien en ging men er gemakshalve van uit dat iemand in zijn functie voor alles immuun was.

'Het is hier ook zo verrekt donker.'

Bruneel kwam spontaan met een zaklamp aandraven.

Eén blik was voldoende om zijn vrees te bevestigen.

In de geïmproviseerde kist lag een soort mummie, althans zo leek het op het eerste gezicht. De vorm was duidelijk die van een menselijk lichaam. Hij voelde voorzichtig en merkte dat het geen textiel maar plastic was.

Snel overlegden Bracke en Cornelis met elkaar.

'Lossnijden of niet?'

Cornelis belde met Van Aken. Die moest niet lang nadenken.

'Openmaken.'

Nog voor hij de kans kreeg om te zeggen dat het voorzichtig moest gebeuren, had Cornelis de verbinding al verbroken.

Bracke trok handschoenen aan en kreeg van Bruneel een schaar. Behoedzaam begon hij te knippen. Het plastic was behoorlijk dik en achteraan met tape vastgekleefd.

Bracke en Cornelis zagen een weliswaar goed geconserveerd, maar duidelijk dood lichaam te voorschijn komen. Kleren helemaal intact, een blauwe bloes, een rok in dezelfde kleur, lange haren en dure schoenen. Vermoedelijk een vrouw dus, maar daar kon je nooit helemaal zeker van zijn.

Ook al wilde hij zich zo snel mogelijk van deze onheilsplek verwijderen, toch wist Bracke dat hij nooit op een eerste indruk mocht afgaan. Er was te veel dat hem niet zinde. Zo was er nauwelijks een lijkgeur waar te nemen. Al kon dat natuurlijk zijn omdat het lichaam goed geconserveerd was. Luchtdicht bewaard gaat het rottingsproces veel minder snel, herinnerde hij zich. Het lijk lag ongetwijfeld al een tijdje onder de grond, want de cement was helemaal verkleurd.

Ook Cornelis stond bedenkelijk te kijken.

'Vreemd.' Zijn radertjes begonnen te draaien.

Hoezeer het hem ook met walging vervulde, Bracke was verplicht om het lijk nader te onderzoeken. Al was het maar om formeel vast te stellen dat het inderdaad om een mens ging en niet om een pop die iemand ooit bij wijze van grap in de grond had gestopt.

De aanblik van het lichaam vervulde hem met walging. Niet omdat het uitzicht zo afschuwelijk was, integendeel. Hij had in zijn lange loopbaan veel erger gezien. De huid van de vrouw was weliswaar zwart uitgeslagen, maar hij kon nog duidelijk de trekken van haar gelaat onderscheiden. Hoge jukbeenderen en goed geconserveerde tanden, een donker geworden ring aan haar wijsvinger. Bij een eerste vluchtige observatie vielen nergens verwondingen te bespeuren.

'Help je even een handje?'

Eerst trok Cornelis ook rubberhandschoenen aan. Met een eerbied die bij een dode paste tilden ze samen voorzichtig het lijk op. Dat ging verrassend vlot.

'Ze weegt nog amper iets.'

Behoedzaam tastte Bracke onder het lichaam.

In de kist was niets te vinden. In haar rokzak vond Cornelis een kassabon, wellicht van een winkel, maar de inkt was niet meer leesbaar. En ook nog een lege inkthuls van een vulpen.

Bracke had genoeg gezien.

'De rest is voer voor het forensisch onderzoek. Ik heb nu vooral frisse lucht nodig.'

Voorzichtig legden ze de betonnen plaat die Hendrik had afgezaagd terug op het lijk. Pas nu merkte Bracke dat Bruneel al die tijd genietend had staan toekijken.

'Als ik nog ergens bij kan assisteren?'

'Niet meteen. Ik heb later nog wel even je hulp nodig bij het opstellen van het rapport. En als je hier de zaak verder wilt afsluiten?'

'Komt in orde, commissaris,' knikte Bruneel gretig. Die zou het nog ver schoppen, dacht Bracke.

Buiten gaven ze Hellebuyck duidelijke instructies. Niet dat de inspecteur ze nodig had, maar vooral Cornelis genoot ervan de blaaskaak op zijn plichten te wijzen.

'Niemand komt op het terrein, zelfs geen muis, begrepen? En zeker geen journalisten.'

Hellebuyck knikte, zij het zonder veel overtuiging.

Ach ja, waar zijn onze goede vrienden, dacht Bracke. Hij had er een handvol gezien, maar die bleven allemaal keurig achter de barricades. Er was zowaar nog hoop voor de mensheid.

Een van die kerels, een jongeman die pas voor stadsradio Roeland begonnen was, probeerde Bracke toch enige woorden te ontlokken.

'Een korte reactie over het drama dat hier plaatsvond voor het nieuws, commissaris?'

Bracke kon niet eens kwaad zijn. Het was een beleefde vraag volgens het principe 'een nee heb ik al, een ja kan ik krijgen.'

'Geen commentaar. U dient zich te wenden tot onze woordvoerster Annemie Vervloet, op het bekende nummer.'

'Hoe zit dat nu met dat afzakkertje?' vroeg Cornelis, wijzend naar herberg De Goede Hoek. 'Jij hebt je Irish coffee gehad, maar mijn glaasje water staat daar nog onaangeroerd. En van al dat stof krijg ik dorst.'

Bracke twijfelde even.

'Van Aken verwacht ons zo snel mogelijk op het bureau. In feite moest ik hem nu al aan het bellen zijn.'

'Tja, er moet zoveel. Dan maar niet.'

'En ik moet Annemie toch wat gaan helpen, want die krijgt nu natuurlijk al die redacties aan de lijn. Trouwens, hoe eerder we klaar zijn, hoe sneller je naar de repetitie kunt.'

Dat was een argument waar Cornelis niets kon tegen inbrengen. Ze stapten in de wagen en scheurden veel te hard weg. Maar veel zin had dat niet, want in deze straat kon je toch geen snelheid maken. Aan het einde draaiden ze op de brug tegen tachtig per uur de andere kant uit langs de Gasmeterlaan. Ter hoogte van de slager waar enkele jaren tevoren een dodelijk ongeval met twee meisjes had plaatsgevonden vertraagde Bracke automatisch bij het monument met de eeuwige bloemen. Hier had hij altijd zin om nog veel trager dan de toegelaten vijftig kilometer per uur te karren.

'Verdomde doodrijder,' knorde Cornelis, die ook dacht aan die fatale dag waarop het hele korps in volle overgang naar de eenheidspolitie in rep en roer had gestaan. Een dubbel dodelijk ongeval met vluchtmisdrijf, het had de natie beroerd en alle televisiezenders gehaald. De uitspraak van de politierechter, die beide meisjes een deel van de schuld gaf omdat ze zonder te kijken overgestoken waren, zorgde in de buurt nog steeds voor zure oprispingen.

Daar gaan de speurders, dacht Adamo. *Bye bye Bracke, see you later alligator*. Hij zat wél in De Goede Hoek, lebberend aan een pint vers schuimend bier. Zonder op te kijken gooide hij een pijltje naar het dartsbord, keurig in de roos. De pint ging in één vlotte teug naar binnen. Hoewel hij hier pas voor het eerst kwam, kreeg hij meteen een nieuw glas.

'Van het huis,' glunderde de waard zijn nieuwe tanden bloot. Maar het was blijkbaar een tweedehandsgebit, want er zat duidelijk speling op.

Adamo ging nog even de straat op om met zijn digitale camera enkele foto's te nemen. Handig toch, dat cameraatje. Het kostte nog nauwelijks wat, paste perfect in zijn binnenzak en leverde ongelooflijk scherpe foto's af. Ruim vier miljoen pixels, wat dat ook mocht betekenen.

In de auto spraken Bracke en Cornelis geen woord. Dat hoefde ook niet, ze begrepen elkaar zo wel.

Hij zit nu natuurlijk te kniezen omdat hij zijn repetitie waarschijnlijk zal missen, dacht Bracke. Maar ik ben tenminste even van dat rapport verlost.

Ja ja, grinnik jij maar, dacht Cornelis, zuchtend. Want hij haatte het om wéér op het laatste moment bij de regisseur te moeten afbellen.

4

Wie Annemie daar zo had zien zitten, zou gemeend hebben dat ze door de hand Gods geslagen was. Gelukkig had ze de deur gesloten zodat ze van nieuwsgierige blikken afgeschermd werd.

Weifelend zat ze met het briefje in haar handen. De envelop was aan George Bracke gericht, maar lag wel op haar bureau. Zonder er verder bij na te denken had ze de omslag met haar duimnagel geopend.

IK MIS JE, LIEVELING. TOT SPOEDIG.

De letters waren in een groot, kunstzinnig vrouwenhandschrift op papier gezet. Ze kon duidelijk parfum ruiken, iets heel goedkoops uit een warenhuis.

Dit was een ogenblik dat ze altijd gevreesd had. Volgens haar favoriete vrouwenblad zou ze nu Bracke openlijk met het briefje moeten confronteren om zijn reactie te zien. Zo hoorde dat toch in een moderne relatie, je mocht geen geheimen hebben voor elkaar en alles moest bespreekbaar zijn.

Met een beslist gebaar verscheurde ze het kattebelletje en de omslag en wierp de stukken onder in de vuilnismand. Ze was nog niet tevreden, haalde de snippers er weer uit en draaide ze door de papierversnipperaar.

Op ogenblikken als deze miste ze haar dagboek, dat nog steeds zoek was.

Ze probeerde haar gedachten te verzetten. Ze zette haar bril op en begon aan de computer te tikken. De redacties moesten gevoed worden met nieuws over de ontploffing en vooral het gevonden lijk in de Maïsstraat, ook al viel er voorlopig nog niets te vertellen.

Een korte, speelse tik van een ring tegen de deur. Bracke gleed met soepele tred naar binnen. Ze ontweek zijn zoen die in haar nek belandde.

'Nu niet. Ik ben bezig.'

Cornelis lachte kwaadaardig. Nu zijn dag toch verknoeid was gunde hij de rest van de mensheid evenmin nog iets.

Alsof hij hun komst geroken had, stond Van Aken meteen met een reeks bevelen klaar.

'Het lab is met hoge prioriteit met deze zaak bezig. Het winkelticket hebben ze al kunnen ontcijferen. Het is afkomstig van een buurtwinkel die allang niet meer bestaat, volgens de datum uit december 1972. Dat moet ons iets vooruithelpen.'

'Met andere woorden, het is allicht iemand uit de buurt,' concludeerde Bracke.

'Nuttige informatie om aan de pers door te geven,' vond Annemie. 'We kunnen geluk hebben bij het wijkonderzoek, maar het is best mogelijk dat niemand van de bewoners haar nog kent. Met al die vreemdelingen die daar de laatste tijd neergestreken zijn blijft van de oorspronkelijke bevolking niet veel meer over.'

Van Aken wreef nadenkend over zijn kin. 'Nooit de huid van de beer verkopen voor hij eh...' Hij raakte verstrikt in zijn woorden, maar niemand die hem ter hulp kwam. Vooral Cornelis scheen er een duivels genoegen in te hebben dat zijn chef het even niet meer wist. De ijzige blik van Van Aken leek hem niet te deren.

In de gang weerklonk vrolijk gefluit. Bracke herkende Lode Dierkens' stap van ver. De chef van de technische dienst ging aan het einde van de week eindelijk zijn overuren opnemen en verkeerde duidelijk in een opperbeste bui.

'Allemaal een goede avond,' lachte hij zijn veel te witte tanden bloot. Zonnebankbruin als hij was zag hij er als een overjaarse playboy uit. Annemie kreeg een handkus, de mannen moesten het met een wuivend handje stellen.

'Tenzij jij ook een kusje wilt,' lachte hij naar Cornelis. Die zette zijn meest verwaande gezicht op.

'Deauville?' gokte Bracke.

'Meteen bingo!' glunderde Dierkens. 'Het strand waar in deze tijd van het jaar gelukkig amper toeristen te vinden zijn, grote plateaus vol fruits de mer, cocktails in het Casino, *shaken but not stirred*. Twee hemelse weken waarin het geld zal rollen en ik geen ogenblik aan jullie miezerige luitjes zal denken. Morgen om deze tijd zit ik in de wagen op weg naar mijn vakantiebestemming.'

'Dat klinkt allemaal erg veelbelovend en we kunnen al bijna niet meer op je kaartje wachten, maar nu graag over tot de orde van de dag,' zei Van Aken zo kordaat mogelijk.

Niet dat het indruk maakte, want op Dierkens leek hij nooit vat te hebben. Deze ouwe rot uit de ambtenarij had zich dankzij de juiste lange arm bij de socialistische partij destijds een pracht van een fin de carrière bij de politie weten te verzekeren, en volgens sommigen dineerde hij zelfs regelmatig met de vice-premier.

'Natuurlijk, waar zit ik met mijn gedachten,' smakte Dierkens wellustig met de lippen. Bracke verdacht hem ervan gloss te gebruiken, zo sappig zagen ze er eruit.

'Een ogenblikje.'

Dierkens haalde een bril met hoornen montuur uit zijn binnenzak en begon ijverig in zijn dossier te bladeren.

'Eens even kijken. Wat we tot zover al weten, is snel samengevat. Oorzaak van de ontploffing is een lek in de gasleiding na beschadiging door een zwaar stomp voorwerp... bla bla bla. Al die technische prietpraat sla ik gemakshalve maar even over. Ik heb voor iedereen een kopie gemaakt, als jullie vannacht niet kunnen slapen moeten jullie de analyse maar eens nalezen. Ik was in vorm, ik heb er vijf bladzijden mee gevuld. Negen als je alle tabellen ook wilt doornemen.'

Van Aken roffelde ongeduldig met zijn keurig gemanicuurde vingernagels op het tafelblad. Sinds hij baas van het Superkorps geworden was, had hij zichzelf gedwongen om meer aandacht aan zijn uiterlijk te besteden. Niet dat hij daarom smaak had, vond Annemie. Maar tot zijn verdediging moest gezegd worden dat hij het in tegenstelling tot Bracke tenminste probeerde en niet te beroerd was om raad te vragen.

'Eh, dan heb ik hier nog een heleboel oninteressant geleuter over het puin en zo. Maar ik denk niet dat jullie daar veel belangstelling voor hebben.'

Cornelis deed ostentatief alsof hij zat te slapen. Bracke twijfelde even of hij luid boe! zou roepen. Dat kon echt niet door de beugel. Als hij ergens de pest in had kon zijn collega zich als een klein kind gedragen.

'Ik veronderstel dat jullie aandacht vooral uitgaat naar wat ik het corpus delicti zou kunnen noemen.'

'Heb ik iets gemist?' geeuwde Cornelis. Hij strekte de armen en wreef zijn ogen uit.

'Het is natuurlijk nog even wachten op de definitieve resultaten van onze tests, maar ik kan zeggen dat die kist vakwerk was. Perfect egaal beton van hoge kwaliteit, nergens een scheurtje of luchtblaasje. Het lichaam was hermetisch van de lucht afgesloten, wat verklaart waarom het lijk zo goed bewaard is gebleven. Uiteraard speelt ook de temperatuur een rol. De kist bevond zich minstens een meter onder de grond net boven een afwateringsriool, lekker fris dus. De datum van de kassabon heb ik jullie al doorgegeven, en een eerste analyse van de kleren komt met diezelfde tijdsperiode overeen. De juiste beschrijving van de kleding bespaar ik jullie momenteel, maar je vindt alle details in het verslag.'

Dierkens bekeek de aanwezigen een voor een, tevreden met zijn werk. Dat mocht ook wel op zo'n korte tijd, meende Bracke, maar hij vertikte het een complimentje te geven.

'Het is vandaag werkelijk jullie geluksdag,' lachte Dierkens. 'Omdat ik jullie zo graag zie ben ik onderweg alvast even langs geweest bij wetsdokter Van Dijck, die in aanwezigheid van onze goede vriend procureur Delarue bezig is met de lijkschouwing. Je weet hoe voorzichtig die ouwe vos is, maar hij bevestigt – zij het nog officieus – onze these dat die dame al een hele poos dood is. En hij zal dat nooit op papier willen zetten zolang het lab niet voor bevestiging heeft gezorgd, maar de maaginhoud zag er volgens hem behoorlijk verdacht uit. Toen ik wegging, kwam de politiefotograaf net aan. Van Dijcks assistent had het gezicht van de vrouw zo goed mogelijk opgekalefaterd, en de jongens van de studio kunnen meteen aan de slag.'

Annemie zat druk op haar klavier te tokkelen en floot tussen haar tanden.

'Ze maken er vandaag echt werk van. Ik krijg hier net een eerste foto binnen.'

Iedereen kwam nieuwsgierig kijken. Op het scherm verscheen de duidelijk bijgewerkte beeltenis van een vrouw van 60 à 65 jaar met geblondeerde haren en gestifte lippen. Ze droeg in haar oren verfijnde hangertjes in de vorm van een sterretje.

'Er zit een hele verklarende uitleg bij,' las Annemie hardop. 'Deze foto is nog niet definitief, maar zou toch een behoorlijke eerste indruk moeten geven van haar gelaat. In haar kapsel zijn resten van blonde haarverf teruggevonden, en ze had blijkbaar een duur merk lippenstift op.'

'Die hangertjes had ik niet opgemerkt,' keek Bracke sip. Niet dat het belangrijk was, maar hij kon het niet hebben dat hij zoiets over het hoofd gezien had.

'Kon ook moeilijk, want volgens de analyse waren haar oorlellen behoorlijk opgezwollen en bedekten ze de hangertjes,' tikte Annemie op het scherm.

'Leve de wetenschap,' zei Bracke treurig. Hij betrapte er zich op dat deze zaak hem hoegenaamd niet interesseerde. Nochtans moest er ergens een familie zijn die de vrouw al ruim dertig jaar miste. Een echtgenote, een moeder, een zus, een dochter. Of een geheime minnares, fantaseerde hij er meteen bij.

'Wat denk je, chef? Doorgeven aan de media?' vroeg Annemie.

Van Aken keek op zijn polshorloge en antwoordde niet. Een echte Rolex, merkte Cornelis jaloers. De laatste nieuwe, met de fijne diamantjes op de punt van de grote en kleine wijzer en een plaat waarvan je de verlichting naargelang van je stemming kon bijregelen.

'Knap gedaan, Dierkens. Je hebt je vakantie dit keer echt wel verdiend.'

Dierkens maakte een overdreven diepe buiging.

'Als je mij niet meer nodig hebt? Mijn jongens kunnen de rest best alleen aan. Dan ga ik mijn koffers pakken.' En weg was hij, dansend door de gang.

Ongevraagd schonk Van Aken voor iedereen koffie in. Hij vond dat erg joviaal van zichzelf, goed om de teamspirit te bevorderen. Bracke had eigenlijk geen zin meer, de lauwe Irish coffee lag op zijn maag. Maar om het goede gebaar van zijn chef niet te negeren dronk hij er toch van.

'Kort samengevat: we hebben een ogenschijnlijk banale ontploffing waarbij twee agenten en twee bewoners gewond raakten, en onder het puin een dode die daar weliswaar niets mee te zien heeft. Misschien door middel van gif, maar daar hebben we nog geen uitsluitsel over,' zei Van Aken. Hij sprak niet te snel, om Annemie de kans te geven te noteren.

'Over de doodsoorzaak zou ik voorlopig maar zwijgen,' klonk Cornelis beslist. 'In deze fase van het onderzoek kun je onmogelijk zeggen of ze vermoord werd, dan wel of ze zelfmoord gepleegd heeft.'

'Ze is natuurlijk niet zelf onder die betonconstructie gekropen,' merkte Bracke fijnzinnig op.

'De ijverige bouwer kan haar natuurlijk dood aangetroffen hebben en in paniek geraakt zijn. Omdat ze ergens was waar ze strikt genomen niet mocht zijn of zo,' opperde Cornelis. 'Ach, ik klets ook maar wat uit mijn nek. Maar ik denk echt dat we daar voorlopig nog best niets over lossen.'

'Wat jij, Annemie?'

Annemie keek haar chef over de rand van haar bril peinzend aan.

'André heeft een punt. We kunnen ons voorlopig beter concentreren op de identiteit van het slachtoffer.'

'Dierkens heeft foto's van het gebit en de vingerafdrukken laten nemen,' zag Van Aken in het dossier. 'Daar moeten we toch iets mee opschieten. Stuur zo snel mogelijk een mededeling naar de redacties, Annemie. Ik denk dat die er wel wat mee kunnen beginnen. Het is de laatste tijd behoorlijk rustig geweest, en die gretige journalistenmondjes moeten dringend nog eens gevoed worden.'

Met de intercom riep Van Aken Staelens op.

'Kom je even, John?'

Nu hij de hoorn toch in de hand had, belde hij ook even naar het ziekenhuis. Het gesprek was kort en zakelijk. 'Juist ja, ik begrijp het. Prima. Bedankt.'

'Goed nieuws, jongens,' zei hij op dezelfde nuchtere toon. 'Hassim en Daeninck mogen overmorgen al naar huis. Nog een paar daagjes rust en ze zijn weer paraat. En met die twee bewoners komt het wellicht ook in orde. Erna Huylebroeck wordt morgen voor verhoor opgebracht, want haar echtgenoot heeft een klacht ingediend wegens slagen en verwondingen. Zo erg zal zijn hersenschudding dus wel niet zijn.'

Bracke zat te suffen. Thuis was hij bezig aan een dikke kluif over Buenos Aires, en die stad had hem meer in de ban dan hij wilde toegeven. De verhalen over de *porteños* en de wulpse havenhoeren die vol ongeduld op de boten met Italiaanse en Spaanse immigranten wachtten deden zijn verbeelding op hol slaan. Hij durfde er geen eed op zweren, maar was er vrijwel zeker van dat hij er de hele nacht van had liggen dromen.

'Dat geldt ook voor jou, George,' herhaalde Van Aken geduldig.

'Eh? Wat?'

'Zoals ik daarnet al zei, maar excuseer mij als ik je in je drukke bezigheden stoor: dit is typisch een zaak waarmee we weinig eer kunnen halen, maar wel flink op onze bek kunnen gaan. Het volk houdt namelijk niet zoveel van lijken die plots opduiken en die we niet kunnen identificeren. Vandaar dat ik ieders volledige medewerking vraag om dit mysterie zo snel mogelijk op te lossen. En dat geldt ook voor een commissaris,' keek Van Aken nadrukkelijk in de richting van Bracke. 'Ook al zit je met je gedachten allang in Brazilië.'

Zowel Bracke, Annemie als Cornelis twijfelden of ze hun chef zouden corrigeren. Ze besloten unaniem het niet te doen.

'Ik begrijp het,' knikte Bracke aarzelend, niet goed wetend welke houding aan te nemen.

'Hier ben ik al,' pufte Staelens. Hij deed zijn bijnaam Stormvogel niet bepaald eer aan.

Pas nu merkte Bracke dat hij weer flink wat was aangekomen. Staelens had het begrip tussendoortje dan ook een nieuwe inhoud gegeven. Hij at zijn maaltijden momenteel tussen het snoepen door, en niet omgekeerd.

Van Aken gaf Stormvogel een nauwkeurig resumé van het dossier. Met een lenigheid die je van iemand van zijn kaliber niet zou verwachten ging Staelens ervandoor, niet eens op instructies wachtend.

'Ik weet wat me te doen staat.'

'Die duikt nu natuurlijk in zijn archief,' schudde Cornelis het hoofd. 'En vrouwlief thuis maar zitten jammeren dat haar ventje weer wegblijft. Laten we hopen dat hij ook iets vindt. Dat we morgenvroeg naar het bureau komen en de hele zaak zonneklaar is. Wat zeg ik hier allemaal. Alsof het mij wat kan schelen.'

Als Cornelis een vrouw was geweest, had Bracke gegarandeerd gedacht dat het weer die periode van de maand was. Zijn collega gedroeg zich steeds onbeschofter.

'Als het voor jou hetzelfde is, zou ik het willen afbollen,' knorde Cornelis. 'Veel zal er vanavond toch niet gebeuren.'

Van Aken twijfelde even, maar knikte dan toch.

'Je hebt gelijk. Als die vrouw daar al dertig jaar in peis en vree begraven ligt, zal het op één dag niet aankomen. George en André, jullie kunnen gaan. Annemie heb ik helaas nog even nodig.'

Bracke zag hoe Annemie bezorgd naar het horloge keek. Het zou erg nipt worden om de tangoles nog te halen. Ze maakte een sussend gebaar: het geeft niet. Maar hij had geen idee of ze dat werkelijk meende.

*

Wat zullen we nu krijgen, dacht Bracke. Hij was zeker dat hij zijn wagen op de parkeerplaats onder de olm op de binnenplaats had geparkeerd, maar de auto stond twintig meter verderop in de zone voor mindervaliden. Iemand had een briefje onder zijn ruitenwissers gestopt.

GELDEN DE REGELS NIET VOOR TOPFLIKKEN? OF IS UW IQ ZO LAAG DAT U OOK ONDER DE CATEGORIE VAN DE GEHANDICAPTEN VALT?

Geërgerd verfrommelde Bracke het papier. Hij mocht zich niet zo op stang laten jagen, bedacht hij. Wellicht een flauwe grap van een collega. Het vergde enige organisatie, maar het was te doen. De stad werkte met meerdere takeldiensten samen, en die zouden er geen graten in zien om op aanvraag van een inspecteur zijn wagen even te verplaatsen.

Bracke voelde de blikken in zijn rug branden. Natuurlijk stonden ze allemaal lachend toe te kijken. Maar hij gunde ze de overwinning niet. Met rokende banden stoof hij weg van de parkeerplaats. Bij het wegrijden miste hij op een haar na een oude vrouw met een poedel. Ze begon te vloeken en liep helemaal rood aan.

Meteen was Bracke gekalmeerd. Rustig maar, mompelde hij hardop. Denk alleen nog aan wit. Overal wit, en licht. De rust van de kosmos.

Hoofdschuddend stond Van Aken twee hoog zijn commissaris na te staren. Wat was dat toch met Bracke? Maar hij besloot niet in te grijpen. Nog niet.

5

Een weldoende grijns vol napret sierde het gezicht van Bracke toen hij langzaam wakker werd. Hij had heerlijk geslapen, zonder angstdromen. En dat was alweer een hele tijd geleden.

De avond was onverwacht fantastisch geweest. Blijkbaar had Van Aken dan toch een hart, want nog voor negen uur had hij Annemie naar huis gestuurd. De redacties wisten wat ze moesten weten, want veel meer dan het feit dat een vrouwenlichaam gevonden was viel er niet mee te delen. Het kon nog net mee in het nieuws, dat trouwens grotendeels gevuld werd met het bezoek van het Zweedse vorstenpaar aan de hoofdstad waarbij een onverlaat van het Republikeins Front een emmer met groene verf had uitgegoten over de nieuwste Natancreatie die de koningin droeg.

Rond halftien was Annemie thuisgekomen, mooi op tijd om het tweede deel van de tangoles mee te pikken.

'Niet tegenstribbelen, Bracke. Eten doen we later wel. Ik heb trouwens al een broodje binnen.'

Het was weer feest geweest bij Polariteit. Iedereen zat in gedachten al in Buenos Aires, en ook Bracke had nog nooit zo op zijn passen gelet. Zelfs de conciërge, die normaal altijd eenzaam op de bovenste verdieping bleef, was even komen kijken en had achteraf een glas op ieders gezondheid gedronken. Zijn baard was weer dikker en grijzer geworden, merkte Bracke.

Lang waren ze niet blijven hangen, daarvoor moesten ze te vroeg weer op en Bracke had nog andere plannen. Annemie kende die lankmoedige blik in zijn ogen, en ze konden niet snel genoeg thuis zijn.

Daar bedreven ze onstuimig de liefde, zoals Annemie het nadien in een atomaschriftje pende dat haar dagboek tijdelijk verving. Jorg en Julie waren bij oma gaan logeren en Jonas was op basketbaltweedaagse, dus hadden ze eindelijk het rijk nog eens voor zich alleen. Het was in de sofa begonnen met elk een bodempje Dalwhinnie, en het voorspel hadden ze op de trap genoten. Om uiteindelijk op het waterbed te belanden, waar ze verzeild waren geraakt in iets wat volgens Bracke in de Kamasutra *The Position of the Wife of Indra* heette. De vrouw liggend op haar rug, voeten op de schouders van de man die geknield in aanbidding zit en al het werk moet doen. Deze liefdesgymnastiek verdreef meteen de muizenissen uit haar hoofd, al had hij achteraf wéér niet geantwoord op de vraag waaraan hij dacht. En er was natuurlijk dat briefje. Annemie vond het stom van zichzelf, maar ze kon het niet over haar hart krijgen hem ermee te confronteren.

Veel tijd om te ontbijten werd Bracke niet gegund. Van Aken had blijkbaar de nacht op kantoor doorgebracht, want hij informeerde al ongeduldig wanneer meneer de commissaris zijn opwachting zou maken.

'Doe het rustig aan,' zei Van Aken, maar hij had al neergelegd voor hij uitgesproken was. Bracke wist dat zijn chef nu zat te balen omdat hij als enige van de leidinggevende officieren niet naar de klok keek. Niet dat hij het met zoveel woorden zei, maar hij verwachtte dat ook van zijn korpsoversten. Niet met mij, dacht Bracke, en hij was van plan zijn overuren tot de laatste minuut op te nemen.

Nog geen kwartier later was hij al onderweg, ongeschoren, maar hij voelde zich toch al een beetje in vakantiestemming.

6

Het gesprek met deken Willy Dhondt in diens filiaal in de Wondelgemstraat leverde weinig of niets op. Bracke zat in het kantoor van de bankier beleefd maar verveeld naar zijn uitleg over de teloorgang van de buurt te luisteren.

'Het is een ware invasie,' zuchtte de deken. 'Als je hier op straat loopt, waan je je verdorie in Marokko.'

Bracke twijfelde even of hij zou zeggen dat de laatste immigranten vooral vluchtelingen waren, afkomstig uit het voormalige Oostblok en Afrika, maar hield wijselijk zijn mond.

'Nog even terug naar de ontploffing in de Maïsstraat, meneer Dhondt.'

Willy Dhont haalde de schouders op.

'Ik ken dat huis niet zo goed. Ik meen dat het de laatste jaren al een aantal keren van eigenaar veranderd is.'

Bracke pulkte aan zijn neus.

'Deze vrouw kent u echt niet?'

Dhondt bekeek de foto aandachtig. Hij kneep zijn ogen tot nauwe spleetjes samen.

'Dat gezicht komt me niet bekend voor. Van in de jaren zeventig, zeg je? Dan was ik nochtans een twintiger met veel aandacht voor de dames. Als het er eentje uit de buurt was, zou ik haar zeker herkend hebben.'

'Dan zal ik u maar niet langer ophouden. Bedankt voor uw kostbare tijd.'

Dhondt had niet eens door dat het sarcastisch bedoeld was. Van Annemie wist Bracke dat het bankfiliaal ten dode was opgeschreven. Drie huizen verderop had een Georgiër een kantoor geopend dat ongehoord hoge rentepercentages op het spaargeld bood. Een zaak die ongetwijfeld niet koosjer was, maar intussen had zowat de halve buurt zijn zuurverdiende centjes al bij die eeuwig glimlachende kerel met zijn gouden tanden en vingers vol dure ringen gedeponeerd.

Bracke bewoog zich moeizaam over de stoep. Hij had een spier in zijn rug bezeerd, op de tangovloer of bij het liefdesspel. In het vuur van de strijd had hij daar niets van gevoeld, maar nu kwam de pijn in alle hevigheid opzetten.

Kreunend tastte hij naar zijn rug. Hij lette niet op en knalde daarbij met zijn elleboog in het gezicht van een passant. Geschrokken draaide hij zich om. Het bleek een vrouw van een jaar of zestig te zijn. Behulpzaam wilde hij haar overeind helpen, maar ze weerde hem vloekend af. Haar lange nagels krasten langs zijn kaak en lieten vuurrode striemen na.

'Poten thuis, maniak!'

'Excuseer mevrouw, het was een ongelukje,' zei Bracke poeslief, maar zijn woorden hadden een averechts effect.

'Rotzak! Daar ga je voor betalen!'

De vrouw tastte naar haar oog.

'Ik verzeker u, mevrouw, ik deed het echt niet opzettelijk!'

Het scheelde niet veel of ze begon hem met haar handtas af te rossen. En het ging van kwaad tot erger. In een mum van tijd was Bracke door een groepje buurtbewoners omsingeld, allochtonen en autochtonen voor één keer verenigd.

'Wat moet dat, man!'

'Kun je wel tegen een oude vrouw!'

Bracke kreeg het steeds benauwder.

'Heren, het is één groot misverstand! Ik botste per ongeluk met mijn elleboog tegen haar oog aan, meer niet!'

'Het was een overval!' krijste de vrouw. 'Hij wilde mijn centen pikken!'

Ze opende haar handtas en toonde een bundel bankbiljetten.

'Ik was net op weg naar Gyorgi. Vandaag is de laatste dag van zijn speciale spaaractie, zie je. Dhondt was niet bepaald tevreden toen ik alles kwam afhalen, maar zaken zijn zaken.'

'Gelijk heb je, Ida,' knikte een ouwe vent die meer gaten dan tanden in zijn mond had. 'En die schooier wilde je dus je geld afhandig maken. Geen nood, we zullen hem wel een lesje leren. We hebben daar geen flikken bij nodig.'

Bracke kreeg steeds minder ruimte. Ik moet nu reageren, flitste het door zijn hoofd. Straks kan ik me helemaal niet meer verdedigen, en wie weet wat er dan gebeurt.

Met een dramatisch gebaar hief hij de handen ten hemel. Dat gunde hem enig respijt. Iedereen week verschrikt een stap achteruit. Hij haalde plechtig zijn portefeuille boven en toonde zijn badge.

'De politie roepen zal inderdaad niet nodig zijn als jullie rustig blijven, want ik bén de politie. Commissaris George Bracke, meer bepaald. Belast met het onderzoek naar de dood van de vrouw in de Maïsstraat waar jullie allemaal ongetwijfeld over gehoord hebben.'

'Is dat nu een overvaller of niet?' vroeg een van de bewoners aan het tandeloze creatuur. Die keek alsof hij een koe was die naar een landende luchtballon stond te staren. Niet-begrijpend, bang en gefascineerd tegelijk.

'Voor de laatste keer: dit was een stom ongelukje, meer ook niet. Als mevrouw schade opgelopen heeft, zal de politie die wat graag vergoeden. Ik raad u aan om naar de dokter te gaan en ons de rekening te sturen, Ida.'

'Voor u is het madam,' zei Ida.

Bracke overhandigde haar zijn kaartje. Hij had vaak gemopperd omdat Van Aken voor gouddruk gekozen had, maar nu was hij daar stiekem blij om. Ida keek met ontzag naar de erg duur uitziende letters en stak het kaartje zorgvuldig in haar oude handtas.

'Als we het nu even over die vrouw in de Maïsstraat kunnen hebben?' zei Bracke. Hij voelde dat het tij gekeerd was en toonde zich opnieuw meester van de situatie.

De foto van de vermoorde vrouw ging van hand tot hand. Een voor een bekeken de aanwezigen de bijgewerkte afbeelding zorgvuldig.

Het volk bleef maar toestromen. De mensen stonden nu gewoon midden op straat en trokken zich van de toeterende auto's niets aan.

'Wel even de baan vrijhouden!' zei Bracke zo lief mogelijk, maar dat had weinig effect.

Zie hem daar bezig, dacht Adamo, uitpuffend op een krakkemikkige stoel in De Drie Torekens. Hij onderdrukte de neiging om aan zijn kaak te krabben. De valse rosse baard jeukte dan ook verschrikkelijk. Het had hem een halfuur gekost om de baard en de pruik perfect aan te brengen. Zijn ervaring als grimeur kwam hem hierbij goed van pas. Hij kon een rochelende hoest niet onderdrukken. Die rotlongen ook, het wakker worden werd 's morgens steeds pijnlijker. Niet dat hij nog iets te verliezen had.

Bracke twijfelde even of hij versterking zou vragen, maar dan leed hij alleen maar gezichtsverlies. Hij kon de spottende opmerkingen van Cornelis nu al horen: Het liep daar even uit de hand, Bracke? Je zult dringend nog wat met de verkeerspolitie op stap moeten. Misschien nog geen slecht idee. De mensen klagen toch dat er te weinig blauw op straat loopt.

Kordaat tikte Bracke de man met het stoerste uitzicht op de schouder en sommeerde hem de straat te verlaten.

'Allemaal op de stoep graag.'

Dat leek te werken. Een voor een ontruimden de buurtbewoners de straat. Bracke zocht naar Ida, maar die was nergens meer te bespeuren.

Een maat voor niets, pufte Bracke terwijl hij toekeek hoe iedereen afdroop. Adamo passeerde hem nonchalant, zodanig dichtbij dat hij Bracke gemakkelijk had kunnen aanraken. Nu nog niet, dacht Adamo, nog even geduld. Met onvaste tred ging hij richting Rabot, waar Ida net om de hoek verdwenen was. Eindelijk kon hij krabben, een zalig, verlossend gevoel.

*

Kamer 428 van het *Flikkenziekenhuis*, zoals Sint-Jan in de volksmond heette nadat daar bij de grote rellen na de voetbalwedstrijd tussen de Buffalo's en Ajax vijftien zwaargewonde agenten waren binnengebracht. Inspecteur Abdel Hassim had net zijn laatste spullen ingepakt. Een bescheiden klopje op de deur.

'Binnen!' riep Hassim kordaat. Hoewel hij maar twee dagen in het ziekenhuis was geweest, had hij het gevoel dat zowat het halve korps hem een bezoek gebracht had. Op de officieren na, die hadden wel wat beters te doen.

Enigszins onwennig kwam Bracke de kamer binnen. Hij voelde zich nooit goed in dit soort situaties. Hij twijfelde even of hij Hassim de hand zou drukken en hield het uiteindelijk bij een schouderklopje.

'Alles goed?'

Wat stom, bedacht hijzelf. Hassim mag vandaag naar huis, dan zal het dus wel goed zijn.

Ook Abdel wist zich geen houding te geven. Hij keek nog meer op naar Bracke nu hij in het kader van zijn eindwerk in de archieven had gezien wat een indrukwekkend palmares de commissaris al op zijn naam had staan.

'Bedankt voor uw bezoek,' zei Hassim vormelijk. De geforceerde lach op zijn lippen verwaterde algauw tot een pijnlijke grijns. Daar stonden ze dan, niet goed wetend hoe het nu verder moest.

'Aan het inpakken, zie ik?' zei Bracke, alleen maar om de wegende stilte te doorbreken.

'Ja,' antwoordde Hassim al even overbodig.

Er werd geklopt, en hetzelfde ogenblik stond Annemie al binnen. Ze had een fruitmand meegebracht.

Bracke haalde opgelucht adem. Gered. Onafhankelijk van elkaar hadden ze dus hetzelfde idee gehad.

Ook Hassims gezicht klaarde op. Als vanzelfsprekend kwam Annemie op hem af en gaf de inspecteur drie klinkende zoenen. Ze overhandigde hem de fruitmand.

'Ik weet wel dat je naar huis mag, maar ik kon toch niet met lege handen komen? Je kinderen kunnen ervan smullen.'

'Dat had u echt niet hoeven doen,' zei Hassim, maar zijn ogen blonken.

'Als je een lift wilt?' bood Bracke aan.

Even twijfelde Hassim, maar hij besloot het aanbod toch aan te nemen.

'Dat is heel vriendelijk van u.' Snel inspecteerde hij nog even de kasten. 'Zo, ik lijk alles mee te hebben.'

Annemie kuchte. Discreet knikte ze in de richting van het bed.

'Daar ligt nog iets, dacht ik.'

Hassim keek onder het bed en haalde een onderbroek te voorschijn. Hij werd nu helemaal rood.

Inderdaad, erg sappige kaakjes om in te bijten, dacht Bracke. Net appeltjes.

7

'Oké, ik zie je straks op de luchthaven. En kam in godsnaam je haar, Omer,' zei Van Aken zo autoritair mogelijk. Telkens als hij Verlinden aan de lijn had hield hij het kort en zakelijk om duidelijk te maken wie de baas was. Normaal zou hij zich nooit verwaardigd hebben om zijn ondergeschikte persoonlijk af te halen, maar Annemie had het voor elkaar gekregen dat de televisie voor het discussieprogramma met de minister van Justitie een uitgebreid item over de politie zou draaien. En het zou ongetwijfeld goed overkomen als de grote baas in hoogsteigen persoon zijn rechterhand stond op te wachten.

Van Aken negeerde het bordje KLOPPEN AUB en rende de archiefkamer van Staelens binnen. Stormvogel keek ontdaan van zijn paperassen op, geërgerd omdat hij werd gestoord.

'Dat bord geldt voor iedereen,' knorde hij.

'Heb je al iets gevonden?' ontweek Van Aken de stekelige opmerking.

De foto's van het gebit van de vermoorde vrouw hadden in het centrale tandartsenarchief niets opgeleverd. Alleen dat ze opvallend goed verzorgde tanden had en veel geld voor de verzorging ervan had uitgetrokken. In de onderkaak bevonden zich twee valse tanden, duidelijk kwaliteitswerk, had de wetsdokter er eigenhandig bijgeschreven. En zoals verwacht bleken haar vingerafdrukken clean te zijn.

Staelens haalde de schouders op.

'Ik concentreer mij niet zozeer op die vrouw zelf, want daar is iedereen al mee bezig. Ik focus mij voorlopig op het huis, en mijn vrienden van het kadaster hebben mij een overzicht van de eigenaars van de woning bezorgd. Die gaan we nu systematisch ondervragen, wie weet of het wat oplevert.'

Hij wachtte even, om Van Aken in zijn eigen vet te laten sudderen. Het was een spelletje. Wie eerst iets zou zeggen, had verloren.

'Zoals?' zei Van Aken.

'Die woning is een echt doorgangshuis, zoals je het zou kunnen noemen. Gebouwd in 1926 in zandsteen, sindsdien drie keer grondig gerenoveerd maar je weet wel, *al draagt een aap een gouden ring, het is en blijft een lelijk ding*. Intussen is het huis al zes keer van eigenaar veranderd, waaronder vier keer in de laatste dertig jaar. En naar het schijnt wilden de huidige bewoners het ook weer te koop zetten omdat het behoorlijk bouwvallig geworden is. Nu ja, dat probleem is intussen opgelost.'

'Allemaal heel interessant om weten, maar wat bewijst dat?' zei Van Aken korzelig. Hij had het gevoel dat hij zijn kostbare tijd stond te verspelen.

'Voorlopig helemaal niets,' zei Staelens. 'Maar het is tenminste een begin. Wie weet heeft een van de eigenaars zijn vrouw vermoord en in de grond gestopt.'

Van Aken overwoog of hij Staelens een standje moest geven.

'Oké, bezorg me die lijst met eigenaars maar per e-mail, dat reproduceert gemakkelijker. Wie weet of het wat oplevert. Blijf verder zoeken op dat spoor.'

'Dat was ik ook van plan,' zei Stormvogel, maar hij sprak al tegen de muren. 'En het is hier niet verboden de deuren ook weer dicht te doen.'

*

Verwonderd keek Bracke op toen hij Hassim in de gang fluitend zag passeren. Die was met moeite even thuis geweest om de planten water te geven en zijn uniform aan te trekken.

'Ons lieverdje is terug,' glunderde Cornelis. De eerste repetitie was onverwacht goed verlopen. Normaal werd de eerste weken altijd gesukkeld dat het niet mooi meer was, maar de regisseur (een amateur die onder het pseudoniem ADT ook voor een plaatselijke krant schreef) had voor één keer naar de suggesties van zijn acteurs geluisterd, Cornelis voorop.

'Een beetje overdreven als je het mij vraagt,' pufte Bracke. Tegen beter weten in begon hij aan zijn derde kop koffie van de dag. Het brouwsel uit de automaat zou bij wet verboden moeten worden, voor er slachtoffers vielen. 'Hij had nog twee dagen ziekenverlof, maar Abdel wil die natuurlijk niet opnemen.'

Cornelis haalde de schouders op. Vroeger werd altijd geklaagd dat de agenten meer ziek dan gezond waren, maar sinds Van Aken aan het hoofd stond was op dat punt veel veranderd.

Nog geen vijf minuten zagen ze Hassim met de combi de parkeerplaats afstuiven.

'De uitslover,' lachte Bracke. 'Al meteen buitendienst doen, hij laat er geen gras over groeien.'

Een inspecteur kwam het verslag van het forensisch lab brengen. Zijn bovenste knoop was los, en hij had duidelijk nauwelijks geslapen.

'Aan wie moet ik het geven?'

Bracke en Cornelis leken beiden niet happig om het rapport te aanvaarden.

'Doe jij maar,' zei Bracke op een zodanig nonchalante toon dat Cornelis niet kon weigeren. Die zat een hele tijd te lezen en maakte af en toe een aantekening.

Bracke wachtte op enige commentaar, maar bleef op zijn honger zitten. Algauw kon hij zich niet meer bedwingen.

'Staat er iets interessants in?'

Cornelis hield nog even de boot af.

'Hangt er maar van af hoe je het bekijkt. Het is inderdaad dood door vergiftiging. Met een plant die *Helleborus Niger* heet. In de volksmond bekend als de kerstroos omdat dit lieflijke plantje vaak bij kerstkransen gebruikt wordt. Eigenlijk gaat het om het grotere broertje, de *Helleborus Foetidus*, wat mijn moeder Stinkend Nieskruid noemde,' zei Cornelis. 'Zij kweekte dat lieflijke Alpenplantje om zijn sierlijke bloemetjes zonder te beseffen dat het gif in alle delen van de planten zit en dodelijk is. De symptomen gaan van een sterk purgerende werking tot krampen, delirium en dood door ademnood. Volgens de wetsdokter werd een aftreksel van de plant met een ruime overdosis toegediend, en het slachtoffer moet een verschrikkelijke doodsstrijd gehad hebben.'

'Er zijn geen giftige materialen, alleen giftige dosissen,' zei Bracke treurig.

'Wablieft!?'

'Paracelsus,' verduidelijkte Bracke. 'Weet je wel, een van de grondleggers van de toxicologie.'

'De meeste gifmoorden worden door vrouwen gepleegd,' dacht Cornelis hardop na. 'Misschien dat we daar wat mee zijn.'

'Misschien een afrekening tussen dames op leeftijd,' zei Bracke, die intussen zelf in het dossier zat te lezen. 'Ons slachtoffer is volgens Van Dijck tussen de zestig en zeventig jaar. Eenmaal een schouderbreuk, overigens goed geheeld en ook een operatie waarbij de baarmoeder verwijderd werd. En kijk, hier een hele uitleg waarom het lijk zo goed bewaard is.'

Bracke begon een hele resem pH-waarden op te sommen, genoeg om Cornelis in de gordijnen te jagen.

'Gooi al die onzin maar in mijn petje. Het kleinste kind weet zo ook wel dat het lichaam luchtdicht bewaard is gebleven. En dan nog in plastic ingesnoerd, dat is net als bij de mummies. Maar goed, onze jongens willen natuurlijk weer de puntjes op de i zetten. Voor mij niet gelaten, het is toch op kosten van de belastingbetaler.'

'Wat mij intrigeert: ons slachtoffer past helemaal niet bij de buurt. Haar blouse, de rok, de schoenen, de oorhangertjes: het is allemaal veel te duur voor iemand uit de *Bloemekenswijk*.'

'Bloemekenswijk?'

'Zo heet de buurt, *Côté des Fleurs*, al zijn de enige bloemen die van het onkruid tussen de straatstenen,' zei Bracke. 'Zeg me niet dat je dat niet wist. Jij hebt daar vroeger toch nog gerepeteerd?'

'Na de repetitie reed ik altijd meteen naar huis,' zei Cornelis ter verontschuldiging. 'Daar lopen veel te veel ongure kerels rond. Wat woont daar ook. Marginalen, migranten, krakers, schrijvers, muzikanten, werklozen en vluchtelingen die elkaar het licht in de ogen niet gunnen.' Hij haalde de neus op.

'Alleen al die schoenen: zuiver kalfsleer. Je zou ze zo nog kunnen dragen, als je tenminste kunt vergeten dat ze dertig jaar in de grond gezeten hebben, aan de voeten van een weliswaar goed geconserveerd lijk.'

'Ik begrijp wat je bedoelt,' knikte Cornelis. 'De kans is inderdaad groot dat de vrouw niet van de wijk is. Volgende vraag: werd ze ter plaatste vermoord, of elders omgebracht en in de Maïsstraat begraven?'

'Dat zou ik ook willen weten,' krabde Bracke aan zijn kin. Hij voelde zowaar een puistje opkomen, en dat was al sinds zijn adolescententijd geleden.

Van Aken stond in de gang te luisteren, overwegend of hij zou binnenkomen of niet. Hij las de tekst op het verfrommelde papier in zijn vuist nog eens door. Zijn hand ging al naar de deurklink, maar uiteindelijk maakte hij rechtsomkeert. Hij stopte het blad in een map waar nog maar enkele vellen in zaten. Met een rode viltschrift schreef hij op de voorkant KLACHTENDOSSIER GEORGE BRACKE. Lange tijd zat hij besluiteloos voor zich uit te staren. Bracke, verdomme, gromde hij, waar ben je toch mee bezig?

*

Enigszins nerveus besloot Hassim het er toch maar op te wagen. Hij had het lijstje van Staelens in zijn binnenzak, maar kende het intussen al uit het hoofd.

Hassim zette een uitgestreken gezicht op en ging het kantoor van de kamer voor het Bouwbedrijf binnen. Hij had eerst gekeken of zijn hemd er onberispelijk uitzag.

Aan de balie vermeed hij het de receptioniste aan te kijken. Toch had hij uit zijn ooghoek gezien dat het een knap, natuurlijk blondje was. Hij wilde dat hij de flair van Bracke had, die zou ongetwijfeld de juiste opmerking weten of het meisje desnoods een gepast knipoogje geven. Maar hij waagde zich daar niet aan, want het zou toch maar overkomen alsof hij een of andere oogaandoening had. En opvallen was het laatste wat hij wilde.

Hassim haalde eerst nog eens diep adem en toonde dan zijn badge, zodanig snel dat de receptioniste onmogelijk zijn naam kon lezen. Die mompelde hij onverstaanbaar.

'Het is een routineonderzoek. Kunt u kijken of u een dossier hebt van deze woning, meer bepaald wat de bijbehorende jaren betreft.'

Hij schoof een papier in de richting van het blondje, dat meteen begon te lezen.

'Ik weet niet of ik die informatie zomaar zonder toestemming van mijn superieuren kan geven, meneer eh...'

'Hahi,' mompelde Hassim opnieuw tussen zijn tanden. 'Zoals gezegd, het is maar routine. We willen gewoon aan de juiste persoon enkele vragen stellen. Eventjes in het dossier kijken, en ik ben weer weg.'

Het blondje dacht na. Enerzijds wou de directeur zo veel mogelijk discretie, anderzijds hamerde hij ook geregeld op de dienstverlening aan de bevolking. En daar hoorde de politie tenslotte ook toe.

'Goed dan. Ons archief bevindt zich op de derde verdieping.'

'Kunt u niet even bellen dat ik eraan kom en dat ze het dossier klaarleggen?' trok Hassim zijn stoute schoenen aan. 'Het is vandaag erg druk, ziet u.'

De receptioniste knikte.

'Een ogenblikje.'

Een kort telefoongesprekje later was alles in kannen en kruiken.

'Hilde verwacht u. Derde verdieping, tweede deur links.'

'Bedankt,' zei Hassim gemeend. Hij begon net niet te hollen, op weg naar de lift.

Nog geen vijf minuten later was hij al terug, met een glimlach van oor tot oor. In het buitengaan vermeed hij de receptioniste aan te kijken, maar die had het ook veel te druk met haar nagels. Veel te rood, schudde Hassim het hoofd. Hij haastte zich naar de politiewagen, waarin Daeninck geeuwend zat te wachten.

'En? Krijg je een bouwvergunning?' vroeg hij, niet-geïnteresseerd.

'Afwachten,' zei Hassim ontwijkend. Het zat hem niet lekker dat hij tegen zijn partner had gelogen, maar hij moest wel. Ze werden beiden in het centrum verwacht om een vreedzame betoging van een stel vegetarische krakers te begeleiden, maar dit bezoekje kon hij echt niet uitstellen. Hij zou ze eens allemaal een poepje laten ruiken, dacht hij terwijl hij een pijnscheut in zijn schouders verbeet.

*

Het was Verlinden aan te zien dat hij tien dagen in de States had vertoefd. In de vlieghaven had hij zijn meerdere met een joviale handdruk en een knipoog begroet, en een kauwgom danste rond in zijn mond.

Van Aken zette zijn meest beminnelijke glimlach op. Hij voelde de camera in zijn rug branden. Snel verdwenen ze in de klaarstaande Audi 100, het persoonlijke speeltje van chef Van Aken, die vond dat iemand in zijn positie op alle punten waardigheid moest uitstralen.

Zolang ze in het blikveld van de camera waren, lette hij erop dat ze de snelheidsgrens niet overschreden.

'Goeie reis gehad?' vroeg hij overbodig. Verlinden zat achterin al te knikkebollen.

Zelf kreeg Van Aken het ook even kwaad. Buiten begon de eerste duisternis te vallen, en hij had al drie dagen na elkaar veel te weinig geslapen. Hij keek dan ook niet in zijn achteruitkijkspiegel.

De achterligger hield hem wel in het oog, en neuriede vrolijk een wijsje. De radio was stuk, maar de man deed het uit het hoofd. *Tombe la neige*, helemaal juist van toon en ritme. Adamo deed het onbewust, het was net iets als ademen.

Van Aken besloot dan maar rechtstreeks naar het huis van Verlinden te rijden. Hij was er nog maar één keer geweest, bij diens vijfentwintigjarige huwelijksjubileum en dat was toch alweer twee jaar geleden. Maar hij ging er prat op overal de weg te kennen en desnoods op zijn intuïtie af te gaan. Van Aken vloekte dan ook niet weinig toen hij de Golflaan in Sint-Martens-Latem maar niet leek te vinden. Het was nochtans net naast het huis van Dille, de koning(in) van de travesties die hij vroeger zo vaak had moeten oppakken.

Weet hij dan echt niet waar dat stuk onbenul woont, schudde Adamo ongelovig het hoofd. Even had hij zin om Van Aken voorbij te rijden en een teken te geven hem te volgen.

Van Aken was al twee keer voorbij de villa gereden toen hij eindelijk de imposante voorgevel herkende. Hij hield het er maar op dat de invallende duisternis de oorzaak was. En als hij heel eerlijk met zichzelf was, bij de receptie destijds had hij wellicht een glaasje te veel op. Een feit waar hij liever niet aan herinnerd werd, vooral niet omdat hij ooit ernstig overwogen had bij de AA te gaan.

Nog voor hij kon aanbellen, deed de vrouw van Verlinden al open.

'Ligt hij weer te maffen?' In haar stem weerklonk genoeg venijn om een nest kattenjongen mee af te maken.

Van Aken kon zich niet vlug genoeg uit de voeten maken.

'Dan ga ik maar. Nog een goede avond.' Hij durfde te zweren dat ze hem 'voddenvent!' nariep, maar had geen zin om haar tot de orde te roepen. Vaagweg herinnerde hij zich dat ze ooit een tijdje in de psychiatrie had gezeten, en dat associeerde hij nog altijd met mensen die geen meester over hun daden waren.

Nu hij erover nadacht begreep Van Aken niet waarom de selectiecommissie bij de benoemingen Verlinden had geselecteerd. Met een potentieel gevaarlijke echtgenote was hij bij nader inzien toch niet de meest geschikte kandidaat.

In de wagen besloot Van Aken dan toch maar naar Bracke te bellen. Even oefende hij de toon die hij zou aanslaan, maar hij kwam er niet uit. Dan maar gewoon op de man af.

'Al resultaten, Bracke?'

'Nee, chef. Niemand in de buurt heeft die vrouw herkend. Het is natuurlijk al zolang geleden. En met permissie, het soort volk dat in de Bloemekenswijk woont...'

Van Aken zocht naar de geschikte manier om te zeggen wat hij te zeggen had.

'Over "dat soort volk" gesproken, wat is er vandaag eigenlijk gebeurd?'

Bracke keek verbaasd naar zijn mobieltje. Hij had geen flauw idee waar Van Aken het over had.

'Hoe bedoel je? Heb ik misschien iets gemist?'

Van Aken ging de formele toer op.

'Ik kreeg vandaag om zeventien nul negen uur een telefoontje binnen van een zekere Ida Debleeckere, Nieuwevaart nummer huppeldepup. Ze vroeg expliciet naar mij en wilde een klacht tegen je indienen.'

Bracke snoof. Dat had hij nog niet eerder meegemaakt.

'En hoe luidde de klacht dan wel?'

'Geweldpleging met verwondingen in het aangezicht tot gevolg, poging tot diefstal van haar handtas, opruiende taal op straat,' somde Van Aken uit het hoofd op.

'Een indrukwekkend lijstje,' siste Bracke tussen zijn tanden.

'Ik kreeg vijf minuten later bovendien een doktersattest doorgefaxt waarin sprake is van een blauw oog,' zei Van Aken zuinig. 'Ik veronderstel dat dit alles op een misverstand berust?'

'Ik kan het allemaal uitleggen,' zei Bracke. Toen hij die woorden uitsprak, besefte hij hoe lullig ze klonken. Hoe vaak had hij dat zelf niet moeten horen, wanneer een woesteling in een razende bui een vrouw had afgerammeld en allerlei flauwe excuses zocht om zijn gedrag goed te praten.

'Ik luister,' zei Van Aken korzelig. Hij begon het steeds verdachter te vinden.

Bracke vertelde in het kort wat er gebeurd was, maar vond zelf dat het belachelijk overkwam. Hij begreep ook niet hoe het zo uit de hand had kunnen lopen.

'Oké, wip morgenvroeg maar eens bij mij op kantoor binnen om een formele verklaring af te leggen. Je begrijpt dat dit een zaak voor Intern Toezicht wordt.'

Bracke zuchtte. Met die heerschappen had in het korps liever niemand te maken. Dat werd ongetwijfeld heel veel papierwerk en onnodig tijdverlies.

'Ik zal zien of het morgen lukt,' zei hij.

'Het moét lukken, George. Ik sta erop,' zei Van Aken nadrukkelijk, en hij haakte in zonder afscheid te nemen.

*

Veel meer dan wat gegrom kon er niet af toen Bracke aan Jorg vroeg hoe het de afgelopen week op school was geweest. Hij besloot niet verder aan te dringen en zat met zijn gedachten al meer bij het middagmaal. Jorg en Jonas verkozen spaghetti met veel bolognaisesaus, maar voor Julie mocht het best wat verfijnder zijn.

Vandaag had hij een vrije dag, en hij vertikte het om naar het kantoor te gaan om daar zijn verklaring voor het klachtendossier af te leggen. Van Aken zou daar niet mee gediend zijn, maar de chef was ongetwijfeld de hele dag in de weer met het televisiedebat van die avond. Helaas gold dat ook voor Annemie, en Bracke had al twee keer gebeld om te zeggen dat hij haar miste.

'Het zal laat worden,' zei ze. 'Van Aken wil hoe dan ook dat ik meega naar de studio.'

'Om zijn handje vast te houden,' snoefde Bracke.

'Doe nu niet zo,' zuchtte Annemie. 'Je weet dat ik dat vervelend vind.'

'Je hebt gelijk,' gaf Bracke toe. 'Maar je kent me, jaloerse vent dat ik ben. Ach, let er maar niet op. Het zal de tijd van het jaar zijn, zeker. Het vallen van de bladeren en zo.'

'Schiet het rapport niet op?'

'Dat is nog zacht uitgedrukt,' antwoordde Bracke. Hij twijfelde even of hij Annemie in vertrouwen zou nemen. Dat deed hij normaal altijd, maar nu weerhield iets hem om haar te vertellen wat op zijn lever lag.

'Hé, pa! Is dat eten nog altijd niet klaar?' Jorg hamerde ostentatief met mes en lepel op tafel. Het deed Bracke pijn dat zijn oudste zoon de laatste tijd steeds onhandelbaarder werd.

'Als ik mijn vader zo had toegesproken, dan had ik meteen een klinkende oorveeg gekregen,' zei Bracke zonder veel hoop. Op momenten als deze wist hij absoluut niet hoe Jorg aan te pakken. Kinderen, hij kon er nog steeds kop noch staart aan krijgen. Ze kwamen helaas zonder handleiding ter wereld.

'Je ziet wat er van die ouwe geworden is. Net een plant die op tijd water en zonlicht nodig heeft en af en toe eens buitengezet moet worden,' zei Jorg zo kwetsend mogelijk. Hij weigerde al meer dan een jaar zijn grootvader in het bejaardentehuis op te zoeken.

'Zo mag je over opa niet praten!' klonk Julie oprecht verontwaardigd. Bracke wierp haar een dankbare blik toe. Julie kon beter met Jorg om dan hijzelf, constateerde hij nog maar eens.

Jorg haalde de schouders op.

'Dat kun je toch geen leven meer noemen! Waarom geven ze opa gewoon geen spuitje, dat zou voor iedereen het beste zijn.'

Diep vanbinnen wist Bracke dat zijn zoon ditmaal gelijk had. De toestand van zijn vader kon onmogelijk nog verbeteren, integendeel. Van nu af was het een niet meer te stoppen neerwaartse spiraal. Het laatste teken van leven had hij bijna een halfjaar geleden gekregen, toen vader Bracke op een onbewaakt moment plotseling *Te Lourdes op de bergen* begon te zingen. Om zichzelf vervolgens weer onder te kotsen en in volstrekte apathie te vervallen.

Na de maaltijd stonden ze in de keuken allemaal aan de afwas. Die traditie had Annemie in het leven geroepen om toch minstens eenmaal per week gezamenlijk iets te doen.

'Gezellig,' knorde Jorg met een gezicht als een donderwolk. Er lagen weliswaar nog een paar borden in de afspoelbak, maar toch gooide hij zijn handdoek al over een stoel. 'Ik hou het voor hier bekeken. Tot straks.'

'Mag ik weten waar je naartoe gaat?'

'Is dit misschien een verhoor, meneer de commissaris? Zal ik dan maar meteen bekennen!' zei Jorg scherp. Hij stond klaar om van zich af te bijten. Hij pulkte aan het dons op zijn kin, alsof hij de aandacht op zijn schaarse baardgroei wilde vestigen.

Bracke balde zijn vuist in zijn broekzak. Zijn vingernagels lieten een afdruk in zijn vel na.

'Je kent de regels. Wie zich in dit huis volwassen gedraagt, wordt ook zo behandeld.'

'Ik ga bij een vriend langs,' zei Jorg zeer tegen zijn zin. 'Bij Alexander, als je het per se wilt weten. Zijn telefoonnummer staat in het boekje, onder de G van Geenen.'

'Laat je gsm maar aanstaan. Je weet maar nooit.'

'Jazeker, commandant,' salueerde Jorg met een belachelijk slap handje, alsof hij een verkouden mietje was. Hij sloop als een geest het huis uit. Zijn brommer sloeg pas bij de derde poging aan. Vloekend op zijn rammelkast stoof hij de straat uit.

Daar gaat mijn zoon, dacht Bracke, maar hij voelde zich niet in het minst trots of betrokken. Hij keek op zijn horloge. Nog een halfuur en Cornelis kwam een glaasje drinken. Hij zou stipt zijn als altijd. Ze zouden het zogezegd niet over het werk hebben. Hij was benieuwd hoe lang het zou duren en wie er het eerst zou over beginnen. Eens een flik, altijd een flik, hij kende het gezegde en kon het alleen maar beamen. Hij probeerde zich voor te stellen hoe het moest zijn om een job te hebben die je na de uren gewoon van je af kon zetten, maar zijn verbeelding schoot op dat punt tekort.

Julie vroeg hem om hulp bij haar schoolwerk. Ze had een kritische verhandeling over de welvaartsmaatschappij geschreven waarin ze het solidariteitsprincipe ter discussie stelde, en hij kon niet anders dan haar gelijk geven. Vooral de manier waarop ze de principes van het socialezekerheidssysteem loodrecht tegenover het groeiende racisme plaatste maakte indruk op Bracke. Oké, ze had natuurlijk het een en ander van het internet gehaald, maar toch. Dat zij op haar leeftijd tot dat inzicht gekomen was dwong alleen maar zijn respect af, al zou hij dat nooit openlijk willen toegeven. Maar die lieverd begreep hem ook zonder woorden, één enkel knipoogje zei voldoende.

Jonas speelde op zijn Playstation *Space Invaders III*, volgens hem het coolste spel dat ooit gemaakt was.

'Ik zit al op level gamma plus,' zei hij triomfantelijk. 'André zal nogal ogen opzetten.'

Bracke glimlachte. Cornelis had niet bepaald veel voeling met de jeugd, maar met Jonas leek het om een of andere reden te klikken. En dat was vreemd, want ze hadden nauwelijks gemeenschappelijke interesses. Jonas haatte toneel en hield van computerspelletjes en basketbal, bij Cornelis was het net omgekeerd. Toch liet hij zich bij elk bezoek ten huize Bracke overhalen om ook de joystick van de Playstation ter hand te nemen, en hij deed dat blijkbaar zodanig goed dat hij Jonas' respect afdwong.

De bel ging. Bracke hoefde niet te kijken om te weten dat het nu op de kop af twee uur was. Ze begroetten elkaar zonder woorden, een hoofdknikje volstond.

Julie schonk Cornelis ongevraagd een zeventien jaar oude ijsgekoelde *Vintage Filliers* graanjenever uit. Het was een zeldzame jenever uit een reeks van drie die door deze vooraanstaande stoker in een beperkte luxeoplage voor uitzonderlijke gelegenheden gebotteld werd. Bracke had er een fles van gekregen na een geanimeerd gesprek met Jan Filliers in de whiskyclub van Bob Minnekeer. Cornelis smakte al van voorpret toen hij het etiket van de fles bestudeerde.

'Ambachtelijk gestookt op basis van rogge, mout en maïs, dat kan niet slecht zijn. Niet dat ik je wil beledigen, George. Die maltwhisky van je mag er uiteraard zijn, je gaat mij het tegendeel niet horen beweren. Maar ik ben een eenvoudige boerenjongen. Geef mij maar een hartverwarmend en complexloos drankje van bij ons.'

Bracke wist maar al te goed dat Cornelis afkomstig was uit een welstellend bourgeoisgezin in Brussel waar hoofdzakelijk slecht Frans gesproken werd, maar hield wijselijk zijn mond. Als hij daar een allusie op maakte, was de kans groot dat Cornelis uit zijn humeur raakte. En dit moest een luchtig bezoekje onder vrienden blijven.

'Annemie zit ongetwijfeld al in de televisiestudio,' zuchtte Bracke. Hij zette een gezicht op alsof hij per ongeluk in een citroen gebeten had. 'Zij liever dan ik. Al dat wachten en die drukdoenerij, en dat allemaal misschien voor een kwartier televisie waar toch geen hond naar kijkt omdat op het andere net de zoveelste heruitzending van *FC De Kampioenen* te zien is.'

'Je moet het positief bekijken,' zei Cornelis. 'Met Van Aken en Verlinden uit het huis, dansen de muizen. En om Verlinden enigszins toonbaar te krijgen, hebben ze minstens een uur werk in de schminkkamer. Wat zeg ik, twee uur. Want Annemie zal hem niet in beeld laten brengen als hij niet eerst helemaal opgekalefaterd is.'

Die gedachte bezorgde Bracke een binnenpretje. 'Nog eentje?' Hij had uit beleefdheid een bodempje met Cornelis meegedronken, en moest toegeven dat dit voor een jenever best een mooi product was.

'Dat je dat nog durft te vragen,' sneerde Cornelis, en hij stak zijn glas al uit.

Het had lang geduurd, maar nu begon Bracke zelf over de zaak.

'Het zit me niet lekker, ik lijk er maar geen grip op te krijgen. Soms vraag ik me af of ik niet te oud voor die nonsens begin te worden.'

Cornelis scherpte de oren. Hij herinnerde zich de voorzichtige vraag van Van Aken of er iets met Bracke aan de hand was. Dat had hij toen als een hersenbegoocheling weggewimpeld, maar nu moest hij toegeven dat Bracke inderdaad vreemd deed. Zo had hij zijn collega nog nooit gezien.

'George,' zei Cornelis voorzichtig, 'ik mag toch stellen dat we vrienden zijn?'

Bracke keek hem onderzoekend aan.

'Dat spreekt vanzelf. Wat bedoel je?'

'Als er iets is, kun je altijd bij mij terecht, dat weet je. Om het even wat het is. Mijn lippen zijn verzegeld.'

Bracke begreep er niets van. Was de jenever Cornelis naar het hoofd gestegen?

'Eh, dat is erg attent van je. Ik zal eraan denken als het ooit nodig zou zijn.'

Cornelis had zichzelf nog eens bijgeschonken. Bracke dook in zijn buffetkast en haalde een Pride of Islay te voorschijn. De scherpe turfrook sloeg hem weldadig in het gezicht. Nadenkend walste hij het glas rond en zag de olieachtige tranen van de whisky naar beneden stromen.

Er is inderdaad iets, wist Cornelis nu wel zeker. En hij voelde aan dat Bracke het hem niet zou vertellen. Nu nog niet. Maar het was iets verdomd ernstigs. Koortsachtig zocht hij naar een luchtig onderwerp, om het ijs te breken. Maar beiden waren ze niet in staat om het woord te nemen.

Jonas was de reddende engel. Hij had in de keuken geduldig gewacht tot het gesprek stilviel, want sinds hij zijn vader op tv had horen loven na de opheldering van drie kindermoorden[5] was zijn respect voor diens werk naar ongekende hoogten gestegen.

'Zin in een spelletje, André?'

5 Zie *Botero*.

Cornelis knikte, dankbaar voor de redding. Eigenlijk hield hij hoegenaamd niet van die Playstation-toestanden, maar nu kwam het hem erg goed uit.

'Ik ga vandaag voor het record!' zei hij overmoedig, en gelukkig waren Brackes lachrimpeltjes eindelijk weer te zien. De vorige keer had Cornelis immers niet eens voldoende punten verzameld om de eerste barrière die toegang tot het echte spel gaf te slopen.

Die is best een tijdje zoet, dacht Bracke. En inderdaad, Cornelis was algauw helemaal in de ban van het flitsende spelletje met de aanvallende ruimtewezens.

Die kunnen me best even missen, dacht Bracke. Hij bekeek het tafereel eventjes geamuseerd en schonk zich nog een stevig glas whisky in. Eten en drinken tegelijk, goed om zijn hersencellen aan het werk te zetten.

Op zijn kousenvoeten sloop hij naar zijn kantoor op de tussenverdieping. Hij nam het sleuteltje uit de geheime bergplaats in het potje boven op zijn boekenkast en opende de onderste lade. Met een bedenkelijke frons op het voorhoofd begon hij geconcentreerd in een dossier te lezen en vergat de tijd. Maar dat deden ze beneden ook, en Julie was de enige die zich rekenschap van het uur gaf toen ze na een halfuur bellen met haar vriendin merkte dat haar belkrediet alweer opgebruikt was.

Bracke keek met een ongelovige, treurige grijns naar de foto's. Hij zag een man die hij maar al te goed kende in een innige omhelzing met een dame die zodanig uitbundig leek dat ze dit wel voor haar beroep moest doen. De foto had een grove korrel, en hij kon onmogelijk zeggen of dit nu echt of een vervalsing was. Uit een andere lade haalde hij een vergrootglas en bekeek de foto nauwkeurig. Ook de envelop onderwierp hij aan een nauwkeurig onderzoek.

AAN COMISSARIS BRACKE GEORGES. DRINGEND BERICHT. GROOT GEHEIM. SCHANDAAL ZONDER WEERGA.

Comissaris met één m, en Georges op zijn Frans. Twee grote fouten, en dat maakte hem kregelig. Maar nog lang niet zo nijdig als de vraag of het een getrukeerde foto was of niet. Hij had de deurknop al in de hand om Cornelis raad te vragen, maar hield zich net op tijd in. Dit was iets wat hij alleen moest zien uit te klaren.

Beneden stegen vreugdekreten op. Aan de jubelende stem van Cornelis te horen was het record gewoon verpulverd. Bracke lachte eventjes zuinig bij de gedachte aan zijn partner die nu helemaal opging in een spelletje dat hij zogezegd verguisde. De wonderen waren waarlijk de wereld nog niet uit.

*

Na het avondmaal – een fris venkelslaatje met avocado en geraspte citroenschil uit de biowinkel – hadden Bracke, Cornelis, Julie en Jonas zich broederlijk op de grote sofa gedrapeerd in afwachting van de grote entree van Verlinden op de televisie.

Bracke voelde het aan zijn water, de nummer twee van de politie zou zijn kans om eindelijk ook eens in het licht van de schijnwerpers te treden niet laten ontsnappen. Van Aken had verkregen dat hij ook mee aan tafel mocht zitten, maar aangezien de uitzending de nieuwe politietechnieken zou belichten was het te verwachten dat vooral Verlinden aan het woord zou komen. In een wervend spotje dat de bevolking voor de uitzending warm moest maken had sterreporter Steyaert als een ware volksmenner de kijker opgeroepen zeker op het tweede net van de openbare omroep af te stemmen, en in een flits was ook Annemie op de achtergrond even in beeld geweest. Bracke grinnikte van de voorpret, want ze verafschuwde het om in de belangstelling te staan. Steyaert wist dat maar al te goed, al was Bracke er zeker van dat hij het daarbij zou houden. Het was een klein grapje onder vrienden: aantonen dat hij macht had, maar dat hij die niet zou misbruiken.

Een paar huizen verderop in de straat liep Abdel Hassim vertwijfeld naar de huisnummers te kijken. Hij wist niet meer precies waar Bracke woonde. Eén keer was hij er geweest om een 'belangrijk' dossier af te geven (met de uitslag van de wedstrijd tussen de voetbalploeg van de politie en de Dienst Feestelijkheden onder leiding van de onnavolgbare Claude 'Totti' Beernaert, die jammer genoeg de beslissende goal in eigen doel had geschoten), maar het regende hard en hij was toen vooral bezig geweest met zo snel mogelijk naar zijn wagen te hollen.

Daar was het naamplaatje eindelijk. Hassim vroeg zich af of het wel verstandig was dat een politiecommissaris zomaar zijn naam aan zijn deur hing. Er liepen genoeg kerels rond die met hem een eitje te pellen hadden, en hij was intussen toch aardig op weg redelijk bekend te worden. Maar Hassim kende Bracke intussen genoeg om te weten dat hij het liefst een zo eenvoudig mogelijk leven leidde. *Doe maar normaal, dat is al gek genoeg.*

Toen Hassim op het punt stond aan te bellen, zonk de moed hem in de schoenen. Wat een dwaas idee ook de commissaris op zijn vrije dag thuis te komen storen, en dat met niets dan vage veronderstellingen. Bracke zou wellicht uit beleefdheid naar zijn verhaal luisteren, maar dan terecht naar de bewijzen vragen. En op dat punt stond Hassim nergens. Het was puur gissen, meer niet. En in de politieschool werd er al in de allereerste les op gehamerd dat een inspecteur alles volgens het boekje moest doen. Als er ook maar enige twijfel was, moest je verder zoeken tot je absoluut zeker van je zaak was.

Hassim hoorde de televisie tot op straat. Dat herinnerde hem aan het debat, en hij droop af. Want ook hij wilde voor geen geld ter wereld de verschijning van Verlinden op het kijkkastje missen. Het zou wel eventjes redetwisten met de kinderen worden, want sinds ze een schotelantenne hadden keken die liever naar *Al Jazeera*. De oudste had thuis zelfs even met een geïmproviseerde tulband rondgelopen, tot Hassim hem met een paar welgemikte trappen onder de kont naar zijn kamer joeg.

Het gordijn was niet gesloten, en de stemmige schemerlamp smeerde de schaduwen van de gestalten in de zetel breed uit over de muur.

Adamo hoefde zich niet eens te verbergen. Hij ging rustig zitten op het bankje aan de overkant van de straat en stak een sigaretje op. Eigenlijk mocht hij niet meer roken van de dokter, maar het waren tenslotte zijn longen. Ze deden vooral 's morgens zodanig veel pijn dat hij ervoor vreesde ze op een dag gewoon uit te hoesten. Hij had op de laatste röntgenfoto's met eigen ogen gezien dat de zwarte vlekken met de grootte van een eurostuk tot een fors ei waren uitgegroeid. De dokter had ongemakkelijk op zijn stoel zitten draaien en dan maar weer nieuwe, zwaardere medicijnen voorgeschreven die hij nooit bij de apotheker zou ophalen.

Een nieuwe pijnscheut deed Adamo ineenkrimpen. Maar hij bleef op post. Hier was hij op zijn plaats, grijnsde hij. Zo dichtbij en toch veraf. Want die idiote commissaris had natuurlijk geen flauw idee van wat hem boven het hoofd hing.

8

In de studio begon de spanning langzaam te stijgen. Verlinden was al een keer door de schminkster bijgepoederd omdat hij onder de warmte van de lampen overdadig zat te zweten. Dat was althans zijn uitleg, want Annemie zag dat hij stijf van de zenuwen stond. Van Aken had gelukkig zijn Jamberslook opgegeven en was weer netjes geschoren, zoals altijd.

'Nog vijf minuten,' kwam de opnameleider zeggen. De dikke laag make-up kon niet helemaal verbergen dat Verlinden begon te blozen.

Van Aken wilde snel nog even de krachtlijnen van Verlindens boodschap aan de bevolking doornemen, en zijn tweede man knikte zonder echt te luisteren. Verlinden dacht krampachtig aan de cursus mediatraining die hij vorig jaar gevolgd had, maar kon zich met de beste wil van de wereld niets meer herinneren.

'Zo, daar gaan we dan,' glunderde Steyaert. De sterreporter van de openbare omroep keek snel nog even of zijn strikje goed zat en schikte zijn stapel papieren tot een keurig afgelijnd stapeltje.

De opnameleider telde op zijn vingers af: 'En *go*!'

'Een goede avond, dames en heren. Vandaag hebben we in onze studio hoofdcommissaris Omer Verlinden van de eenheidspolitie, zeg maar de Superflik,' alludeerde Steyaert op de bijnaam Superkorps die de politie na de eenheidsoperatie gekregen had.

Verlinden keek wat zuur, maar realiseerde zich toen dat hij frontaal in beeld zat en zette een beminnelijke glimlach op die zelfs de grootste hypochonder deed ontdooien.

'Hij wordt geflankeerd door de topman van de politie Werner Van Aken. Aan de andere kant van de tafel hebben we de heer Hendrik Vervaet, vertegenwoordiger van de Anti Discriminatie Bond, en mevrouw Georgette De Veirman, directrice van de Vereniging Tegen Geweld.'

Steyaert pauzeerde even om een slokje te nemen, maar dat was slechts stilte voor de storm.

‘Om maar meteen met de deur in huis te vallen, meneer Van Aken. Moet het feit dat u hebt aangedrongen bij dit debat aanwezig te zijn geïnterpreteerd worden als een poging om controle te houden over de publieke uitlatingen van uw ondergeschikten?’

Tegelijk kwam een artikel van de best verkopende, blauwe krant in beeld waarin Van Aken volgens een anonieme bron werd afgeschilderd als een machtswellusteling en tiran die van zijn medewerkers geen eigen initiatief duldde.

Daar moest Van Aken toch even van slikken. Maar hij herstelde zich wonderwel. Zijn brede glimlach deed die van Verlinden in het niets verzinken.

‘Een openingsvraag die kan tellen, meneer Steyaert. Zou ik die tendentieus mogen noemen? Het artikel waarnaar u verwijst heeft het enkel over een anonieme bron. En u begrijpt dat wij bij de politie uitsluitend werken op basis van bewijzen, en niet van vermoedens.’

Eén-nul, dacht Annemie geamuseerd. Ze had in de regiekamer een plaatsje gekregen naast een sympathieke knul die duidelijk van plan was carrière te maken. Hij voerde de aanwijzingen van de regisseur consequent uit, maar deed zelf af en toe ook suggesties voor een flitsende beeldovergang.

Het debat was al aardig op gang gekomen. De Veirman haalde verschillende feiten van overmatig en nodeloos geweld door de politie aan, Vervaet pikte daarop in en plofte een zwaar dossier op tafel.

‘Allemaal gevallen waarbij sprake is van discriminatie. Op basis van ras, geloof, geslacht, noem maar op.’

Vervaet plukte uit het dossier een kopie voor iedereen aan tafel en gaf de papieren door.

Verlinden leek even de pedalen kwijt, maar Van Aken kwam hem snel te hulp.

‘Uiteraard is het onmogelijk en ook niet wenselijk om op specifieke gevallen te reageren, aangezien elk dossier anders is. Maar als u klachten hebt, mag u er zeker van zijn dat die door ons Comité van Toezicht met de nodige aandacht onderzocht zullen worden. U weet ongetwijfeld dat u binnen de maand een eerste advies krijgt.’

Vervaet had een stekelige opmerking klaar, maar de politiechef gaf hem geen kans te scoren.

'Ik meende trouwens dat dit debat voornamelijk zou gaan over de nieuwe politietechnieken? We hebben de heer Verlinden naar Amerika gestuurd om zich bij onder meer de FBI bij te scholen, en ik hoop dat er voldoende zendtijd overblijft om daar wat aandacht aan te besteden.'

Willen of niet, Steyaert moest toegeven dat Van Aken op korte tijd de knepen van het vak geleerd had.

'Dan zullen we maar tot de orde van de dag overgaan, want zoals de heer Van Aken terecht opmerkt moeten we de tijd in het oog houden. Ik stel voor dat we eerst kijken naar een reportage die onze ploeg in Amerika gemaakt heeft in het kielzog van de heer Verlinden.'

Annemie was niet weinig trots dat ze dit voor elkaar gekregen had. Ze had bijna een halve dag zitten praten met de hoofdredacteur van het nieuws om hem van het belang van Verlindens missie naar Amerika te overtuigen. Eerst was de hoofdredacteur niet bepaald happig geweest om met een reportage in te stemmen, maar uiteindelijk had ze gescoord met het argument dat een bezoek van een hoogwaardigheidsbekleder van de politie aan de States toch ook weer niet dagelijks plaatsvond.

De reportage toonde hoe Verlinden hartelijk ontvangen werd door niemand minder dan Jonathan Singer, directeur van de FBI. Singer leidde Verlinden in hoogsteigen persoon rond en liet hem praten met een aantal van zijn meest vermaarde deskundigen, zoals Carlos Denadio (chef van de afdeling Terrorismebestrijding), John G. Scott (baas van de Anti Discriminatie Cel) en Wendy Devill (tweede in lijn in de Narcoticadienst). Met elk van deze cellen had Verlinden de volgende dagen nog intensieve vergaderingen op de agenda waarbij heel concrete, geheime informatie over onderzoekstechnieken en nieuwe methodes van wetenschappelijk en forensisch onderzoek uitgewisseld zou worden.

Annemie had vooraf maar een ruwe versie van de reportage gezien en moest toegeven dat de openbare omroep er werk van gemaakt had.

Steyaert had meteen een wederwoord klaar.

'Kortom, onze straten zullen snel heel wat veiliger zijn? Dat betekent minder criminaliteit, een snellere oplossing van hangende zaken?'

'Daar kunt u zeker van zijn,' riposteerde Van Aken. 'We streven dit jaar een daling na met minstens tien procent van de misdaadcijfers.' Zijn lichaamstaal straalde zelfvertrouwen uit. Allemaal bluf, wist Annemie, die hem een keer betrapt had toen hij net voor een belangrijke vergadering met twee ministers op van de zenuwen in het toilet stond te kotsen. Maar blijkhaar had de mediatraining die hij net als Verlinden gevolgd had een gunstig effect.

Thuis zat Bracke met stijgende verbazing naar het zogenaamde debat te kijken. Hij was enigszins teleurgesteld dat zijn oude kompaan Steyaert Van Aken en Verlinden het vuur niet meer aan de schenen legde. En die twee schimmige figuren aan de andere kant van de tafel konden voor onvoldoende weerwerk zorgen.

Bracke wachtte tegen beter weten in op een kritische vraag van de reporter, maar hij wist nu al dat die er niet zou komen. Na de veelbelovende start was Steyaert blijkbaar tot de conclusie gekomen dat de politieoversten toch niet te pakken waren.

Bij een nieuwe venijnige opmerking van de directrice van de Vereniging Tegen Geweld over het onnodig hardhandige optreden van de politie bij een betoging van de Europees-Arabische Liga zorgde Verlinden meteen voor wederwoord. Het was alsof hij deze kans om eindelijk zijn zegje te doen niet aan zich wilde laten voorbijgaan.

'Inderdaad, die avond hebben we behoorlijk hard gereageerd, mevrouw. Maar ik kan u verzekeren dat dit niet om zinloos geweld ging. Voor dit specifieke geval moet u de voorgeschiedenis kennen. Ons korps heeft altijd geijverd voor het recht op vrije meningsuiting, en de EAL is wat dat betreft zeker niet benadeeld. Integendeel, bij vorige betogingen waren er kleinere incidenten waarbij onder meer politiemensen bespuwd en uitgescholden werden.'

'Dat kan wel zijn, meneer Verlinden...' reageerde De Veirman.

'Ik ben nog niet klaar,' ging Verlinden onverstoorbaar verder. 'Toen we echter anonieme dreigbrieven kregen die bij de volgende manifestatie aanslagen op de bevolking aankondigden, hebben we vooraf een crisisvergadering belegd. Ik hoef u niet te zeggen dat de datum van 11 september 2001 ook bij ons een onvergetelijke indruk heeft nagelaten. Bij deze zaak had ik intensief contact met mijn Amerikaanse collega's, en we besloten geen enkel risico te nemen. De betoging verliep aanvankelijk vlekkeloos, tot een van onze inspecteurs een aantal verdachte manoeuvres registreerde, uitgevoerd door een man met een sjaal die duidelijk over zijn toeren was en dreigende taal uitkraamde. Achteraf bleek het om een heethoofd te gaan dat niet eens van buitenlandse origine was. Het zogenaamde explosief dat hij in de massa gooide was uiteindelijk slechts een rookbom, maar dat konden we toen niet weten en in deze kwesties mag je geen enkel risico nemen. Een aantal manifestanten merkte de arrestatie op, en toen zat het spel pas goed op de wagen. Er is toen hard gevochten, maar uiteindelijk berustte het allemaal op een misverstand. Intussen hebben we trouwens al meermaals met de EAL vergaderd en de plooien gladgestreken.'

Zowel De Veirman als Vervaet hadden blijkbaar geen munitie meer. Ze keken Verlinden apathisch aan.

'Dat is dan meteen rechtgezet,' zei Steyaert, die merkte dat zijn strikje wat scheef was gaan hangen. Een zenuwachtige grijns sierde plots zijn mond. 'Dat is dan meteen het einde van dit debat. Zo meteen ziet u nog een documentaire over de nieuwe Amerikaanse politietechnieken waarover Omer Verlinden het zopas had. Ik dank de aanwezigen voor dit gesprek.'

Slappe kost, dacht ook Adamo. Hij was intussen thuisgekomen en zat naar een piepklein zwart-wittoestel te kijken. De antenne aan het raam hing scheef, en de ontvangst was slecht. Wat een arrogante kerel is die Verlinden zeg. Je zou Bracke op de duur nog sympathiek gaan vinden.

Ook Hassim had het debat met stijgende teleurstelling gevolgd. Hij had zich op zijn slaapkamer teruggetrokken, want de kinderen wilden beneden de docusoap van de Arabische zangeres Yasmin Chedar voor geen geld ter wereld missen. Hij had gehoopt iets bij te leren, maar zijn notitieboekje was onbeschreven gebleven. Uit misplaatste trouw bleef hij naar de documentaire kijken, maar die was te veel hightech om echt leerzaam te zijn. Methodes om ook in erbarmelijke omstandigheden toch vingerafdrukken te kunnen terugvinden en verbeterde DNA-analyses waren ongetwijfeld erg nuttig, daar niet van. Maar wat had het nog te maken met het goede ouderwetse speurneuzenwerk waarvoor hij uiteindelijk bij de politie was gegaan?

Voor de zoveelste keer las hij het briefje dat hij pas thuis tussen een van de bloemruikers uit het ziekenhuis had gevonden. Meer dan een paar zinnen stonden er niet op.

GRIJP UW KANS EN GA ZELF OP ZOEK. BRACKE WORDT TE OUD EN ZIET NIET WAT VOOR DE HAND LIGT.

Hassim kon er kop noch staart aan krijgen. Zijn eerste reactie was geweest Bracke te waarschuwen, maar uiteindelijk had hij het niet gedaan. Hij was er zeker van dat dit over de dode in de Maïsstraat ging, en hij voelde zich bij die zaak persoonlijk betrokken. Het had tenslotte niet veel gescheeld of hij was in de ontploffing gebleven.

Hij brak zich het hoofd over wie het briefje geschreven kon hebben. Er waren meerdere bloemtuilen afgegeven van mensen die hij niet kende, uit sympathie na een behoorlijk aangedikt krantenartikel waarin werd beschreven hoe hij met gevaar voor eigen leven in de echtelijke ruzie was tussenbeide gekomen.

'Kom je eten?' vroeg Raisha, zijn steeds bezorgde echtgenote die tijdens zijn nochtans korte opname in het ziekenhuis hete tranen had geschreid. 'Ik heb je lievelingskostje gemaakt.'

Abdel glimlachte, en meteen was hij de muizenissen in zijn hoofd weer vergeten. Want de couscous met amandelsaus van Raisha was beter dan het beste Arabische restaurant.

Onderweg naar huis was het stil in de politiewagen. Tot Annemie opmerkte dat alles goed verlopen was.

'Goed? Het was een succes,' zei Van Aken triomfantelijk. Hij was er alweer overheen dat Verlinden de show gestolen had. 'Iemand zin in een glas? Ik trakteer.'

Zo vaak kwam dat niet voor, en Verlinden en Annemie dachten hetzelfde. Nu de ijzervreter zijn portefeuille eens bovenhaalt, kunnen we toch niet weigeren.

'Oké,' zeiden ze tegelijk.

Neuriënd nam Van Aken de afrit naar zijn geliefkoosde taverne Het Fezelsgat. Daar waren ze steeds tot een stuk in de nacht open, en hij verheugde zich bij wijze van voorpret op de enthousiaste begroeting die hem te beurt zou vallen. Hij had de baas vooraf van zijn televisieverschijning op de hoogte gebracht en was klaar om triomfen te oogsten.

Het was al aardig laat toen Annemie eindelijk thuis werd afgezet.

'Bedankt voor alles,' zei Van Aken. Dacht ze tenminste, want hij was niet bepaald nog vast bij stem.

Bracke slaakte een zucht van verlichting toen Annemie eindelijk naast hem in bed neerplofte. Hij deed alsof hij al sliep, om niet te moeten toegeven dat hij ongerust begon te worden. Tot zijn voldoening rook hij dat ze naar malt geurde, naar hij meende een geturfrookte.

*

Goedgemutst werkte Annemie haar tekst over de opvallende daling van het aantal inbraken met geweld in het Vlaamse landsgedeelte af. De cijfers waren opmerkelijk positief, en dat mocht ze zeker niet nalaten extra in de verf te zetten nu er weinig nieuws te melden viel.

Ze mailde de tekst snel nog even naar Van Aken door, zodat die er eventueel nog een paar bemerkingen aan kon toevoegen. Doorgaans vond hij haar materiaal perfect, maar het streelde zijn ego dat ze hem ook inspraak gaf.

Het duurde geen vijf minuten voor de tekst met een *imprimatur* terug in haar mailbox zat. 'Puik werk!' stond erbij en zo'n complimentje deed altijd deugd.

Haar gsm ging. Ze keek op het scherm, maar zag geen nummer. Dat was altijd spannend. De nummers van zowat elke journalist en belangrijke persoon uit het politiewezen zaten in het geheugen, dus was het een onbekende of iemand die zijn identiteit geheim wilde houden.

Ze hoorde niets, alleen een onregelmatige ademhaling en een rochelende hoest die van heel diep leek te komen.

'Hallo? Met wie spreek ik? Dit is Annemie Vervloet, woordvoerster van de politie.'

Het vernoemen van de politie had op personen die het verkeerde nummer hadden getoetst doorgaans het effect dat ze weer inhaakten, en dat was ook nu weer het geval.

Annemie lachte. Haar nummer scheelde maar één cijfer met dat van een escortebureau, en ze had een hoogst uitzonderlijke keer wel eens een opgehitste klant aan de lijn gekregen die met een benepen stemmetje aarzelend vroeg waar meesteres Nana bleef.

Cornelis kwam even binnenwippen, zogezegd om een vraag te stellen over een oud dossier van mensenhandel, maar Annemie wist dat hij gewoon zin had om even te praten. Hij liep de laatste tijd wat zenuwachtig rond en begon ineens over koetjes en kalfjes.

'Alles goed met jou? Ik bedoel tussen jou en George?'

Annemie keek vreemd op. Die vraag had hij haar nog nooit eerder gesteld.

'Ik heb geen klachten. Maar je weet hoe dat gaat met koppels op onze leeftijd,' zei ze luchtig. 'Je moet af en toe je relatie nieuw leven inblazen.'

Cornelis knikte dankbaar. Dat was precies wat hij wilde horen. Hij raapte zijn moed samen en legde zijn hand op die van Annemie.

'Lieverd, ik heb je raad nodig. Ik zou een grote stap willen zetten, maar ik weet niet of ik er wel klaar voor ben.'

'Vraag maar aan tante Annemie,' lachte ze. 'Vuur af, André. Laat het niet op je maag liggen.'

Cornelis schepte moed en vroeg haar wat ze dacht over die ene, belangrijke vraag die op zijn lippen brandde.

Annemie dacht er lang en diep over na.

'Je weet toch dat ik jou in die zaken geen raad kan geven, dat is iets wat je zelf moet beslissen. Je moet gewoon je gevoelens volgen. Maar weet dat ik achter je sta.'

Cornelis knikte. Dat was precies wat hij wilde horen.

'Jij bent de enige bij wie ik met die dingen terechtkan,' zei hij oprecht.

'Bij mij is je geheim veilig,' zei ze. '*My lips are sealed.*'

Hij gaf haar een klinkende zoen op de wang en verliet fluitend haar bureau. Wat heb ik eigenlijk tegen hem gezegd, dacht ze. Toch helemaal niets. Maar vaak was niet wat, maar op welke manier je iets zei het belangrijkst.

Nog even werkte ze voort aan de tekst, die ze daarna naar alle redacties doorstuurde. Intussen was ze aardig bedreven geraakt in het ramen hoeveel journalisten er in al dan niet gewijzigde vorm iets over zouden brengen. Met dit redelijk interessante onderwerp en de behoorlijk nieuwskalme dag in het achterhoofd schatte ze dat zeker een paar kranten iets over de daling van de inbraken op de voorpagina zouden schrijven, weliswaar niet zo groot als wanneer het om een stijging zou gaan.

Weer ging de gsm. Een van de inspecteurs vroeg of hij een kopie van een krantenknipsel kon krijgen waarin sprake was van een aanrijding met vluchtmisdrijf waarbij zijn tante om het leven gekomen was.

'Zeker Eric,' zei ze, 'ik laat het wel in je bakje leggen.'

Hij had gewoon een mailtje kunnen sturen, maar ze wist dat veel van die jonge agenten erop kickten haar stem te horen. Ze bleef verdorie agenten zeggen, betrapte ze zichzelf. Maar 'inspecteur' klonk zo verdomd gewichtig voor die jonge broekjes.

Met een glimlach op de lippen zocht ze in haar computerarchief naar het bewuste artikel en vond het snel terug. Maar wellicht zou Staelens me toch te vlug af zijn, meende ze.

Stormvogel bleef nog steeds koppig vasthouden aan zijn papieren archief, en Annemie moest tot haar scha en schande bekennen dat hij haar af en toe uit de brand wist te helpen wanneer ze niet meteen de juiste zoekterm kon omschrijven.

Hop, daar was het zoveelste telefoontje van de dag.

'Ja, met Annemie?'

Weer iemand die niet in haar geheugen zat. Nummer onbekend.

Opnieuw was dat gehijg te horen. Ze verstijfde. Snel plugde ze een kabeltje in de gsm en duwde op de recordtoets van een taperecorder.

'Met wie spreek ik? Bent u er zeker van dat u het juiste nummer ingetoetst hebt?'

Ogenschijnlijk rustig zei ze voor alle zekerheid haar nummer op en wachtte even af. Er gebeurde niets.

'Ik hoop dat dit geen flauwe grap is. U bent verbonden met een nummer van de politie. U weet dat we u gemakkelijk kunnen traceren.'

Dat was natuurlijk bluf. Een gsm-nummer opsporen was technisch mogelijk, maar dan moest de verbinding lang genoeg duren. En het kostte bovendien stukken van mensen. Van Aken zou daar nooit zomaar zijn toestemming toe geven. De zuchtende, zware ademhaling werd even verlicht door een flauw, venijnig lachje.

'Als u iets te zeggen hebt, moet u het wel meteen doen. Ik heb nog heel wat werk voor de boeg.'

Ze hoorde het geluid van een zoen, en dan werd de verbinding verbroken.

Toen Bracke even later met twee kopjes kruidenthee binnenkwam, zat ze nog steeds naar haar telefoon te kijken.

'Is er iets, schat?'

'Eh, nee, hoor,' klonk ze vrolijk. 'Lekker wegdromen, je kent dat toch. Bedankt voor de thee, lieverd.'

Hij knikte begrijpend.

'In gedachten zie ik mezelf ook al boven de wolken zweven. Nog even doorbijten.'

Hij zoende haar, exact op de plek waar Cornelis haar even tevoren met zijn lippen aangeraakt had.

*

'Om het nog even over die klacht te hebben...' zei Van Aken nauwelijks verstaanbaar. Hij wreef over zijn voorhoofd en wiste een druppel zweet weg.

'Je ziet er niet goed uit,' grinnikte Bracke kwaadaardig. Annemie had hem fris als een hoentje aan de ontbijttafel verteld over het kleine feestje dat ze eerst in Het Eezelsgat, maar nadien op haar verzoek ook in whiskyclub Glengarry hadden gehouden. Na de slechte porto's uit Van Akens favoriete etablissement was de baas van de politie bij Bob overgeschakeld op whisky's die hij dronk alsof het limonade was. Minstens tien, schatte Annemie en dat bezorgde Bracke binnenpretjes. Tien whisky's bovenop een plas minderwaardige porto, dat was om problemen vragen.

'Wellicht iets slechts gegeten,' kreunde Van Aken.

'Niets zo goed als een maltwhisky om de spijsvertering weer op gang te brengen,' zei Bracke schijnheilig. 'Alleen al eens ruiken aan zo'n zware eilander kan mij al helemaal opkikkeren. Wil je er eentje?' En bereidwillig ging zijn hand al naar de lade waar hij een fles voor noodgevallen bewaarde.

Van Aken werd helemaal bleek. 'Excuseer me even.' Hij haastte zich naar het toilet, en een paar minuten later zag Bracke hem de parkeerplaats afstuiven. Daar hadden ze de rest van de dag geen last meer van. Wie de kostbaarste drank op aarde zo respectloos misbruikte, verdiende niet beter. Net goed, dan kon hij eindelijk nog eens doorwerken.

Het rapport voor de minister van Justitie smeekte om verdere afwerking, maar daar had hij helemaal geen zin in.

Voor de zoveelste keer las hij het dossier van het lijk in de Maïsstraat door. Hij pleegde verschillende telefoontjes, onder meer naar het forensisch lab en de dienst van de wetsdokter, die naar hij meende nog steeds in Deauville vertoefde.

'Hallo?' nam Van Dijck zelf op.

'Dokter? Moest jij nu je zuurverdiende centen niet in het casino zitten verspelen?'

'Is al gebeurd,' zei Van Dijck kribbig. 'Na vier dagen was ik het daar al beu. Veel te veel snobs, te dure restaurants. Ik breng de rest van mijn vakantie thuis aan de kust door. Ik was toevallig op kantoor om de collega's even te groeten.'

Bracke grijnsde. Van Dijck stond bekend als bijzonder afstandelijk. Maar ook als een workaholic, die vaak tijdens het weekend nog wat doorwerkte. Ook tijdens zijn vakanties kon hij dus blijkbaar de dienst niet missen.

'Dan zal ik je maar niet langer ophouden, dokter. Nog een prettige vakantie verder,' probeerde Bracke ernstig te klinken.

'Stel je vragen maar aan mij, nu je me toch aan de lijn hebt.'

'Ho, maar ik wil je echt niet storen,' speelde Bracke het spelletje verder. Ongetwijfeld zaten de collega's van Van Dijck nu te gniffelen.

'Ik sta erop,' zei Van Dijck beslist. 'Wij wetsdokters hebben altijd dienst, moet je maar denken.'

'Zoals een commissaris,' knikte Bracke. Dat was taal die hij begreep. 'Vooruit dan maar. Maar dan dring ik erop aan dat we een van deze dagen samen eens het glas heffen.'

'Als het maar geen jenever is,' rilde Van Dijck. 'Daar word ik alleen maar ziek van.'

Bracke had binnenpretjes. Hij had de luidspreker ingeschakeld, en Cornelis kon het gesprek mee volgen. Al zat die met zijn gedachten al in het Zwarte Woud bij zijn vriend Bart.

'Wat ik wilde weten: heb je al nieuws over hoe dat fameuze Stinkend Nieskruid aan het slachtoffer werd toegediend?'

'Een pertinente vraag,' moest Van Dijck toegeven. 'Maar van jou had ik ook niets anders verwacht. De toestand van het lichaam laat niet meer toe eventuele sporen van een injectienaald te traceren. Maar ik heb nog een interessant nieuwtje voor je. Het lab, waarmee ik daarnet nog contact heb gehad, vond sporen van een verdovingsmiddel. Wil je mijn theorie horen?'

'Graag,' zei Bracke, en dat meende hij.

Van Dijck kon soms behoorlijk pedant doen, maar hij was een absolute expert in zijn vakgebied. En als criminoloog-geneesheer kende hij ook heel wat van chemie en botanica.

Van Dijck laste bewust een korte pauze in, als een salto-mortale-acrobaat die net voor de sprong onder opzwepend tromgeroffel de spanning nog wat wilde opdrijven.

'De smaak van een aftreksel met Stinkend Nieskruid is bijzonder bitter en scherp, zeg maar ronduit afstotelijk. Ik acht de kans dat iemand vrijwillig een dergelijke dosis inneemt uitermate klein, ja zelfs onmogelijk. Dat sluit volgens mij de optie van zelfmoord uit.'

Een aannemelijke conclusie, meende Bracke. Maar hij voelde dat er meer was.

'Iemand oraal een dosis van het plantenextract toedienen is eveneens weinig aannemelijk, gezien de afschuwelijke smaak. Of je zou het enorm moeten gaan verdunnen, en dan spreken we meteen over een grote hoeveelheid vocht.'

'Met andere woorden, dat plantenextract is vanzelf in het lichaam van die vrouw beland,' knorde Cornelis. Ook hij had last van een kater. De fles jenever van Bracke was tot op de bodem geledigd, en hij kon zich wel voor het hoofd slaan. Drinken, hij zou het wel nooit leren.

'Hoor ik daar je beminnelijke collega op de achtergrond?' vroeg Van Dijck poeslief. 'Doe hem vooral mijn groeten.'

'Zonder mankeren.'

'Mijn theorie is de volgende. Het slachtoffer werd eerst oraal een verdovingsmiddel toegediend, en toen ze niet meer bij bewustzijn was spoot de dader haar het gif in. Dit is niet zomaar een slag in het duister, maar een beredeneerde gok. Uit spectrumanalyse van de restanten van de maag die we hebben aangetroffen heeft het lab heel wat geleerd. Zo troffen we naast een welhaast smakeloze morfinevariant ook een stof aan die we eerst niet konden thuisbrengen. De heer Verlinden is echter zo goed geweest om een staaltje naar zijn nieuwe vrienden in Amerika te sturen, en onze collega's daar hebben een paar tests uitgevoerd. Met resultaat.'

Zeg het dan gewoon man, dacht Bracke. Maar hij gunde Van Dijck best zijn pleziertje. Als hij daar nu geestelijk klaar van kwam.

'En?' zei hij, zo nieuwsgierig mogelijk.

'De resten werden geïdentificeerd als Bollinger. Overigens van een erg goed jaar,' grinnikte Van Dijck. 'Op basis van die resultaten kom ik tot de conclusie dat de vrouw eerst champagne met morfine heeft gedronken, wellicht verschillende glazen, tot ze het bewustzijn verloor. De dader had het dan niet moeilijk meer om haar een injectie te geven, met het bekende resultaat.'

Bracke pulkte nadenkend aan zijn neus.

'Dat klinkt allemaal erg aannemelijk. Maar ik heb één groot probleem.'

'Ik ook,' knikte Cornelis. 'Namelijk, de simpele, eeuwige vraag: waarom? Waarom doet iemand zoveel moeite? Als de dader toch al zo dicht in de buurt van de vrouw kon komen dat hij haar een glas met een verdovingsmiddel kon geven, waarom deed hij dan niet meteen een of ander gif in de champagne?'

Van Dijck knikte.

'Ik begrijp wat je bedoelt. Maar dat is het verschil tussen jouw en mijn werk. Het mijne stopt hier, het jouwe moet nog beginnen.'

9

Met enige gerechtvaardigde genoegdoening bekeek Annemie de volgende dag de kranten, die per speciale koerier al om vijf uur in de ochtend thuis werden afgeleverd. Meestal was het aan de ontbijttafel een gevecht met Bracke om ze als eerste in te kijken, maar de laatste tijd scheen hij niet meer zoveel belangstelling te hebben. Zeker, op het toilet trok hij zich doorgaans nog wel met een dagblad terug, maar het kwam steeds vaker voor dat hij sommige kranten zelfs niet meer doornam.

In zowat elke krant werd, zij het niet altijd even uitvoerig, commentaar op het debat gegeven. De teneur was overal dezelfde: beide politiekopstukken hadden een overtuigende indruk gemaakt, en de eenheidspolitie leek volledig op kruissnelheid te zitten. Ook werd de openhuispolitiek van de politie geprezen, dit in tegenstelling tot wat één krant de 'verdeel-en-heersmethode' uit het verleden noemde.

Annemie was er zeker van dat Van Aken de kranten al van voren tot achteren had gelezen en erop gekickt had. Als zijn kater tenminste verwerkt was, want ze had nog nooit iemand op korte tijd zo onverantwoord veel sterke drank zien hijsen.

Maar veel kans om lang van haar kleine triomf te genieten kreeg Annemie niet. Jorg had haar 's nachts een paar keer wakker gemaakt omdat hij zich niet lekker voelde, en nu haar moeder met een longontsteking in het ziekenhuis lag was het niet evident opvang te vinden. In noodgevallen kon ze op de buurvrouw een beroep doen, maar ze wist dat die dat hooguit uit een misplaatst gevoel van verplichte beleefdheid had aangeboden. Nu ja, Jorg sliep nog, even afwachten hoe het zou zijn als hij wakker werd.

En dan was er nog die doordrammerige journalist van *De Ochtendstond* die al voor de derde morgen op rij een zeurderig telefoontje pleegde met de vraag of het onderzoek naar de dode in de Maïsstraat nog altijd niet opschoot. Dergelijke vragen was ze intussen gewend, maar niet de pedante manier waarop ze gesteld werden. Om de een of andere reden slaagde deze jonge kerel met zijn pokdalige gezicht, de belachelijke bril en het lange, sluike haar die haar steeds aan Herman Brusselmans deed denken, erin om haar de gordijnen in te jagen.

Bracke had haar bij het naar bed gaan kort verteld over de hypothese van wetsdokter Van Dijck, maar die informatie was voorlopig nog niet rijp genoeg om aan het publiek mee te geven. En ze had het trouwens niet helemaal begrepen. Veel liever had ze nog even geknuffeld, maar Bracke was als een blok in slaap gevallen. Het was echter geen rustige slaap. Hij droomde hoe Jorg met zijn bromfiets een oud vrouwtje aanreed en in plaats van haar te helpen er grijnslachend met haar handtas vandoor ging, na er zich eerst van vergewist te hebben dat ze niet meer bewoog.

*

Bracke wist dat buurtonderzoek doorgaans slechts iets uithaalde als je het intensief en methodisch uitvoerde. Het had weinig zin om patrouilles van deur tot deur in de buurt van de Maïsstraat te sturen om te proberen de identiteit van het slachtoffer na te gaan, ook al was Van Aken geneigd om die opdracht toch te geven in de stille overtuiging dat er dan tenminste iets gebeurde.

Cornelis moest hem gelijk geven.

'Ik ken dat soort wijken. De autochtonen verhuizen zodra ze de kans krijgen, en wie overblijft heeft niet bepaald veel respect voor het wettelijk gezag. De enige daad met burgerzin die ze nog stellen is gaan stemmen, maar dan wel voor het Vlaams Blok. Veel medewerking moet je daar niet van verwachten.'

Bracke dacht er net zo over.

'Maar ik ken onze baas. Als we niet snel resultaat boeken, zal hij toch tot een grootscheepse buurtactie overgaan. Al was het maar om iedereen het gevoel te geven dat we deze zaak onder controle hebben.'

'Veel kans dat ze het nog slikken ook,' zei Cornelis. 'Dit is typisch het soort zaak waar weinig of geen eer aan te behalen valt. Niemand die wakker ligt van een dooie van dertig jaar geleden.'

Cornelis had nog niet de tijd gevonden om het rapport van de wetsdokter grondig te lezen. Dat deed hij nu eindelijk, en de hoornen bril op zijn neus gaf hem een voornaam uiterlijk. Bracke genoot ervan naar zijn vriend te kijken. Je kon Cornelis een snob vinden, maar hij zou niets aan het toeval overlaten. Eenmaal het dossier verwerkt, zou hij het nooit meer vergeten. Had hij deze eigenschap aangeleerd dankzij de toneelrepetities of was hij net zo goed als acteur omdat hij een ijzersterk geheugen had?

'Trouwens, we zijn helemaal verkeerd bezig,' wist Cornelis. 'Alles wijst erop dat die vrouw niet in de buurt van de Maïsstraat woonde. Wat betekent dat de kans groot is dat niemand haar zal kennen.'

Fluitend kwam Staelens binnen, uiteraard zonder kloppen, maar dat deed hij vooral om Cornelis op stang te jagen. Die liet het echter niet aan zijn hart komen en deed alsof hij nog steeds geconcentreerd in het dossier verdiept was. Aan de grimmige trek om zijn mond kon Bracke merken dat zijn collega zich zat op te vreten. Het zou wel nooit goed komen tussen die twee.

'Tom Jones?' raadde Bracke.

'Will Tura,' zei Stormvogel beteuterd. 'Een of ander liedje dat hij in zijn caravan Superman is. Stom, maar ik krijg het maar niet uit mijn hoofd.'

'Zo gaat dat,' knikte Cornelis. 'Stel dat iemand je een miljoen euro belooft als je tot middernacht niet aan een blauwe vliegende olifant denkt. Dat zul je anders nooit doen, maar op die dag gegarandeerd wel. En foetsie dat miljoen.'

Zo had Bracke het nog nooit bekeken. Dat zou pas een geestelijke uitdaging zijn. Hij durfde er niet om te wedden, maar was aan de andere kant toch redelijk zeker dat hij het zou redden. De laatste tijd was hij weer wat nauwgezetter aan meditatie beginnen te doen, en de grote kunst was te komen tot een toestand waarin je alles rondom je vergat om je op je diepste ik te focussen.

'Maar met al dat geklets zouden we nog vergeten dat we ten dienste van de gemeenschap staan. Waaraan hebben we dit weliswaar onaangekondigde bezoek te danken?' vroeg Cornelis poeslief. Hij had ooit een interne memo verspreid met het verzoek dat iedereen de elementaire beleefdheid zou hebben vooraf even aan te kloppen, maar Staelens legde dat vierkant naast zich neer.

'Zoals gevraagd heb ik hier een overzicht van de onopgeloste verdwijningen uit die periode,' zei hij. 'Als we de wijde regio als parameter nemen, valt het nog best mee. Uitgaande van een marge van vijf jaar voor en na de geschatte overlijdensdatum die de wetsdokter noemt, komen we uit op een totaal van vier vrouwen. Voor de provincie gaat het om negen gevallen, en voor het hele land tweeëntwintig.'

'Verdwijnen er dan werkelijk zoveel mensen?' vroeg Bracke zich hardop af.

'Ik zou die onderzoeksresultaten nog verder moeten verfijnen,' zei Staelens. 'Deze gegevens houden er geen rekening mee dat een aantal vrouwen bewust verdwijnt, bijvoorbeeld na een echtelijke ruzie of omdat ze iets mispeuterd hebben. Of ze willen gewoon even andere lucht opsnuiven. Het merendeel duikt later weer op, maar die gegevens heb ik niet in dit dossier beschikbaar. Dat wordt nog even verder spitten, vrees ik.'

'Puik werk,' gaf Cornelis toe.

Dat moest Bracke hem nageven: hij liet zich in zijn professionele beoordeling nooit leiden door persoonlijke voorkeuren of afkeuren.

'Graag gedaan,' incasseerde Staelens groots het compliment. Even leek het er zelfs op dat hij een buiging zou maken. Hij liet het dossier op Brackes bureau achter en haastte zich weer weg. Met een snelheid die hem best vijftig kilo kon laten liegen.

*

'Daar zal Van Aken pas natte dromen van krijgen,' zei Cornelis. 'We hebben eindelijk een lijstje. Echte namen. Een lichtje in de duisternis.'

'Of een dwaallicht,' knorde Bracke. 'Een lichtbak voor konijnen. Ik ben die zaak nu al zo beu als kouwe pap.'

'De Maïsstraat kan natuurlijk niet tippen aan Buenos Aires,' lachte Cornelis. 'Je moet maar denken dat die reis met de minuut dichterbij komt.'

Bracke wilde het uitschreeuwen dat hem iets helemaal anders op de tong lag, maar hij kon het met de beste wil van de wereld niet. Hij vond de woorden niet om erover te beginnen.

De telefoon ging. Een binnenlijn.

'Bracke, ik verwacht je. Nu onmiddellijk.'

'Van Aken?' raadde Cornelis. 'Was die kortaf, zeg.'

Bracke haalde de schouders op. 'Dat zullen de naweeën van zijn kater zijn.'

'Het is geen man die niet drinken kan,' lachte Cornelis. Maar niet te luid, want hij kon er op zijn leeftijd ook steeds minder goed tegen.

Van Aken stond al ijsberend te wachten, de handen op de rug. Bracke wist meteen dat hij niet over het weer wilde praten.

'Ik wacht nog altijd op jouw versie van de feiten betreffende mevrouw Debleeckere, George. Als je dat even in orde wilt brengen, om het dossier te vervolledigen.'

Bracke haalde de schouders op.

'Het woord "feiten" impliceert dat er iets gebeurd is. Ik heb die vrouw niet aangeraakt.'

'Ik heb een andere versie gehoord,' zei Van Aken. Hij keek Bracke ijskoud aan. 'Vandaag kreeg ik van haar advocaat een aangetekend schrijven met een petitie. Niet minder dan tien mensen verklaarden onder ede dat je mevrouw Debleeckere nodeloos hardhandig aangepakt hebt.'

Nu noemt hij haar al 'mevrouw', dacht Bracke. Ik droom.

'Wat is je reactie daarop?'

'Wat kan ik nog meer zeggen? Ik ben per ongeluk met mijn elleboog tegen haar gezicht aangebotst, meer niet. Het zag er erger uit dan het was. Er kwam een klein opstootje van, maar ik had alles onder controle. Je weet hoe de mensen in die buurt zijn,' probeerde Bracke het over een andere boeg te gooien.

'Neen, dat weet ik niet,' zei Van Aken autoritair. Op dat ogenblik besefte Bracke dat zijn chef over lijken zou gaan als het de reputatie van de politie betrof.

'We zitten met een probleem, Bracke. Of beter gezegd, vooral jij zit met een probleem. Je beseft dat ik dit niet langer intern kan houden. Ik moet dit dossier wel aan het Comité van Toezicht geven.'

Daar was Bracke al bang voor. Hij kende een paar van die kerels. Je kon er maar beter geen aanvaring mee hebben. Maar iets zei hem dat hij daar niets van te vrezen had.

'Maar ik wil deze zaak nu ook weer niet opblazen. Voorlopig blijft alles zoals het is. Het zal nog wel even duren voor die jongens hun onderzoek hebben gestart, je weet hoe grondig ze daar werken. Zolang ze hun rapport niet hebben opgemaakt, blijf je gewoon aan het werk. Indien nodig zullen we wel zien welke maatregelen genomen moeten worden. Voor mij is deze zaak voorlopig afgehandeld.'

De klemtoon op 'voorlopig' was iets te nadrukkelijk om vrijblijvend te kunnen zijn. Van Aken had zijn kalmte herwonnen en ging eindelijk aan zijn bureau zitten. Hij nodigde Bracke met een handgebaar uit om ook plaats te nemen.

'Breng eens twee koffies, eh...'

'Rita,' zei Bracke, die de nieuwe wel bij naam kende.

'Wat de zaak van de Maïsstraat betreft: ik ben van oordeel dat we de informatie van de lijkschouwing beter nog niet publiek maken,' klonk Van Aken twijfelend. 'De reacties op de studiofoto van het slachtoffer hebben nog steeds niets opgeleverd, en we kunnen beter met tastbaar materiaal uitpakken.'

Bracke probeerde de aanval op zijn persoon te vergeten en concentreerde zich weer op de zaak. Hij kon de gedachtegang van zijn chef perfect volgen.

'Helemaal mee akkoord. Ik was net bezig een planning op te stellen om verder in te gaan op de lijst van vermiste personen van Staelens.'

'Ik heb daar net een exemplaar van doorgemaild gekregen,' knikte Van Aken. 'Hij heeft het toch maar mooi weer geflikt. Afwachten maar. Het heeft weinig zin al te veel manschappen de baan op te sturen om geesten na te jagen.'

'Nog niets gehoord van het tandenonderzoek?'

Van Aken schudde het hoofd.

'Volgens Van Dijck was het gebit perfect verzorgd. Wat betekent dat die vrouw vermoedelijk geregeld naar de tandarts ging, en dan moet daar toch ergens een dossier van bestaan. Ik heb Hassim alvast naar de Orde van Tandartsen gestuurd, want zoals je weet heeft het centrale tandartsenarchief niets opgeleverd.'

Bracke was blij verrast dat Van Aken aan Hassim gedacht had. De chef zou het nooit toegeven, maar hij had blijkbaar ook een boontje voor de van enthousiasme blakende inspecteur.

'Hoe maakt Hassim het?' vroeg hij overbodig. Van Aken zou nooit iemand op pad sturen waar hij geen vertrouwen in stelde.

'Ik heb zijn eindwerk gelezen. Behoorlijk indrukwekkend,' prees Van Aken. 'Net het soort onderzoek dat voor deze zaak van pas komt. Ik zie trouwens dat een paar van de gevallen die hij in zijn thesis beschreef ook op de lijst van Stormvogel voorkomen. Hij heeft zijn huiswerk dus goed gemaakt. Maar genoeg gekletst nu. Ingerukt mars.'

Van Aken zei dat op een lacherige toon, maar die verried dat hij het eigenlijk wel meende. En Bracke had toch dringend verse lucht nodig.

In de gang aarzelde hij of hij bij Annemie zou binnenstappen. Hij had er behoefte aan te vertellen hoe Van Aken hem geschoffeerd had, maar ze zou ongetwijfeld druk bezig zijn. Op dit uur was het op de meeste redacties hectisch druk, en zeker op nieuwskalme dagen viel er bij de politie altijd wel een nieuwtje te rapen.

Bracke ging dan maar even naar Steyaert bellen, want dat was alweer veel te lang geleden.

'Hé, ouwe gabber,' klonk Sigiswald Steyaert oprecht enthousiast, zonder dat Bracke iets gezegd had. Hij had diens nummer natuurlijk in het geheugen van zijn gsm gestopt. 'Wat nieuws, jong?'

'Ik wilde je feliciteren met het schitterende debat,' zei Bracke sarcastisch.

'Zwijg mij van dat fiasco!' gromde Steyaert. 'Nu ja, blijkbaar is het op de kijkers goed overgekomen en dat is wat telt, nietwaar? Zowel jij als ik staan ten dienste van de bevolking, moeten we maar denken. Maar ik weet wat je wilt zeggen. Die twee zilvervossen hadden me in de tang. Het leek wel alsof zij de zaak presenteerden.'

'Zo erg was het nu ook weer niet,' vond Bracke. 'We hebben niets nieuws geleerd, behalve die prietpraat van die nieuwe Amerikaanse politietechnieken. Maar je weet hoe dat gaat. De minister wil scoren door te tonen dat hij goede maatjes met de yankees is, en de openbare omroep gaat daar gretig op in.'

'Zeker als een deel van het budget van die buitenlandse reportage door Justitie betaald wordt,' grinnikte Steyaert.

'Ik had het kunnen denken,' zei Bracke. 'Kortom, iedereen is tevreden. De minister heeft zijn reportage die onrechtstreeks op hem zal afstralen, mijn baas scoort, de openbare omroep kan uitpakken met leuke kijkcijfers.'

'Toch mooi als we de mensen gelukkig kunnen maken. Maar zeg eens, wanneer duiken wij nog eens het nachtleven in?'

'Je zegt het maar,' zei Bracke. '*Any time*. Alleen had ik je nog over iets willen spreken, en liefst niet over de telefoon.'

'Privé of voor het werk?'

Bracke aarzelde. 'Beide. Ik zit ergens mee.'

De agenda's werden bovengehaald, en snel werd een afspraak vastgelegd. 'Zonder de vrouwen!' eiste Steyaert, maar Bracke wist dat zijn makker toch alweer zonder zat.

'Heeft Annemie geen zus of nichtje?' verzuchtte Steyaert. 'Ik vraag echt niet veel. Ze hoeft geen keukenprinses of verfijnde minnares te zijn. En mijn sokken was ik zelf.'

Eindelijk kon Bracke nog eens hartelijk lachen. Voor zijn part spraken ze al vanavond af. Nee, dat kon natuurlijk niet. Vanavond was het tangoles, dat ging uiteraard voor. Annemie zou het hem nooit vergeven.

'Morgen?'

'Oké,' zei Steyaert zonder in zijn agenda te hoeven kijken. 'En laat de muizenissen maar thuis. We gaan eens flink de bloemetjes buitenzetten.'

Hoe lang was dat alweer geleden, bedacht Bracke. Behalve de tangoclub was er de laatste tijd niet veel meer waar hij zich echt op zijn gemak kon voelen. Al was ook dat relatief. De laatste tijd scheen hij om een of andere reden een onverklaarbare aantrekkingskracht op het vrouwelijke geslacht te hebben. In de les werd hij steeds vaker door een dame ten dans gevraagd. Ook al vond Annemie het ogenschijnlijk helemaal niet erg, hij had het er zelf toch moeilijk mee. Ik zal wel altijd een ingetogen macho blijven, zuchtte hij in het toilet tegen zijn spiegelbeeld. Maar ik werk eraan, Annemie, echt waar.

*

Verwonderd krabde Hassim in zijn prachtige zwart glanzende haar. Het ging goed, veel te goed om waar te kunnen zijn. Het lijstje met de vier verdwenen vrouwen uit de naaste omgeving had hij snel kunnen schrappen. Twee namen had hij door even in het bevolkingsregister te kijken al meteen geëlimineerd omdat ze intussen gevonden maar overleden waren. Na enig speuren vond hij van de twee overige een dossier dat hun verdwijning verklaarde. De ene vrouw had na een ongeval geheugenverlies opgelopen en wist bijna een maand niet meer wie ze was. Tijdens het ongeval had ze geen papieren op zak, zodat de politie voor een raadsel stond. Haar buurvrouw had haar als vermist opgegeven, maar was zelf met een hartaanval in het ziekenhuis opgenomen. Ze had geen familie, en pas toen ze bij een fotograaf een foto van haarzelf in de etalage zag hangen had ze weer een aanknopingspunt dat uiteindelijk tot de onthulling van haar identiteit leidde. Ze heette Madeleine Janssens, was 44 jaar oud, gescheiden en kinderloos, en zat al een hele tijd zonder werk. Daarvan was in het dossier van de verdwijning niets terug te vinden.

Blijkbaar was Erwin De Rijcke, de voorganger van Staelens, niet zo gewetensvol als zijn opvolger, want ook het geval van de verdwenen circusvrouw Magdalena Elastica werd niet bepaald nauwlettend opgevolgd. Deze trapeziumartieste was na een voorstelling op het Sint-Pietersplein plots verdwenen, een zaak die in de kranten voor heel wat opschudding zorgde nadat een dierenrechtenactivist met maatregelen had gedreigd omdat de tijgers volgens hem op schandelijke wijze mishandeld werden. Twee weken lang intensief speurwerk hadden niets opgeleverd, en in volle zaak-Jespers had de publieke opinie wel een ander en veel sappiger been om aan te kluiven. Ruim zes maanden later stond in de krant ergens op een binnenpagina een weggemoffeld artikeltje met de melding dat de verdwenen acrobatische dame er met de clown van een concurrerend circus vandoor was. Ook dat feit had De Rijcke over het hoofd gezien, zodat zowel Madeleine Janssens als Magdalena Elastica officieel nog steeds al vermist geboekstaafd stonden.

Al vier gevallen opgelost, en hij was nog niet eens aan zijn koffiepauze in de voormiddag toe. Hassim was best trots op zichzelf, al wilde hij vooral niet hoogmoedig lijken. Niet dat hij een fanatieke gelovige was, maar Abdel las toch geregeld in de koran omdat hij daar steun in vond. Maar hij hield zijn geloof liever strikt gescheiden van zijn werk. Hij wist dat er binnen het korps genoeg duistere krachten op de loer lagen die met engelengeduld op zijn eerste misstap wachtten. En dat plezier zou hij ze niet gunnen, zeker niet nu hij het gevoel kreeg dat hij langzaam iets begon te betekenen. Hij had Van Aken altijd een racist en een verdoken tiran gevonden, maar moest toegeven dat de chef hem de laatste tijd steeds leukere opdrachten doorspeelde. En gisteren kon er warempel zelfs een complimentje met bijbehorend schouderklopje af. Abdel wist niet wat hij meemaakte.

10

Het rolluik op de bovenste etage bleef al een hele poos half naar beneden, zomer of winter. Het raam gaf uit op de binnenplaats, en niemand die het merkte of er aandacht voor had. Beneden stond de bestelwagen die de lesgever in Afrikaans slagwerk gebruikte om zijn djembé in te vervoeren.

Dat verschrikkelijke lawaai, ook na al die tijd kreeg Adamo het er nog steeds van op de heupen. Zolang de les duurde, ijsbeerde hij rusteloos heen en weer. Dan hielp niets, behalve de ultieme remedie. Een koptelefoon op maximum, en de zaligmakende muziek van zijn idool. Hij had op de zwarte markt een bootleg gekocht van diens legendarische concert in Tokio uit 1978 waarbij de Italiaanse zanger alleen op gitaar en met begeleiding van een plaatselijke pianist bloedstollende versies van zijn bekendste nummers had gespeeld. En ook een potpourri van enkele nummers van Jacques Brel, met wel tien minuten lang alleen maar dat ene zinnetje. *Il neige sur Liège*, wat de Japanners in de zaal naar hun reacties te horen fantastisch vonden.

Gelukkig was het vandaag maar een korte les geweest. Niet minder dan vier cursisten hadden griep, hoorde Adamo toen hij op de overloop stond te luistervinken. En ook de lesgever voelde zich niet helemaal lekker. Net goed, dan had hij snel het rijk voor zich alleen. Het gestommel van hun lompe voeten op de metalen trap, hij werd er helemaal hoorndol van.

Wat hij ook probeerde, het geruis in zijn hoofd wilde maar niet stoppen. Het was alsof hij constant naar een slecht afgestelde radio luisterde. En dan was er nog die eeuwige, brandende pijn in zijn borst die steeds maar erger leek te worden. Hij weigerde nog naar dokters te gaan, want die zeiden toch allemaal hetzelfde. Het enige wat hem nog werd toegestaan, was platte rust. Liggend in zijn zetel wachten op de dood, en vooral niet meer roken.

Met bevende hand rolde hij zich een knoert van een joint. Hij moest het drie keer opnieuw proberen, want de tabak glipte telkens weer uit zijn vingers. Pas na een paar flinke slokken brandy kon hij het beven enigszins onder controle krijgen.

Hij inhaleerde diep, en voelde de rook wellustig in zijn longen doordringen. Dat was al veel beter. Hij gooide de koptelefoon van zich af. Het ding zweefde naar de hoek van de kamer, de stukken vlogen er letterlijk af.

In het midden van de kamer stond een enorme tafel. Eigenlijk waren het gewoon twee schragen met daarop een deur. De tafel lag vol krantenknipsels en foto's. Hij drukte ze zelf met zijn kleurenprinter af, een HP Deskjet 3820. Nieuwsgierig stalde hij de foto's voor zich uit op de grond. Vooral de foto's van George Bracke interesseerden hem. Hij bestudeerde met een vergrootglas diens gezicht en nam elk detail in zich op. Zo merkte hij boven de linkerwenkbrauw een klein, slecht geheeld litteken op. Hij maakte er snel een notitie van.

Adamo hing de foto's aan de muur. Links die van Bracke en Van Aken, daarnaast Verlinden, en een aparte ruimte voor Annemie. Onder die laatste foto's liet hij een kaars branden. Hij bleef naar de foto's kijken tot de kaars helemaal opgebrand was.

Zijn hand speelde met het lemmet van zijn mes. Het zou wat te goedkoop zijn naar een foto van Bracke te gooien, dat was zo ordinair en voor de hand liggend. Veel liever gleed hij met de punt langzaam langs de keel van Bracke, met een loom, sensueel gebaar. Met een woeste zwaai draaide hij zich om en slingerde in één beweging zonder te kijken het mes perfect in het middelpunt van zijn dartsbord.

De bank, die tevens dienst deed als bed, lag vol blikjes en peuken. Hij liet zich pardoes neerploffen op een halfvolle verpakking van een meeneempizza. De laatste tijd had hij nog nauwelijks honger. Hij bluste het knagende gevoel in zijn maag liever met drank. Dat verdoofde de pijn even, al wist hij dat ze nadien met dubbele hevigheid zou terugkomen. Maar hij had geen spijt, van niets. Zijn leven was lang en avontuurlijk geweest. En hij zou tenminste met een knaller eindigen.

Daaraan lag Adamo half uitgezakt te denken. Hij schrok uit zijn overpeinzingen op toen hij de video hoorde opspringen. Op Arte was er een uitzending over de grote namen van het Franse chanson, en hij was benieuwd of ze zijn afgod niet vergeten waren. Zo niet mocht de zender zich aan een vlammende scheldbrief verwachten. En wie weet wat nog allemaal, lachte hij hardop. Maar dat bekwam hem slecht. Vlammende pijnscheuten doorkerfden zijn longen en zetten zijn borst in vuur en vlam.

Zijn hand graaide onder de zetel en vond een nog halfvolle fles goedkope rum. Hij dronk de inhoud in één lange, zaligmakende teug leeg en verslikte zich niet eens.

Grijnslachend liet hij zijn voeten in de pantoffels van Bracke glijden. Ze hadden dezelfde maat, merkte hij geamuseerd op. George toch, jij zweetotter, lachte hij.

Voor de spiegel keek Adamo vol interesse naar zijn eigen gezicht. Hij moest er nog altijd aan wennen dat zijn baard weg was. Vandaag had hij een pruik met krulhaar en een valse snor op, en hij was trots op zijn werk. Ook na een dag rondlopen zag het er nog altijd behoorlijk echt uit. Grijnslachend ging hij in zijn koffer kijken welke spulletjes hij de volgende dag zou gebruiken. Die trendy bril en de elegante pet leken hem wel wat. En zijn kaken konden best wat blos gebruiken. Dat werd dus alweer vroeg opstaan, want er kroop heel wat werk in het opmaken. Maar daar had hij best een korte nacht voor over. Trouwens, binnenkort zou hij nog genoeg kunnen slapen.

*

George Bracke zat zich aan het tafeltje bij het venster het hoofd te breken over wat hij met die verdomde foto's moest beginnen. Hij kon er moeilijk mee naar het technisch lab stappen om te vragen of ze echt waren, want dan zou meteen het gerucht de ronde doen dat een van de hoge omes op onbetamelijke wijze de bloemetjes buitenzette.

Hij bekeek voor de zoveelste keer met zijn vergrootglas elk detail en moest toegeven dat de foto er behoorlijk echt uitzag. Maar aan de andere kant had hij Jonas op zijn computer al genoeg met Photoshop zien goochelen om te weten dat met de moderne technieken heel veel, zo niet alles mogelijk was. Jonas gebruikte het programma voornamelijk om collages te maken van hemzelf tussen de grote sterren van de NBA, die hij vervolgens op zijn eigen website plaatste. Bij de eerste pogingen was nog duidelijk geweest dat dit getrukeerde plaatjes waren, maar intussen had Jonas de knepen van het vak beet. En kreeg hij zelfs van Amerikanen reacties in zijn gastenboek hoe hij het in godsnaam gefikst had om samen met Michael Jordan en Dennis Rodman in de magische zaal van de Chicago Bulls te poseren.

Bracke wou net een e-mail met een verslag over de voortgang in het intern onderzoek naar de minister van Justitie sturen, toen Annemie kwam binnengestormd. Ze zag er behoorlijk onthutst uit.

'We moeten nu meteen naar school,' jammerde ze. Als ze zo klonk, was er iets ernstigs aan de hand.

Bracke sloot de ogen. Wat ze al een tijdje hadden gevreesd, was wellicht dan toch gebeurd. Jorg had iets uitgespookt, en moest daar nu de gevolgen van dragen. En zij dus wellicht ook.

'Wat heeft hij gedaan?'

'Hij? Het gaat om Julie,' snikte Annemie.

Bracke voelde het bloed uit zijn gelaat wegtrekken. Het kon niet anders, er was haar iets ernstigs overkomen.

*

Met een zuinig mondje begroette de schooldirecteur Annemie en Bracke in de directiekamer en vroeg hen plaats te nemen. Julie zat aan zijn bureau te snotteren.

'Dit hadden we van haar echt niet verwacht,' zei hij bitsig, meteen in de aanval.

Bracke keek hem niet-begrijpend aan.

'Wilt u ons nu eindelijk eens vertellen waarover het gaat?'

Met een verachtelijk gebaar schoof de directeur hem een blad papier toe. Bracke keek verbaasd naar een schunnige tekening van een man waarin duidelijk de directeur kon herkend worden. Die grijnslachend en brutaal de turnjuf anaal penetreerde.

'Dit kwam uit haar schrift te voorschijn!' brieste de directeur. 'We zijn zwaar ontgoocheld in uw dochter!'

'Maar ik heb dat helemaal niet getekend!' huilde Julie. 'Ik weet echt niet hoe zoiets in mijn boekentas komt!'

Bracke bleef ijzig kalm. Veel te kalm, vond Annemie. Stilte voor de storm. Toen stond hij recht, de handen op de rug.

'Ik begrijp uw reactie, maar had van u wat meer gezond verstand verwacht, meneer Thijssen,' zei Bracke.

De directeur keek hem verwonderd aan.

'Hoe bedoelt u?

'In mijn beroep gaan we voort op feiten, en niet op persoonlijke gevoelens zoals persoonlijk gekwetst zijn. Denk eens even na. In de eerste plaats heeft Julie, hoe getalenteerd ze ook is, helaas geen tekentalent. Dat kunt u gemakkelijk nagaan. Deze tekening is behoorlijk natuurgetrouw, heb ik de indruk. Daar moet je dus echt wel voor kunnen tekenen. Los van het feit of Julie eh, kennis heeft van de uitgebeelde praktijken rijst ook meteen de vraag of het mogelijk is dat iemand anders die tekening in haar boekentas gestopt heeft. En dan ben ik meteen geneigd om ja te antwoorden. U weet hoe wreed kinderen voor elkaar kunnen zijn, en dan is er natuurlijk altijd de mogelijkheid dat iemand van buiten de muren dit, eh kunstwerk in haar schrift verstopte.'

De directeur luisterde met stijgende verbazing. Hij lijkt wel te krimpen, bedacht Annemie.

'De veiligheid op deze school is zo lek als een zeef,' ging Bracke verder. 'Wij hebben nu wel keurig aangebeld, maar ik zag dat het rode achterpoortje waarlangs de catering de schoolmaaltijden aflevert gewoon openstond. Met andere woorden, iedereen kan hier naar hartenlust zomaar binnen en buiten wandelen. En op de speelplaats zag ik een hele hoop boekentassen rondslingeren. Wie er werk van wil maken, moet dus niet veel moeite doen om mijn dochter in diskrediet te brengen.'

Directeur Thijssen dacht duidelijk over die redenering na.

'Ik begrijp wat u bedoelt,' zei hij moeizaam.

Annemie besloot ook haar duit in het zakje te doen.

'Ik vond uw reactie zowel tegenover Julie als aan de telefoon totaal ongepast. Ik had van mijn dochter eerder al gehoord wat voor een bullebak u bent, en nu begrijp ik waarom verschillende van haar vriendinnen intussen van school veranderd zijn.'

De directeur wist even niet meer waar hij het had.

'Maar mevrouw Bracke...'

'Het is Vervloet,' zette ze de puntjes op de i.

'U moet begrijpen dat we de morele integriteit van de school hoog in het vaandel voeren,' verweerde hij zich, maar het klonk bepaald zwak.

'Dat geeft u nog niet het recht om als een gek uit te varen tegen meisjes die zich niet kunnen verdedigen en beschuldigingen te uiten zonder bewijzen te hebben,' zei Bracke ijskoud. 'Ik veronderstel dat er ergens een orgaan is waar we een klacht kunnen indienen, Annemie?'

'Geef me vijf minuten, en dan weet ik het, George,' zei ze. Meteen begon ze in het geheugen van haar gsm naar een nummer te zoeken.

Julie was intussen al wat gekalmeerd. Ze huilde niet meer, maar kon nog niet helemaal ophouden met snikken. Bracke gaf haar een lange, warme knuffel.

'Alles komt in orde, meisje. Waar zijn je spullen?'

'In de klas,' snikte ze nog na.

'Ga ze dan maar halen.'

'Maar ik mag tijdens de schooluren niet in de gang lopen!'

'Je mag van mij, meer zelfs, je moét! Als iemand je tegenhoudt, toon je dit maar.'

Hij gaf haar zijn politiebadge, die ze met ontzag voor zich uithield. Eerst stapte ze nog, dan begon ze te hollen.

Bracke wachtte tot ze om de hoek verdwenen was.

'We gaan er niet veel woorden aan vuil maken, Thijssen. Morgen zit Julie op een andere school, en ik denk dat ze niet de enige zal zijn. Ik verwacht van u per aangetekende zending persoonlijke excuses, waarvan u ook een kopie zult doorsturen naar de schepen van Onderwijs ter aanvulling van het dossier dat ik zal indienen. Overigens, die Audi van u, die heeft nog geen reflecterende nummerplaat, en de spoiler vooraan is niet reglementair. U krijgt een week om die zaken in orde te brengen en bij de verkeerspolitie ter controle aan te bieden.'

Bracke schreef snel een nota, die hij op het bureau van Thijssen liet neerdwarrelen. 'Nog een prettige dag verder. Kom, Annemie, we zijn hier weg.'

Ze onderschepten Julie, die net haar klas verlaten had. Bracke keerde nog even op zijn stappen terug en ging bij de directeur zonder kloppen binnen.

'Nog één ding, Thijssen.'

De directeur keek hem beduusd aan, helemaal uitgeteld, de handdoek in de ring geworpen.

'Die tekening, die mag u houden. Hang ze aan de muur, zou ik zeggen. Want u staat er veel beter op dan u in werkelijkheid bent. En de turnjuf zou zich in geen honderd jaar door een kwal als u laten aanraken.'

Thijssen bleef verweesd achter. Het duurde een hele tijd voor hij zichzelf weer samengeraapt had en ook maar kon bewegen.

*

In de auto zeiden ze geen woord, maar Bracke voelde aan hoe opgelucht Julie wel was.

'Zijn we niet overhaast geweest?' vroeg Annemie zich af. 'De directeur is zijn boekje te buiten gegaan, maar toch. Misschien hadden we er een nachtje over moeten slapen.'

'Hé nee, mam!' riep Julie uit. 'Die engerd! Ik krijg er vast nachtmerries van.'

'Alles komt in orde,' suste Bracke. 'Morgen blijf je lekker lang uitslapen, om te bekomen. En intussen zoeken wij een nieuwe school voor je.'

Zijn gsm ging. Cornelis wou weten waar ze zo plotseling naartoe moesten.

'Wacht, ik geef je Annemie even.'

Annemie vertelde in korte, rake bewoordingen wat er op school gebeurd was. Hij voelde lijfelijk de verontwaardiging van Cornelis, die een afschuw had van machtsmisbruik. André zat nu vast met zijn valse tanden te klapperen.

Onderweg stopte Bracke bij zijn schoonmoeder, om te vragen of die de volgende dag even kon binnenwippen om een oogje in het zeil te houden. Julie was al vijftien (en een half, zou ze zelf zeggen), maar hij liet haar nu niet graag alleen. Oma was pas terug uit het ziekenhuis, en voelde zich naar eigen zeggen weer helemaal beter.

'Dag oma,' snotterde Julie, en prompt begon ze weer te huilen. Meer was niet nodig om oma Vervloet ook aan het schreien te brengen, en dan wist ze nog niet eens waarom.

Pas anderhalf uur later stapten ze op. Toen ze hoorde dat Bracke en Annemie nog van plan waren naar de tangoles te gaan, wou oma al meteen mee om op Julie te letten.

'Ze heeft nu een troostende schouder nodig.' Ze zei net niet dat ze niet begreep waarom haar dochter en schoonzoon niet gewoon bij hun dochter bleven, maar Bracke wist dat Annemie op dat punt geen duimbreed zou toegeven. Ze hadden een goede onderlinge verstandhouding, behalve als het om de plichten van de ouders tegenover hun kinderen ging.

Op dat punt was oma Thérèse onverbiddelijk: ouders moesten zich voor het welzijn van hun kinderen totaal wegcijferen. Annemie had zich daar altijd tegen verzet en het recht op een eigen leven opgeëist. Toen Jorg geboren werd, was haar professionele balletcarrière weliswaar al afgelopen, maar ze bleef nog enkele jaren als choreografe doorwerken, met vaak buitenlandse reizen op de agenda. Iets wat haar moeder niet had kunnen begrijpen. Ook al had ze het nooit met zoveel woorden gezegd, de afkeuring viel zo op haar gezicht te lezen.

'We moeten echt naar die les vanavond,' zei Annemie, en meer wilde ze daar niet over kwijt.

Zoals altijd voelde Bracke zich verplicht om meer uitleg te geven.

'Het is een van de laatste bijeenkomsten voor de reis naar Argentinië. Er valt nog zoveel te bespreken. En je weet hoe dat in onze job gaat. We moeten ervan profiteren nu het rustig is. Dat kan van de ene op de andere dag veranderen.'

Thérèse pruttelde voor de vorm nog wat tegen, maar eigenlijk was ze blij dat ze kon inspringen. Ze keek in feite al uit naar de tijd dat ze tijdens de reis bij de kinderen zou inwonen. Alleen Jorg had wat geprotesteerd, maar ook hij kon het au fond best met zijn oma vinden.

'Maak je maar geen zorgen, meisje,' gaf ze Julie een bemoedigend klopje op de arm. 'Morgen ga ik eens met mijn buurvrouw praten. Die werkt op het kabinet van Onderwijs, en ze kan vast een goede school aanraden.'

'Bedankt voor de moeite, moeder. Maar ik weet zeker dat we er zelf wel een vinden,' zei Annemie koeltjes. Ze kon niet verdragen dat haar moeder zich met haar zaken bemoeide, zoals ze dat plastisch uitdrukte.

'Hoe meer opinies, hoe beter,' was Bracke weer de grote verzoener. 'Maar genoeg gekletst nu, dames. Hoog tijd om de inwendige mens te versterken.'

Jorg en Jonas zaten al op het eten te wachten. Of beter gezegd lagen, languit uitgestrekt op de sofa, een pak suikerwafels al duchtig gedecimeerd.

'Nog iets speciaals gebeurd vandaag, pap?' vroeg Jonas, niet opkijkend van zijn Playstation.

'Niets bijzonders,' zei Bracke. 'Alleen een directeur figuurlijk onder zijn kont geschopt.'

'Dat is inderdaad het enig zinnige wat je met die varkens kunt doen,' prees Jorg, en hij wisselde een *high five* met zijn vader uit, die grotendeels in de lucht de mist in ging.

Na de maaltijd, Brackes fameuze boerenomelet[6], hadden ze nog even tijd om zich te verkleden. Thérèse was bij de kinderen gaan zitten en kletste honderduit mee. Het werd zelfs een jolige boel toen ze over haar eigen schooltijd vertelde, en Bracke keek vertederd toe. Op momenten als deze miste hij zijn eigen moeder verschrikkelijk. Dat herinnerde hem eraan dat hij zijn vader in het instituut dringend nog eens moest opzoeken, want het ging niet zo goed met hem. Dat

6 Zie p. 267

was al een hele tijd zo, en op den duur zou hij de ernst van de situatie nog vergeten.

Tijdens de maaltijd werd nauwelijks wat gezegd, behalve dat het lekker was.

'Zoals we dat van je gewoon zijn,' prees Thérèse, en daar werd Bracke warm van. Het was al een hele tijd geleden dat hij van haar nog een complimentje voor zijn kookkunsten gekregen had. Het was alsof ze niet wilde toegeven dat een man beter kon koken dan haar bloedeigen dochter, en dat nadat alle moeite die zij zich getroost had. Want zoals zowat elke vrouw van haar generatie beschouwde ze het als haar plicht om haar dochter met het oog op een later gelukkig huwelijksleven te leren hoe haar echtgenoot in de keuken te verwennen. Helaas was die kennis bij Annemie het ene oor in en het andere er weer uitgegaan, wat haar moeder in de jaren dat ze als ballerina de wereld rondzwierf slapeloze nachten had bezorgd. Wat wanneer haar dochter eindelijk haar wilde haren kwijt zou zijn? Toen Annemie met een simpele wijkagent op de proppen kwam die thuis nooit anders had geweten dan dat de vrouw het eten op tafel bracht, dreigde ze even haar geloof in de mensheid te verliezen. Annemie had een heleboel kookboeken ten geschenke gekregen die ze met de moed der wanhoop uitprobeerde, tot Bracke na de zoveelste mislukking de kookschort had aangebonden. Thérèse kreeg bijna een hartaanval toen ze dat hoorde. Waarop Bracke prompt in de aanval was gegaan en haar op een etentje had uitgenodigd. Achteraf bekeken een van de meest zenuwslopende dagen van zijn leven, véél erger dan de dag dat hij zijn eerste examen aan de politiehogeschool had afgelegd. Maar Thérèse had niets kunnen aanmerken op de kalkoenrollade van haar schoonzoon: net mals genoeg, nog consistent van structuur en toch voldoende sappig. Droge kalkoen, dat was niet minder dan heiligschennis. En het roomsausje dat hij bij de bloemkool en de aardappelschijfjes had gemaakt was zodanig lekker geweest dat ze hem gevraagd had het recept op te schrijven. Toen wist Bracke dat hij haar voor zich gewonnen had.

*

Die avond waren ze toeschouwers van de meest aangrijpende tango die ze ooit gezien hadden. Het koppel Dirk en An maakte al zodanig lang deel uit van de tangogroep dat ze er wellicht hun beroep van konden maken als ze dat echt wilden. Toen ze vertelden dat ze gingen scheiden, waren Bracke en Annemie helemaal over hun toeren geweest. Dirk en An niet meer samen, dat kon toch niet!

's Anderdaags zouden ze naar de rechter gaan om hun scheiding officieel te maken, maar ze stonden erop nog één keer samen een tango te dansen.

Annemie nodigde Bracke uit op de dansvloer, maar hij gebaarde dat hij niet kon. Ze zag hoe hij naar Dirk en An keek en begreep. Ze gingen aan een tafeltje zitten en bekeken stilzwijgend de laatste dans.

Wang tegen wang, heup tegen heup, nog nooit waren Dirk en An zo dicht bij elkaar geweest. Ze hadden hun ogen gesloten en dansten de meest intieme tango uit hun leven, zonder grootse gebaren, maar ingetogen. Weg met de virtuositeit, terug naar de essentie en dansen met en niet naast elkaar zoals ze dat te veel gedaan hadden. De rechter, dat was voor morgen. Dit was hun moment, en de film van ruim twintig jaar speelde zich voor hun ogen in versneld tempo af. De gelukkige jaren, de opgroeiende kinderen, het verval van hun relatie. Ze zeiden geen woord, dat was alleen maar overbodig.

Toen de muziek zachtjes stilviel, bleven Dirk en An nog een hele tijd doordansen op een lege dansvloer. Als een stervende zwaan.

Nu spreken zou de magie wegnemen. Annemie zag hoe Bracke tranen in zijn ogen had en streek zacht over zijn arm. Over het kippenvel. Hij trok zijn arm weg zonder het zelf te beseffen.

11

Het was een enigszins slaperige George Bracke die geflankeerd door zijn eveneens geeuwende echtgenote rond 7 uur in de ochtend plaatselijke tijd op de luchthaven van Buenos Aires stond te wachten op het felgekleurde beschilderde busje van *Tango Trip*.

De vlucht met Air Iberia vanuit Madrid was comfortabel geweest, maar twaalf uur vliegen was Bracke net iets van het goede te veel. Het tijdsverschil van vier uur viel op de heenvlucht goed mee, maar Pol, de tangoleraar, had het gezelschap al voorbereid op een pracht van een jetlag bij de terugreis.

'Eindelijk,' zei Annemie, en ze snoof voor het eerst in haar leven de lucht van Buenos Aires op. Ze hadden weliswaar nog een rit van ruim dertig kilometer naar de stad voor de boeg, maar na die lange reis kwam het daar niet meer op aan.

'*Comment ça va, mon commissaire*?' kirde Laurette. Ze had de hele vlucht zitten doorkletsen over haar ontrouwe amant, die ook nog eens Armand bleek te heten.

Armand l'amant, Bracke kreeg het maar niet uit zijn hoofd.

Als Annemies blikken hadden kunnen doden, was er van dat mens niets meer overgebleven dan een hoopje smeulende as. Achter Laurettes rug stak Bracke zijn handen in de lucht, alsof hij wilde zeggen dat hij er niets aan kon doen. Annemie gaf hem zomaar in het bijzijn van de groep een kneepje in zijn bil, alsof ze duidelijk wilde maken dat Bracke van haar en haar alleen was.

Het vliegtuig was met grote turbulentie gedaald, en Bracke had spijt van het uitgebreide ontbijt met veel te hard gekookte eieren. Annemie was wijzer geweest en had zich tot een broodje en yoghurt beperkt.

Na ruim een uur wachten kwam het voertuig eindelijk opdagen. Bij de eerste aanblik vreesde Bracke dat ze nooit in het hotel zouden geraken, want het busje had duidelijk betere tijden gekend. De uitlaat maakte een onheilspellend reutelend geluid, en je kon amper door de vieze vensters kijken.

Aan boord werden ze door gids Ernesto Dominguez enthousiast verwelkomd. Pol kreeg een smakkerd op de mond, en een aai over zijn kalende bolletje. Ernesto's donkere ogen waren gemaakt om eeuwig te stralen. Pol stelde onvermoeibaar iedereen van de groep aan de gids voor.

'*Il comisario y su mujer, il portavoz de la policía.*'[7]

'*Tanto gusto en conocerle,*'[8] zei de charmeur, en terwijl hij Annemies hand zoende werden zijn ogen nog groter en vochtiger.

Aansteller, dacht Bracke, die Ernesto instinctief niet mocht. Te veel gladde maniertjes en altijd lachen, dat was verdacht.

Het gammele busje pufte met veel moeite door de bochten. Het zou binnenkort ongetwijfeld de geest geven, en Bracke hoopte hartstochtelijk dat het niet vandaag zou zijn. En in die dikke chauffeur, Ramirez of iets dergelijks, had hij al evenmin veel vertrouwen.

Onderweg stopten ze voor een wandeling, volgens Ernesto de beste manier om na de lange vlucht de stijfheid uit de spieren te jagen. Daar had Bracke niet bepaald veel zin in en hij bleef koppig in de bus zitten lezen in het boek dat Pol over tango had geschreven.

Annemie stapte wel uit en slenterde naar een klein marktpleintje, waar ze een watermeloen kocht.

De andere reizigers hadden weinig haast, en het duurde een hele poos voor iedereen zijn plaats op de bus weer had ingenomen. Het was vooral wachten op Laurette, die zich blijkbaar helemaal had opgekalefaterd. Haar make-up zat nu in ieder geval perfect, en haar kapsel was onberispelijk geworden. Om van haar oogstrelende decolleté maar te zwijgen.

Bracke zag het, en hij merkte op datzelfde ogenblik dat Annemie zag dat hij het merkte. Snel keek hij de andere kant op, en hij voelde zich op een vreemde manier betrapt op iets ongepasts.

'Is het niet prachtig,' zei Annemie snel, veel te snel. De glans in haar ogen kon met Ernesto wedijveren.

7 De commissaris en zijn echtgenote, woordvoerster van de politie.

8 Aangename kennismaking.

'Inderdaad,' antwoordde Bracke, maar hij had het niet over het landschap.

Ook Annemie had zich zomers gekleed, net voldoende om genoeg prijs te geven, maar toch ook heel wat dat aan de verbeelding overliet. Gelukkig waren ze een paar weken voor de afreis door reisoperator Divantoura goed gebrieft en wisten ze dat in oktober in Argentinië alles in bloei stond.

Ernesto ratelde in een mix van Frans en Spaans maar door over de glorieuze geschiedenis van Buenos Aires. Bracke luisterde met een half oor naar behoorlijk pretentieus geneuzel over een stad die zich de eretitel van meest Europese van de Zuid-Amerikaanse hoofdsteden aanmat. *La capital federal.* Maar die intussen wel op de rand van de afgrond stond, bedacht hij bitter.

Even wou Bracke een stekelige vraag stellen over de penibele economische situatie van Argentinië, maar hij hield zich in. Annemie hing zowat aan de lippen van de gids, die snel doorhad dat dit een gezelschap van pure tangoliefhebbers betrof en hij het best zo snel mogelijk *to the point* kwam. Toen hij in een naamloze buitenwijk de bar toonde waar Carlos Gardel voor het eerst in het openbaar *A media luz* had gezongen, werden prompt alle camera's en fototoestellen bovengehaald. Bracke betrapte er zich op dat hij eveneens met zijn digitaal toestel in de aanslag zat.

'Wel straks opletten als jullie met die dingen op straat lopen,' wees Ernesto naar de camera's. 'We mogen dan wel een beschaafd land zijn, Buenos Aires is een wereldstad als alle andere. Ook hier worden toeristen als een vette buit beschouwd.'

Hij maakte met zijn kwabbige hand een snelle grijpbeweging die niets aan de verbeelding overliet.

'Wie zo stom is om in een arm land met zijn rijkdom in het openbaar te koop te lopen heeft het zelf gezocht,' foeterde Bracke. Ernesto bedelde bij Pol om een vertaling en zette voor het eerst een zuur gezicht op.

'We zijn geen arm land, señor. Deze tijdelijke recessie zal ons niet kraken.' Hij rechtte trots zijn rug, en pas nu merkte Bracke dat

Ernesto zijn haar verfde. Er viel moeilijk een leeftijd op de charmeur te plakken. Maar hij moest toegeven dat de gids zijn best deed. De bus stopte geregeld bij een bezienswaardigheid, en hij zorgde ervoor dat zijn uitleg niet te langdradig werd. Want iedereen verlangde nu naar zijn kamer.

Hoe dichter ze de stad naderden, hoe meer de straten een blauwe schijn kregen.

'*Los aparangos florecen*,'[9] zei Annemie dromerig.

Voor het eerst sinds hij voet aan grond had gezet was Bracke sprakeloos. Maar veel tijd om de omgeving te bewonderen kregen ze niet, want het busje stopte schokkend bij hotel Nagaro, dicht bij de Plaza de Mayo. Hoewel ze nog nooit eerder in Buenos Aires was geweest, deelde Annemie met een plechtige stem mee dat de San Telmowijk zich vlakbij bevond.

Bracke had zich weliswaar doorheen een groot deel van de introductieavond geslapen, maar herinnerde zich nog dat dit voor tangoliefhebbers de wijk der wijken was.

Bij het horen van die naam glunderde Ernesto. Prompt begon hij te vertellen hoe legendarisch San Telmo wel was, maar Bracke luisterde niet.

Ineens viel de vermoeidheid van de verre reis als een loden deken over hem neer. Het enige wat hij nu wilde was even het hoofd neerleggen en zijn ademhalingsoefeningen doen. De laatste maanden was hij na een veel te lange tijd van verwaarlozing eindelijk weer regelmatig naar de aikidoles gegaan, en hij voelde hoe een deel van de eindeloos lijkende kracht van zijn jeugd terugkwam. Veel te langzaam naar zijn zin, maar op zijn leeftijd mocht hij niet te veeleisend zijn. Leraar Eric Verhertbruggen had hem een aantal deugddoende relaxatietechnieken aangeleerd, en bijna was de aikidogoeroe samen met zijn vriendin Nancy meegegaan naar Buenos Aires. Ook zij waren immers door het tangovirus besmet. Maar een nieuwe reorganisatie in de bank waar Eric werkte had roet in het eten gegooid, wat Bracke

9 De aparangobomen staan in bloei.

het boosaardige binnenpretje bezorgde dat voor één keer ook eens iemand anders door zijn werk in zijn privé-leven werd beknot.

In de lobby van het hotel kregen ze een welkomstdrank en een hapje aangeboden. De manager drukte zijn hoop uit dat ze een aangename vakantie in Buenos Aires zouden doorbrengen. Bracke merkte dat steeds meer mensen van het gezelschap begonnen te knikkebollen, maar de manager kende zijn wereld. Hij stelde voor dat iedereen zich even ging verfrissen. De bar was uiteraard open.

De kamers waren veel luxueuzer dan Bracke had durven dromen. Om een of andere reden was hij afgereisd met de gedachte dat ze in een ontwikkelingsland zouden terechtkomen, maar daar was op weg naar het hotel nog niets van te merken geweest.

Vermoeid liet Bracke zich op het bed neervallen. Nu had hij vooral behoefte aan rust. Eerst toch maar even het thuisfront bellen. Hij wilde het aan Annemie niet toegeven, want hij had haar plechtig moeten beloven het werk voor veertien dagen volledig te vergeten.

'Even de benen strekken. Ik ben zo terug.'

'Opletten,' wilde Annemie zeggen, maar dat was naar haar aanvoelen te betuttelend. Ze knikte, en streek even door zijn haar toen hij passeerde.

Bracke had ook in de lobby kunnen bellen, maar verkoos om even een frisse neus te halen. Tijd om te slapen had hij nog genoeg, daar kwamen ze tenslotte niet voor naar hier. De indruk van voor het eerst in een van de drukke wijken van Buenos Aires rond te lopen overweldigde hem. Met brede teugen snoof hij de typische wereldstadslucht op. Het was behoorlijk druk, maar niet zo chaotisch als hij had verwacht.

Hij stapte een telefoonwinkeltje binnen. Overal hingen toestellen, bemand door ijverig kwebbelende mannen en vrouwen. Aan de balie liet zijn Spaans hem in de steek toen hij geld wilde wisselen. Hij mompelde '*Belgica telefono*?' en bleef briefjes op tafel gooien tot de winkelbediende hem gebaarde dat het genoeg was. Hij kreeg twee handenvol munten toegeschoven die hij zuchtend op zak stak.

Zonder veel hoop tikte hij het telefoonnummer van Cornelis op kantoor in. Hij rekende er niet op verbonden te worden, en vond dat eigenlijk ook niet zo erg. Maar hij was het aan zijn stand verplicht om het op zijn minst te proberen.

'Hallo, met Cornelis.'

Bracke vloekte. Waarom had hij ook gebeld!

'Ben jij dat, George? Waar zit je ergens? Al in het tangoparadijs?'

'We zijn net aangekomen,' zei Bracke. 'Annemie is zich op onze kamer aan het opfrissen, en ik moest even de deur uit.'

'Om een frisse neus te halen,' raadde Cornelis. 'En het eerste wat je doet is mij bellen. Ik ben ontroerd, George. Dat doet mijn Bart zelfs niet als hij voor het werk naar het buitenland moet.'

Bracke wist niet meteen wat te zeggen. Het was ook compleet absurd.

'Hoe was het in het Zwarte Woud?'

'Dat is waar ook, we hebben elkaar niet meer gezien. Heel goed. Veel gewandeld, lekker getafeld, en vooral gepraat.'

'Dat zal wel,' zei Bracke. Goed dat Annemie dit niet hoorde. Ze zou het hem gegarandeerd onder zijn neus wrijven: 'Zie je wel dat andere koppels wél praten!'

'Wat mij verwonderde: je gaat net voor de première van je toneelstuk nog een weekje op reis. Wat zei de regisseur daarvan?'

'Dat zijn de voorrechten van de hoofdrolspeler,' pochte Cornelis. 'Ik heb hem op mijn communiezieltje gezworen dat ik mijn tekst zou blijven oefenen. En we hadden natuurlijk vooraf ons huiswerk gemaakt.'

'Jammer dat we de première gemist hebben,' zei Bracke, en hij meende het.

'Voor één keer had je een aanvaardbaar excuus.'

'Verder geen nieuws? Nog niets over die vrouw uit de Maïsstraat?'

'Dat gaat jou niet aan,' lachte Cornelis. 'Je bent op vakantie, weet je nog wel? Hassim is daarmee bezig, en hij doet dat goed. En nu inhaken en wegwezen. En durf me niet meer te bellen. Ga en amuseer je. Dat is een bevel.'

'Ja, meneer de commissaris,' zei Bracke, en hij hing op.

De muntstukken rinkelden vrolijk in zijn zak. Aan een eetkraampje kocht hij een honingkoek, enkel en alleen omdat hij zin had om geld uit te geven. Wisselgeld hoefde dan ook niet, en de uitbater van het kraampje boog eerbiedig het hoofd.

Bracke begon steeds meer plezier in dit reisje te krijgen. In het hotel had Annemie intussen natuurlijk al lang de koffers uitgepakt en de kleren keurig in de kasten gehangen. Hij moest zich bedwingen om haar niet even op te bellen en een zwoele nacht te beloven.

Hij wandelde Florida in, de lange winkelwandelstraat van Buenos Aires. Van de infoavond kon hij zich herinneren dat deze straat de Corrienteswijk kruiste, het Broadway van de stad. Maar dit gebied zou de volgende dagen ongetwijfeld nog op hun programma staan, en hij verkoos zijn neus te volgen. Gevaar om te verdwalen was er niet, want hij had op de kaart gezien hoe rechtlijnig het stratenplan van Buenos Aires was. De grote, kaarsrechte boulevards deden hem aan New York denken, waar hij ooit met Annemie een lange, deugddoende vakantie had doorgebracht. Toen die twee verdomde torens, die schitterende getuigen van architecturale wansmaak, nog vloekend richting hemel wezen.

Bracke nam lukraak de metro en liet zich tot in een van de buitenwijken van de stad rijden. Hij had even behoefte aan de geur van riolen en de aanblik van vervallen straten. Bij een oude loods waar een troepje mannen op de stoep luidruchtig om geld stond te dobbelen, stapte hij uit. Even staarden ze hem wantrouwend aan, maar hij keek ostentatief de andere kant op, alsof hij wilde aanduiden dat ze van hem niets te vrezen hadden.

Hij wist uit ervaring dat het wijzer was gewoon verder te wandelen, maar de nieuwsgierigheid won het van zijn verstand. Na een korte, kordate knik bleef hij op zijn gemak het tafereel bekijken. De handen nonchalant in de broekzakken, met de attitude van een trotse gaucho.

Het volgende ogenblik waren ze hem al vergeten. Op een transistorradio speelde luid een opwindende elektronische versie van een tango-evergreen die hij niet kon thuisbrengen, en dat ergerde hem.

Bracke merkte dat een van de mannen vals speelde. Het was de oude truc van het bevochtigen van de vingers door te doen alsof je moest niezen en beleefd in je hand kuchte. Zulke dwaasheden deed hij zelf al in zijn paracommandotijd, en hij moest lachen omdat blijkbaar niets ooit echt veranderde. Die kerel kon best een hele tijd het ene na het andere spel winnen, maar op een bepaald moment zouden ze hem toch ontmaskeren en dat zou zijn beste dag niet zijn.

Daar wilde Bracke niets mee te maken hebben, en rustig slenterde hij verder in de richting van de volgende metrohalte. Nu zou hij even naar het hotel moeten bellen om te melden dat hij op stap was, maar dat deed hij bewust niet. Echt ongerust zou Annemie trouwens toch niet zijn, want ze had met hem al genoeg meegemaakt. Wel wist ze graag waar hij was, maar hij was vastbesloten zijn recht op vakantie op te eisen. En dat hield in dat ze heel wat dingen samen, maar ook sommige apart zouden doen. Zoals wandelen tot zijn arme, naar massage zuchtende voeten er pijn van deden.

Nu had hij er spijt van dat hij niet wat meer aandacht had besteed aan de Assimil-cursus Spaans waar Annemie zich wel enthousiast aan gewaagd had. Met al die mensen die hem onderweg vragend aankeken en soms ook vroegen hoe het ging, wilde hij zo graag een praatje maken, maar veel verder dan een simpel '*buenos dias*' kwam hij niet. Dat zou na enkele dagen misschien wel beteren, want op dat punt was hij een echte kameleon die zich snel aan de omgeving aanpaste.

De ingang van de metro was schaars verlicht, maar hij voelde zich veilig. Hij merkte het gevaar al van ver op. Een jongeman kwam met zwierige tred zijn richting uit, een geopend zakje bloem in de hand. De kerel keek net iets te overdreven in de andere richting.

Bracke kon zo al voorspellen wat er zou gebeuren. De snotaap botste tegen hem aan, en een wolk bloem dampte op zijn blauwe hemd neer.

Daar was de medeplichtige al. Een tweede jongeman haalde met brede gebaren en veel pathetische verontschuldigingen voor de onhandigheid van zijn vriend een zakdoek boven om de bloem van Brackes hemd weg te vegen. Zijn kompaan putte zich eveneens in excuses uit en schudde Bracke breed gesticulerend en verzoenend de hand.

Nu gaat het komen, dacht Bracke. In een mum van tijd waren meerdere jongelui opgedoken die zich allemaal rond hem schaarden. Denk aan je zwakste kant. De aanval is de beste verdediging.

Zijn hand ging spontaan naar zijn achterzak. Hij tastte instinctief naar zijn portefeuille en omklemde een opvallend gespierde pols die zich vliegensvlug een weg in zijn zak zocht. Met zijn andere hand greep hij naar de schouder van de zakkenroller, en hij voerde de best geslaagde heupworp uit zijn carrière uit. Het volgende ogenblik had hij de kerel met het bloemzakje in een houdgreep, en zijn ogen fonkelden toen hij de rest van de bende frank aankeek. De situatie meester, *the eye of the tiger*. Hij wierp de kerel met een doffe smak op de grond.

'*Imbéciles! Soy comisario! Señor George Bracke de Belgica, à votre service.*' Hij salueerde plechtig, als Pim Fortuyn kaarsrecht in de houding.

Die woorden hadden het effect van een donderslag. Zo snel ze konden haastten de bendeleden zich weg. Ze keken zelfs niet om naar hun twee vrienden die hen kreunend en om hulp smekend achternastrompelden.

Pas nu merkte Bracke dat Laurette ademloos stond toe te kijken. Waar kwam dat mens zo plots vandaan? Hier schrok hij meer van dan van de overval. Ze was trouwens niet alleen, want verschillende mensen begonnen ineens te applaudisseren. Bracke voelde dat hij begon te blozen en maakte een verlegen gebaar.

'*Vous êtes formidable, mon commissaire!*' kirde Laurette bewonderend, en ze gaf hem een warme omhelzing die hem naar adem deed happen. Hij wist niet welke kant uit te kijken en haalde dan maar de schouders op.

'*C'était rien. Des petits fripons*[10], *c'est tout.*'

Blijkbaar had iemand de politie gebeld, want plotseling waren twee agenten ter plaatse. Bracke beduidde dat het allemaal niets te betekenen had, maar ze wilden tot elke prijs een verklaring van hem. En toen ze hoorden dat hij een politiecommissaris was, moest hij mee

10 Boefjes.

naar het bureau. Dat was uiteindelijk nog geen slechte zaak, vond Bracke. Zo raakte hij tenminste van die Laurette verlost. Dacht hij.

'*Je vais avec lui*,' zei ze beslist, en met een kordate plof ging ze achter in de politiewagen naast Bracke zitten.

Onderweg naar het bureau zat hij onwezenlijk naar buiten te staren. Op de stoep hielden de mensen halt om te zien welke schurk gearresteerd werd. Een bengel gooide zelfs een sinaasappel naar de wagen. De rotte vrucht spatte op de kofferbak uiteen.

Zo voelde een arrestant zich dus op weg naar de ondervraging. Bracke was weer een ervaring rijker, hield hij zichzelf voor. En het was niet bepaald een prettig gevoel. Hij dacht er plots aan dat niet eens zolang geleden langs dezelfde weg wellicht heel wat mensen door het leger en de politie waren weggevoerd en nooit meer teruggekeerd. De beelden van de stilzwijgend protesterende *Dwaze Moeders* kwamen spontaan in hem op. Wat ging er door het hoofd van iemand die ineens door hardhandige knuisten uit zijn vertrouwde omgeving werd weggerukt en maar al te goed wist dat er geen hoop op redding meer was? Onwillekeurig rilde hij, en Laurette dacht dat het van de kou was.

'*Vous avez froid, mon cher commissaire?*' Ze nam hem bij de arm en wreef met haar zwaar beringde hand zachtjes over zijn huiverende huid. Of hij het nu wilde of niet, de aanraking deed hem goed. En ze geurde ook al zo lekker. Vast een of ander duur parfum dat ze rechtstreeks in Parijs kocht, zoals ze hem om God weet welke reden laatst nog in de tangoclub van Pol had toevertrouwd. Op een samenzweerderig toontje nog wel, net op een ogenblik dat Annemie naar het toilet was. Toen Annemie terugkeerde was Laurette pardoes gestopt met vertellen, alsof ze net bezig was hem een groot geheim in het oor te fluisteren. Vrouwen, ze kwamen helaas niet met een handleiding.

Bracke schrok uit zijn gedachten op toen de politiewagen met gierende remmen de parkeerplaats op reed. Op verschillende plaatsen stond op de muren in schreeuwerige letters nogal overbodig POLICIA geschreven. Politievoertuigen scheurden af en aan, en op de binnenplaats waren verschillende agenten hun motor aan het oppoetsen.

Een paar geboeide mannen maakten behoorlijk wat kabaal, maar niemand die zich daaraan leek te storen.

Blijkbaar werd Bracke verwacht. Een voornaam uitziende heer met grijze slapen en een imposante snor stond hem op te wachten. Grijnslachend hield hij het portier voor Bracke open.

'*Bienvenu, monsieur! Je suis commissaire Gomez.*'

Bracke was blij dat hij Frans sprak, want een echt gesprek in het Spaans voeren ging zijn petje te boven. Annemie daarentegen zou zich in deze situatie ongetwijfeld wel uit de slag weten te trekken.

'*Merci pour l'acceuil,*' zei Bracke welgemeend.

'*Mais alors, entre collegues,*' lachte Gomez. Bracke vond hem meteen sympathiek. '*Et là, c'est sans doute votre aimable femme?*' Prompt gaf hij Laurette een elegante handkus.

'*Non, une amie,*' zei Bracke met enige aarzeling. '*Ma femme est encore à l'hôtel.*'

'*Je comprends,*' knipoogde Gomez, en Bracke zag dat Laurette het misverstand prettig scheen te vinden.

'*Aha, je vois que la télévision est aussi arrivée!*'

Tot zijn grote verbazing kreeg Bracke een microfoon onder de neus gestopt en stond hij oog in oog met een indrukwekkende camera.

Glunderend vertelde Gomez dat hij een telefoontje had gepleegd naar een van zijn goede vrienden van een lokaal station, dat razend enthousiast was om het verhaal van die dappere commissaris uit Europa in het nieuws te brengen.

Bracke probeerde het onheil nog af te wenden, maar het was al te laat. De reporter begon hem in lijzig Frans vragen te stellen, en hij merkte tot zijn afgrijzen hoe Laurette zich ook in het gezichtsveld van de camera had gewerkt. Ze hing aan zijn arm, en hij voelde haar warme boezem tegen zich aangedrukt.

Op de automatische piloot antwoordde hij op de vragen van de journalist. Het kalf was nu toch verdronken, en hij kon maar beter proberen zijn gezicht te redden.

Lang bleef Bracke niet in beeld, want de camera zoomde meteen in op commissaris Gomez. Die stak in ratelend Spaans een tirade af waarvan Bracke nauwelijks wat begreep, behalve dat hij een ware held was en met zijn moedige reactie de Argentijnen het voorbeeld had gegeven hoe ze in gevaarlijke situaties van zich af moesten bijten. Gomez besloot met te zeggen hoe trots hij was om Bracke zijn vriend te mogen noemen. En die lieftallige dame zijn vriendin natuurlijk. Nu kwam Laurette close in beeld, en zich bewust van de camera zette ze haar meest verleidelijke glimlach op. Een hoer uit de havenbuurt zou haar koopwaar niet beter in de verf kunnen zetten, dacht Bracke.

Eindelijk was de nachtmerrie voorbij. De commissaris bood Bracke een lift naar het hotel aan. Dat aanvaardde hij dankbaar, want nu zou Annemie zich toch wel langzaam ongerust beginnen te maken. En hij kon maar beter zelf uitleggen wat er gebeurd was, voor ze hem op televisie zag.

Hij hoefde maar één keer aan te kloppen, en de deur van de hotelkamer ging al open. Annemie liet een zucht van opluchting toen ze hem zag.

'Je gaat nooit geloven wat me nu is overkomen,' zei hij zo luchtig mogelijk.

'Ik luister,' zei ze geduldig, en ze ging op het bed zitten. En hij begon haar alles te vertellen. Of toch het meeste.

*

'Tu étais fantastique, mon héros!' lachte Laurette haar parelwitte tanden bloot, en ze zorgde ervoor dat Annemie haar bewonderende blikken wel moest zien. Snel gaf Bracke zijn vrouw een arm en begon wat vlugger te wandelen. Hij gaf Laurette een teken dat ze moesten opschieten om de gids niet uit het oog te verliezen.

Ernesto gaf een breedvoerige uitleg over La Bocca, de havenwijk waar ze door liepen en waar de tango was ontstaan.

'Het kwartier aan de Riachuelo is al bijna een eeuw nauwelijks veranderd. Hier vonden vooral Italianen en Spanjaarden werk in de dokken. Ze werden meestal niet met geld, maar in natura betaald, bijvoorbeeld met restjes scheepslak. Vandaar de bonte beschilderingen van de huizen, zoals uzelf kunt merken.'

Er volgde nog een heel verhaal over hoe in de beginperiode van de tango de mannen vaak met elkaar dansten bij gebrek aan een vrouw, maar dat had Bracke al veel beter beschreven gelezen in het boek van Pol met de onvolprezen foto's van Benn Deceuninck. Hij voelde nu letterlijk de hete adem van Laurette in zijn rug.

'Wring jij dat mens de nek om, of doe ik het?' siste Annemie tussen haar tanden.

Bracke schoot in de lach en verslikte zich. Hij dacht aan commissaris Gomez, die Annemie ongetwijfeld dolgraag zou verhoren. Misschien had hij wel heimwee naar het ancien régime toen de politie heer en meester was.

Het gezelschap slenterde langs de Caminito, het steegje tussen de straten Magelhaes en Del Valle Iberlucea. Ernesto had gelijk, je kon niet naast de Europese invloeden kijken. Bracke probeerde zich voor te stellen hoe het moest zijn om hier te leven en kwam tot de conclusie dat het best kon meevallen. Als het maar zonder die Laurette was, want ze kleefde net iets te dicht op zijn huid. Ze kneep zelfs even in zijn wang, en dat had nog nooit iemand straffeloos gedaan.

Met de handen in de lucht bleef hij staan.

'Ne me touche pas, Laurette! Ne me touche pas!'

Maar veel effect had het niet. Laurette dacht dat hij een grapje maakte en porde met haar wijsvinger ondeugend tussen zijn ribben, iets waar hij hoegenaamd niet tegen kon.

Annemie zag aan zijn ogen dat hij op het punt stond haar te slaan. Ze nam hem bij de arm en sleurde hem verder, dieper de groep in.

'Ze is het niet waard, George,' fluisterde ze in zijn oor. 'Laat haar toch. Gewoon negeren, dat is het beste. Ze zal het snel beu worden.'

Bracke zuchtte. Hij had haar wel over de zakkenrollers en de televisie verteld, maar niet dat Laurette zowat tegen zijn borst aangedrukt mee in beeld was geweest en zich als zijn vrouw voordeed. Hopen maar dat Annemie die beelden nooit te zien zou krijgen.

12

Midden in de nacht. Een magere, zieke kat liep miauwend op het zinken dak langzaam zijn lange doodsstrijd te verliezen. Het beest mocht oud zijn, deze taaie rakker zou tot de laatste snik aan het kostbare leven vasthouden.

Een paar meter diep onder de grond werd Omer Verlinden langzaam wakker. Eerst knipperde hij versuft verschillende keren met zijn wimpers, maar het bleef donker. Toen hij naar de knevel rond zijn mond wilde tasten, besefte hij pas dat hij aan handen en voeten vastgebonden lag. En vakkundig gedaan, kon hij voelen. De touwen waren strak rond zijn polsen gespannen, maar toch ook weer niet zo stevig dat zijn bloedstroom afgesneden werd.

Zijn hoofd voelde aan als een natte bol watten. Het suizen in zijn oren wilde maar niet stoppen. Hij probeerde zich te herinneren wat er gebeurd was, maar kwam niet verder dan enkele vage, angstaanjagende beelden.

Het laatste wat hij zich nog enigszins helder voor de geest kon halen was de spreekbeurt voor de KWB. In een zaaltje in het centrum van Appels, daar durfde hij een eed op doen. In totaal waren zowat vijftig mensen opgedaagd om te luisteren naar zijn triomfantelijke verhaal over de ver geavanceerde politietechnieken in Amerika die voor een spectaculaire stijging van het aantal opgeloste zaken hadden gezorgd.

Sinds zijn televisieverschijning was hij zowaar een bekende Vlaming geworden die nu om de haverklap werd uitgenodigd om te lande bij allerlei verenigingen en instellingen lezingen te houden. Eerst was hij daar niet voor te vinden geweest, maar Van Aken had hem van het nut ervan overtuigd.

'We krijgen altijd het verwijt dat we vanuit onze ivoren toren de politie leiden, welnu, dit is onze kans om zelf een stap in de richting van de bevolking te zetten. Je moet het ijzer smeden terwijl het heet is.'

De eerste keer was hij erg zenuwachtig geweest. Hij had geen flauw idee hoe hij een lezing moest aanpakken, maar Annemie had hem over de streep getrokken. Ze had bijna een volledige dag besteed om hem te helpen een algemene tekst op te stellen waar hij altijd op zou kunnen terugvallen.

'Maar het is het leukst als je gewoon vanuit de buik en de praktijk vertelt. De mensen houden niet zo van een voorgekauwd lesje dat je duidelijk aframmelt. Je moet ze het gevoel geven dat ze iets exclusiefs te horen krijgen. En dan is het niet erg als je af en toe eens niet uit je woorden komt. Dat geeft ze het gevoel dat je echt je best doet en dat ze speciaal zijn.'

Ze was de eerste keer meegegaan om een kritisch oordeel over zijn performance te vellen, en had dat ook op papier gezet. Verlinden moest even slikken toen hij haar meedogenloze rapport onder de neus kreeg. 'Te houterig, onvoldoende feedback van het publiek door een te afstandelijke houding, meermaals in herhaling vallend, nog steeds te vaak stotterend, te weinig humor, onnodig frummelen aan je das. Maar alle begin is moeilijk. De inzet en het enthousiasme waren er alvast.'

Hij had eens hard op tafel geslagen, maar moest toegeven dat ze gelijk had. Wat niet wegnam dat hij een dergelijke onverbloemde taal wellicht van niemand anders gepikt had.

Hij had geen flauw idee wat hij met zijn handen moest aanvangen. Eerst probeerde hij om er breed mee te gesticuleren, zoals hij dat zijn Italiaanse neef zo vaak zag doen. Maar eens de handen in de lucht wist hij niet meer waarheen, en dan hingen ze daar maar wat doelloos in het ijle. Tot Annemie hem aanraadde ze gewoon op zijn schoot te leggen en daar te laten tot hij er echt iets mee deed, zijn papieren schudden of zijn neus snuiten bijvoorbeeld.

Het bleef moeizaam aanmodderen, in zoverre dat hij er even aan dacht alle verdere lezingen te schrappen. Maar bij de vierde lezing had Verlinden een gouden ingeving gekregen. Hij moest net voor hij van start ging ineens denken aan de uiteenzetting van Paul Bresson, woordvoerder van de FBI, die hij tijdens zijn studiereis in Amerika bijgewoond had. Die had een indrukwekkende lijst opgemaakt van op het eerste gezicht onschuldige voorwerpen die dodelijke wapens konden verbergen. Het was een lijst van bijna honderd bladzijden geworden, en de FBI was volop bezig om deze 'catalogus' (die voor het gemak op cd-rom was gezet) te verspreiden bij alle luchthavens en ordediensten van de hele wereld. Dit met het oog op de bestrijding van het terrorisme, want met deze wapens konden aanslagen gepleegd worden.

Verlinden was beginnen te improviseren en was zijn lezing begonnen met de vraag of hij tien willekeurige mensen uit het publiek mocht fouilleren. Dat was op zich al een sensatie, want hij wist dat de meeste mensen wel arrestaties van het kleine of grote scherm kenden, maar nog nooit hadden meegemaakt.

All the things you say can and will be used against you. You have the right to remain silent, de benen wijd terwijl een hand je vakkundig aftastte en het knipmes in je kous ontdekte.

Om achteraf geen klachten wegens ongeoorloofde intimiteiten te krijgen had hij enkel mannen gevraagd, en bijna iedereen in de zaal stak spontaan de hand op om dit buitenkansje niet aan zich te laten voorbijgaan. Hadden ze meteen iets om thuis over op te scheppen: weet je wat ik vandaag meegemaakt heb!

Tot grote verbazing van de aanwezigen had hij portefeuilles, enkele gsm's, een videocamera, een halsketting met een metalen kruis, een broeksriem, een paraplu, een tube scheerschuim en een spel kaarten zogezegd in beslag genomen.

'Leg maar op tafel. Niet bang zijn, u krijgt straks alles ongeschonden terug. Is er soms ook een dame aanwezig van wie ik de handtas in alle discretie even mag doorzoeken?'

Verlinden voelde iets van de kick van de goochelaar die op het punt stond een duur horloge met een hamer te verbrijzelen en het vervolgens heelhuids opnieuw uit de zak te toveren om het met een brede glimlach aan de lijkbleke eigenaar te overhandigen. Waarop enthousiast applaus volgde: hoe doet hij het toch!

Ook nu weer waren verschillende handen enthousiast de lucht in gegaan. Neem mij, neem mij! Verlinden had er lukraak een behoorlijk opgetutte dame uitgekozen die met elke stap dichterbij een jaar ouder leek en die uit haar handtas een haarborstel, make-updoosje en lippenstift bij de hoop voorwerpen had gelegd.

'Ziehier een arsenaal moorddadige wapens.'

Hij had even gewacht om het effect van zijn woorden te laten doordringen. En met succes. Ze hadden hem met grote, verwonderde ogen aangekeken. Voor het eerst had hij de macht van het woord en de suggestie geproefd, een sensatie die naar meer smaakte.

'Uiteraard is dit maar een spelletje. Maar ik kan u verzekeren dat elk van deze ogenschijnlijk zo banale voorwerpen een moordwapen zou kunnen zijn.'

Nog nooit had hij op zoveel ademloze aandacht van zijn toehoorders mogen rekenen. Verlinden werd er zowaar ijl in het hoofd van, in zoverre zelfs dat hij zich afvroeg of hij zijn roeping niet gemist had.

'Neem nu dit kruis. Voor velen een heilig en onaantastbaar symbool, maar in het blad zou je een mes kunnen verbergen. Uiteraard geen groot, maar in handen van de verkeerde mensen kun je er dodelijke schade mee aanrichten. Ook een lipstick kan plots een minidolk worden. Een tube haarspray is op zich al een efficiënt wapen. Spuit er iemand mee in het gezicht, en hij is tijdelijk verblind. En wie een beetje creatief is, kan alleen het omhulsel overhouden en er om het even wat instoppen, wie weet zelfs een bom.'

De aanwezigen bekeken de objecten met heel andere ogen. Ze hingen aan zijn lippen.

'Alles wat hier op tafel ligt is een alledaags gebruiksvoorwerp. Je komt er probleemloos mee langs elke controle, want geen enkele veiligheidsscanner zal er kwaad in zien. Ik hoef u niet te zeggen wat voor een ravage een terrorist die niet bang is om zijn eigen leven te verliezen kan uitrichten als hij met een van dergelijke voorwerpen aan boord van een vliegtuig stapt. De kapers van de vliegtuigen die de Twin Towers in New York hebben platgelegd hadden uiteindelijk ook geen echte wapens bij zich. Met fanatisme en een dosis lef kom je al een heel eind.'

Het publiek was met verstomming geslagen geweest. Het had hen tot nadenken gestemd, en wellicht zouden enkelen nooit meer durven te vliegen.

'En dat kaartspel? Wat ga je daarmee doen?'

Verlinden was blij geweest met de vraag. In elk gezelschap zit er wel altijd iemand die zich slimmer dan de rest weet, en als je die op zijn plaats kan zetten is de strijd al half gewonnen.

'Een terechte vraag. Met dit spel kun je hoogstens pokeren, maar er bestaan kaartspelen met een metalen randje die door ermee te gooien in de handen van een expert een verschrikkelijk wapen worden. Deze kaarten zijn in Japan vrij te koop voor misschien vijftien euro. Ook dat is opmerkelijk: al deze nepvoorwerpen zijn zomaar op de markt te verkrijgen, en doorgaans zelfs voor een prikje. Surf een halve dag op het internet, en je hebt een heel arsenaal bij elkaar geshopt. Terroristen hoeven dus helemaal niet over allerlei geheime contacten en grote financiële bronnen te beschikken om aanslagen te beramen.'

Bij verschillende lezingen had deze kleine show zijn effect niet gemist, en Verlinden kreeg elke keer meer zelfvertrouwen. Annemie had hem met zijn presentatie nieuwe stijl van harte gelukgewenst, en hij voelde zich zelfverzekerd genoeg om voortaan alleen op pad te gaan.

Maar wat was er in godsnaam toch in Appels gebeurd? Hij pijnigde zijn hersenen, maar veel leverde het niet op. Het was alsof hij niet meer kon denken. Schimmige vlekken dansten voor zijn ogen, en zijn maag was ook niet helemaal in orde.

De opkomst was niet bepaald overdonderend geweest. Niet te verwonderen, want Anderlecht speelde die avond een belangrijke wedstrijd die over verdere deelname aan de Champions League zou beslissen. Voor Verlinden niet gelaten, want hij haatte voetbal als de pest. Al bij al was het nog verwonderlijk dat vijftig inwoners van Appels zich de moeite hadden getroost om naar het dorpscentrum af te zakken.

Hoe noemde je overigens een inwoner van Appels? Als je ze eens goed dooreenschudde appelmoes, dacht Verlinden, maar hij kon er zelf niet om lachen.

Na de lezing had hij een staande ovatie gekregen die hij met een elegante buiging in ontvangst genomen had, en dat was meteen zijn laatste herinnering aan die avond. Of nee, er was nog die meelijwekkende man in een rolstoel met een verband rond zijn hoofd die hem nadat de lezing al lang afgelopen was stotterend in zijn kleedkamer kwam opzoeken om een handtekening te vragen. De arme man had bevend zijn pen laten vallen, en toen Verlinden zich bukte om ze op te rapen had hij even een prik in zijn achterwerk gevoeld. En dan was alles voor zijn ogen snel zwart geworden.

Verlinden verbleekte. Hij besefte ineens dat hij zich verblind door zijn succes als de eerste de beste amateur in de doeken had laten doen.

Hij merkte nu dat er een gaatje in de knevel zat, helaas veel te klein om erdoor om hulp te kunnen roepen. En het was hier ook zo verdomd heet. Hij was helemaal nat van het zweet dat in zijn ogen liep.

Verlinden had er geen flauw idee van hoe laat het was. Hij kon hier al dagen liggen. Zijn maag knorde. Hij telde het suizen van het bloed in zijn oren om tenminste enige notie van de tijd te hebben. Iets vies en glibberigs kroop langs zijn been naar boven. Verlinden rilde ondanks de broeierige hitte. Als er iets was waar hij een panische angst voor had dan was het ongedierte. Moedeloos probeerde hij aan het gaatje in de knevel te knabbelen. Tevergeefs, de stof was veel te stevig.

Allerlei gedachten spookten door Verlindens hoofd, vooral duistere beelden van hoe hij langzaam verhongerde en in een donkere kelder wegrotte tot alleen nog blank gebeente overbleef. Hier mocht hij niet aan toegeven.

Mijn naam is Omer Verlinden, hoofdcommissaris van de eenheidspolitie. Ik ben 52 jaar, 53 op kerstdag. Mijn kerstekindje, zei mijn moeder altijd, God hebbe haar ziel. Mijn moeder heette Jacqueline Van Dormael, was verpleegster van beroep, moeder van vier kinderen, getrouwd toen ze 24 was met Jacques Verlinden, verzekeringsagent.

De knevel sneed langs zijn lippen. Zijn kale hoofd lekte van het zweet.

Hoe doet Bracke dat? Zich concentreren op het niets. Niet denken aan duisternis, maar aan wit, heerlijk koel licht. Een briesje langs het strand. Klaterende watervallen, meisjes in hoepelrokken die cocktails in een kokosnoot brengen.

Ik scheur langs het landschap in mijn nieuwe Porsche.

Zijn nek en schouders werden stijf van het onnatuurlijke liggen, maar hij was te verzwakt om overeind te komen. Zijn armen wogen zwaar als lood.

Nog vier weken en ik mag hem ophalen. Het wachten wordt beloond. Anderhalf jaar heb ik ernaar uitgekeken. De RS-uitvoering van de 911 GT3, een lichtgewicht Porsche waarvan er slechts tweehonderd worden gebouwd. Op de kop tweehonderd, dat is de minimumoplage om aan de internationale GT-wedstrijden te mogen meedoen.

Die verrekte dorst, mijn keel was helemaal droog. Niet aan denken nu, concentreer je op de technische fiche.

Volgetankt weegt de wagen 1360 kg, 90 liter benzine inbegrepen. Ruim 50 kg lichter dan de GT3-Clubsportversie. Dat kon door hem te voorzien van onder meer een achterklep van acryl en een voorklep van koolstofvezel. De 3,6 liter motor levert 381 pk bij 7300 toeren per minuut. Voor de sprint van nul naar 100 km per uur heeft de GT3 RS slechts 4,4 seconden nodig en de topsnelheid ligt op 306 km per uur. Kostprijs met alle opties: 172.476 euro. Een bedrag dat hij moeiteloos uit het hoofd kon opzeggen, zo vaak had hij het al voor zijn ogen gezien. Naar de centen had hij niet hoeven kijken, want dankzij de erfenis van vader en de verkoop van hun villa hadden de vier kinderen elk een behoorlijke spaarpot.

De hitte was niet meer te dragen. Verlinden kreeg het gevoel dat zijn brein begon te koken. Hij opende zijn mond, maar er kwam geen geluid uit. De stof van de knevel sneed steeds dieper in zijn vel.

172.476 euro, als hij dat bedrag aan zijn secretaresse Vera noemde kreeg ze vast een hartaanval.

Vera toch. Waarom dacht hij ineens aan haar stevige, welgevormde kuiten? Waarom was hij nooit eens mee naar de fitness geweest? Gewichten op en neer.

Zweet.

Pompende, zwoegende lichamen en hijgende stemmen.

Mijn Porsche voor een glas water. Tot aan de rand gevuld. Vol ijsblokjes die hij op zijn hoofd kon laten smelten.

Verman je, Verlinden! *Pull yourself together*. Geef niet toe aan de zwakte. Je bent een man van staal. Elke ochtend was je je behaarde borst met koud water uit de regenton, buiten op het gazon.

Heet, smeltend staal.

Zijn adem ging steeds sneller. Zijn ogen draaiden in hun kassen rond.

Ik krijg geen lucht meer!

Een onrustige, knagende koortsslaap deed hem even indommelen. Slechts enkele veel te korte ogenblikken lang, tot hij de dreunende voetstappen hoorde, van enthousiaste laarzen. De mist in zijn hoofd trok langzaam weg.

Verlinden probeerde zich op te richten, maar zakte meteen weer krachteloos in elkaar. De nochtans stilgevallen laarzen galmden in een weeë echo in zijn hoofd na.

Iemand deed hem een blinddoek om. Hij hoorde dat een licht werd aangeknipt. Het schijnsel was flauwtjes door de stof heen te zien, zonder dat hij iets kon onderscheiden.

'Roep maar als je zin hebt. Niemand die je kan horen.'

Hij was blij een menselijke stem te horen, ook al was het die van zijn ontvoerder. Een kordate hand deed de knevel van zijn mond weg. Eindelijk frisse lucht.

'Waarom...'

Verder kwam hij niet. Zwaar gerochel welde uit zijn rauw aanvoelende keel op. Hij begon schokkend te hoesten.

'Drinken,' kreunde Verlinden.

'Sst,' zei zijn aanrander. 'Stil. Geen woord meer. Het hangt nu allemaal van jou af. Ik heb in mijn hand een fles water. Die is voor jou, als je meewerkt. Geen vragen, geen gezeur. Knik maar als je van plan bent te luisteren. Zo niet gaat je monddoek weer om.'

Verlinden knikte moeizaam. Zijn mond ging vanzelf open. Toen de eerste gulp water in zijn mond werd leeggegoten huilde hij bijna van dankbaarheid.

Het water bleef maar stromen, hij bleef maar drinken. Toen de hele fles leeg was, had hij nog lang niet voldoende.

Verlinden hoorde het geluid van een flitslamp. De rotzak stond foto's van hem te nemen.

'Dat is genoeg voor vandaag.'

De knevel werd zonder genade opnieuw aangesnoerd, weliswaar iets minder hard dan tevoren.

Verlinden rukte aan zijn touwen, maar veel haalde het niet uit. Hij plofte zwaar neer op zijn gezicht.

'Je bent een zielig hoopje ellende, meneer de hoofdcommissaris. Wat zullen je vrienden op kantoor daarvan zeggen? En meneer de chef, Werner Van Aken? Dat mietje van een Cornelis, die op dit eigenste moment de tweede voorstelling van zijn toneelstuk aan het spelen is? Mevrouw de woordvoerster Annemie Vervloet? Eens benieuwd of ze hierover veel woord te voeren heeft. Het ergste is natuurlijk de onzekerheid. Wie weet laat ik je straks wel vrij. Of krijgen ze je in een hoop puzzelstukken terug. Kunnen ze je lekker zelf weer in elkaar steken.'

Verlinden spitste de oren. Ook in deze penibele omstandigheden bleef hij een politieman. Zijn ontvoerder sprak tenminste met hem, dat was al een begin. Hij kende de namen van de collega's, en was dus goed ingelicht. Dit was niet zomaar een gek.

Verlinden probeerde zich te herinneren hoe lang het toneelstuk van Cornelis liep, maar moest het antwoord schuldig blijven. Niet dat Cornelis er geen reclame voor had gemaakt, maar hij had het *leaflet* zonder het te lezen in de prullenmand gegooid.

'Ik weet wel wat je aan het doen bent. Je wilt me analyseren. Je hoopt allicht in een dialoog met me te treden. Bespaar jezelf de moeite. Die knevel gaat niet meer af.'

Hij gaat me laten creperen, dacht Verlinden. Is dit iemand uit mijn verleden, iemand die met me wilt afrekenen? Hij liet de vele criminelen waarmee hij ooit in aanraking gekomen was de revue passeren, maar kon niemand vinden die hij hiertoe in staat achtte. Niet op deze manier. Allicht liepen er wel enkele mensen rond die hem met plezier een lading hagel door de kop zouden jagen, maar dit was onvervalste, zinloze wreedheid. Uit pure machteloosheid stampte hij met zijn voeten, maar kreeg meteen een harde stomp in de maag.

De aanrander ging naast Verlinden op de grond zitten, een inspanning die duidelijk het uiterste van zijn krachten kostte. Hij hoestte zwaar en kwam met veel moeite enigszins weer op zijn plooi. Beiden hapten ze naar adem, en even dacht Verlinden dat hij zou stikken.

'Nu lig je daar natuurlijk na te denken. Je hersenen draaien op volle toeren. *Wat gaat hij met me doen?* Het schijnt dat een mens in nood door de adrenaline minstens dubbel zo sterk wordt. Niet dat het je zal helpen. Je zou kunnen proberen de touwen stuk te rukken, maar ik kan je alleen maar ontgoochelen. Het is stevig Zweeds visserstouw, met binnenin een staaldraad erin verwerkt. Daar vingen ze vroeger walvissen mee, moet je weten. Erg efficiënt. En het geeft ook niet mee. Hoe harder je trekt, hoe meer het touw in je vlees zal snijden.'

Om de een of andere reden werd Verlinden door die woorden gekalmeerd. Hij kreeg zijn ademhaling weer enigszins onder controle. Hij merkte dat hij meer lucht binnenkreeg als hij de knevel met zijn tong bij het inademen wat voor zich uit duwde. Lang hield hij dat echter niet vol, want zijn tongspieren begonnen al pijn te doen.

'Ik zou nu kunnen buitenstappen en nooit meer terugkeren. Ik weet niet of je de studie van Foreman kent over de levensverwachtingen van mensen in noodsituaties. Sommigen kunnen het weken zonder voedsel volhouden, anderen hebben blijkbaar al na enkele dagen de wil om te overleven opgegeven en kwijnen snel weg. Het ergst is natuurlijk de dorst. Daarnet heb je zowat een liter water gedronken, dat zou voldoende moeten zijn om het nog enige tijd te rekken. Wie zal het zeggen? Misschien ben je een van die zogenaamde helden die als een kaarsje uitdooft. Dat weten we dus niet. Maar ik heb geduld. En jij, tja, jij kunt nergens heen.'

Verlinden kreeg het gevoel dat hij de gevangen muis was met wie de kat nog wat wilde spelen alvorens genadeloos toe te slaan. Hij moest bij deze man niet op medelijden rekenen.

'Het zou natuurlijk ook gewoon kunnen zijn dat ik je hier vasthoud om losgeld voor je te vragen,' ging de ontvoerder jennend verder. 'Ik vraag me af hoeveel de politie ervoor over heeft om een van haar kopstukken van een schandelijke dood te redden. Zeg nu zelf, de fameuze hoofdcommissaris die overladen met de nieuwste snufjes uit Amerika op de televisie de held komt uithangen en zich dan als het eerste het beste papkind laat vangen, een grotere schande is nauwelijks denkbaar. Hoeveel zou de minister van Justitie willen afdokken om je vrij te krijgen zonder dat het publiek het te weten komt?'

Verlinden wist wat de ontvoerder bedoelde. Hij kende De Ceuleer intussen voldoende om te beseffen dat hij tot elke prijs zou willen vermijden dat de ontvoering bekend raakte. Nog maar een paar dagen geleden had de minister in prime time verklaard hoe trots hij wel was op de nieuwe politie, en dat hij alle vertrouwen had in de kopstukken die van dit land een van de veiligste van de wereld zouden maken. De foto waarop hij handjeklap deed met Verlinden en Van Aken, stond de volgende dag op zowat elke voorpagina, onder koppen als CRIMINALITEIT WORDT HARD AANGEPAKT en SLECHTE TIJDEN BREKEN AAN VOOR MISDADIGERS. Als bekend zou raken dat uitgerekend Verlinden zich na zijn Amerikaanse stunt had laten ontvoeren, was de minister kop van Jut en zouden de reacties in de pers niet bepaald mals zijn.

De ontvoerder duwde met zijn voorhoofd zachtjes tegen het voorhoofd van Verlinden en hoestte. De hoofdcommissaris snoof een geur van tabak, ranzig zweet en goedkoop parfum op die hem bijna deed kokhalzen.

'Dat geeft je stof tot nadenken, niet? Ik kan natuurlijk ook gewoon een gek zijn, van het soort dat niet toerekeningsvatbaar is en zijn eigen gedragingen niet onder controle heeft. De ene vermoordt kinderen om er een schilderij van te maken[11], de andere krijgt misschien een kick van het langzaam uithongeren van machteloze flikken. Voor jou allemaal vragen waarop ik alleen het antwoord weet.'

De ontvoerder stond weer op, geen ogenblik te vroeg, want Verlinden stond net op het punt over te geven. Hij wist uit ervaring hoe gevaarlijk dat in zijn situatie met een knevel rond de mond kon zijn. In zijn periode bij de drugspolitie had hij meer dan eens een junk gevonden, die na een overdosis gestikt was in zijn eigen braaksel.

11 Zie *Botero*.

Voorzichtig probeerde hij langs de knevel heen zo veel mogelijk verse lucht naar binnen te zuigen. Was het maar niet zo verdomd heet.

'Ja, het is hier warm hè,' zei de ontvoerder, alsof hij de gedachten van Verlinden kon raden. 'Er is een of ander probleem met de leidingen, vrees ik. Ik zou de kraan ook helemaal kunnen dichtdraaien, maar dan wordt het hier 's nachts wel behoorlijk koud. De keuze is aan jou, al is het natuurlijk kiezen tussen de pest en de cholera. Trap één keer met je voeten op de grond voor koud, en twee keer voor warm.'

Verlinden voelde zich zodanig ellendig dat hij niet meer kon nadenken. Alles beter dan die verdomde hitte, die hem zachtjes deed trillen. Met een uiterste krachtsinspanning hief hij zijn voeten op en liet ze eenmaal op de vloer vallen.

'Zoals je verkiest,' zei de ontvoerder met iets van treurnis in zijn stem. 'Ik zal ervoor zorgen. Ik vrees dat ik je nu even alleen zal moeten laten, je zult wel merken tot hoelang.'

Verlinden begon zwaar te ademen. Hij wilde niet alleen blijven. Zonder het zelf te beseffen rukte hij weer aan zijn touwen. En zijn mond was opnieuw kurkdroog.

'Geen paniek,' lachte de ontvoerder, 'ik ben geen onmens. Je kunt het natuurlijk niet zien, maar ik laat je echt niet van dorst omkomen.'

Verlinden hoorde het geluid van piepende wieltjes.

'Ik heb iets voor je ineengeknutseld, heel ingenieus, al zeg ik het zelf. Niet schrikken.'

Verlinden voelde hoe hij een plastic rietje in het gaatje van de knevel tussen zijn lippen geduwd kreeg. Hij aarzelde even, en zoog er dan aan. Hij proefde de smaak van water.

'Ik heb hier een ziekenhuishouder staan waaraan een fles van vijf liter water hangt. Het is aan jou er zuinig mee om te springen, want ik weet zelf niet hoe lang het duurt voor ik terugkom. Maar als je me nu wilt excuseren, ik heb nog heel wat te doen.'

Voetstappen verwijderden zich. Verlinden spitste de oren. Het duurde een hele tijd voor een deur in het slot viel. Hij moest zich bedwingen om niet te blijven drinken. Uit de woorden van zijn ontvoerder kon hij afleiden dat hij wel eens een hele tijd zou kunnen wegblijven.

Maar genoeg over kidnappers en de politie. Concentreer je helemaal op het hier en het nu. Het kwam erop aan te overleven, al de rest telde niet meer.

Verlinden nam nog een slokje en liet het water in zijn mond ronddansen. Hij stelde zichzelf voor aan het stuur van zijn spiksplinternieuwe Porsche, en Vera zat naast hem. Een rood sjaaltje rond de nek, van blijdschap trappelend met haar forse kuiten.

13

Bracke en Annemie wandelden hand in hand door Florida, zich niets aantrekkend van de drukte.

'Ik zou dit zowaar vakantie durven te noemen,' zei Bracke droog. Hij betrapte er zich op dat hij voor het eerst sinds lang niet met muizenissen in zijn hoofd zat. Annemie rustte met haar hoofd op zijn schouder, tot ze in de etalage van een hippe boetiek een lederen handtas zag. Bracke hield zijn hart vast, want in tegenstelling tot de gewone Argentijnse winkels waren de prijzen in deze toeristenstraat allerminst gedevalueerd.

'Maak je maar geen zorgen, schat. Ik wil alleen maar even kijken. We zien elkaar in het volgende café.'

Annemie wees wat verderop naar bar El Choclo, een hippe plek waar heel wat jongelui rondhingen. Het volgende ogenblik ging ze al naar binnen. Ze wist hoezeer hij shoppen verafschuwde en verlangde ook helemaal niet dat hij mee naar binnen ging. Zijn aanwezigheid tijdens het winkelen was al voldoende.

Bracke herademde. Na drie dagen van sightseeing en tango dansen was hij wel even aan een adempauze toe. Hij had bewust de reisgids op de hotelkamer gelaten om gewoon zijn neus achterna te kunnen gaan. Annemie zou het eerste uur toch niet naar buiten komen, en wie weet dreef ze de verkoper wel tot wanhoop door hem eerst al zijn kostbare spullen te laten uitstallen om dan met een uitgestreken gezicht te zeggen dat ze later nog eens zou terugkeren. Ze had die zinnetjes zelfs speciaal in het Spaans ingeoefend.

Neuriënd sloeg hij een zijstraat in, weg van de drukte. Het wandelen deed hem goed. Een week voor de afreis was hij dagelijks weer beginnen te joggen, 's morgens in de vroegte wanneer de stad nog sliep. Hij had ook geen alcohol meer gedronken en besloot dat nog enige tijd zo te houden. Af en toe legde hij zichzelf een droge periode op om te bewijzen dat hij best zonder drank kon. Het verlangen naar een goede malt groeide met de dag, maar het was een drang die hij voorlopig nog kon weerstaan. En het genoegen zou later des te groter zijn.

Een paar straatjes verder werd het al snel heel wat rustiger. Op zijn dooie gemak bestudeerde hij in een etalage een reeks oude L.P.'s en gravures van tangogrootheden van weleer. Hij was trots op zichzelf dat hij moeiteloos de silhouetten van Carlos di Sarli en Anibal Troilo[12] herkende. Zijn oog viel op een op het eerste gezicht authentiek publiciteitspaneel van de absolute koning van de tango Carlos Gardel[13]. Daarop maakte hij reclame voor sigaretten die tegen amper honderd dollar te koop werden aangeboden. Bracke was er bijna zeker van dat het om een vervalsing ging, maar een mens moest zich toch ook eens durven te laten bedriegen zonder zich schuldig te voelen. Hij wandelde naar binnen, pingelde nog dertig dollar af en stapte met de plaat in een bruin papier onder de arm weer naar buiten.

Het werd nu hoog tijd om naar El Choclo te gaan. Toen hij er arriveerde, kwam hij even in de verleiding om een biertje te bestellen, maar besloot voet bij stuk te houden. De hele reis lang zou hij geen druppel alcohol drinken om helder van geest te blijven. Nu hij weer was beginnen te mediteren, had hij het gevoel dat hij zich langzaam van de zorgen van alledag kon losmaken. Ver weg waren de gedachten aan corrupte officieren en klachten wegens geweldpleging.

Aan de toog raakte hij verwikkeld in een conversatie met een jongedame die door moeder natuur goed voorzien was. Althans, daar leek het op want zij was het die eerst het woord tot hem richtte. Ze begon meteen in het Frans. Het stond natuurlijk op zijn gezicht te lezen dat hij een buitenlander was.

12 Twee grote rivalen uit de jaren dertig en veertig van de 20ste eeuw, in Argentinië zowat The Rolling Stones en The Beatles van hun tijd.

13 Geboren op 10 december 1880 in Toulouse werd Gardel *Il Morocho* (de Moor) genoemd vanwege zijn pikzwarte haar. Bij de opkomst van de geluidsfilm in de jaren twintig groeide hij uit tot een absolute ster, zowel in Latijns-Amerika, de Verenigde Staten als Europa. Na zijn dood in 1935 bij een vliegtuigongeval werd hij meteen een legende.

'Je vous ai vu à la télévision, monsieur! Vous êtes vraiment un héros! Et bien avec les femmes, j'ai entendu. Mais oui, je sens bien votre passion!'

Un zero ja, dacht Bracke. Maar voor hij de kans kreeg iets te antwoorden nam ze hem in een innige omhelzing. Hij rook haar zoete parfum, en sloot zijn ogen toen ze ineens een vurige tongzoen gaf.

Het ergst denkbare gebeurde. Annemie had net dat ogenblik gekozen om haar entree te maken, beladen met pakjes. Ze had zich uiteindelijk toch niet kunnen bedwingen. Ze verstijfde toen ze het tafereel zag. Bracke zat met zijn rug naar haar en maakte niet meteen aanstalten om zich uit de omhelzing los te rukken. De vrouw merkte Annemie wel op en bleef Bracke stevig verder zoenen.

'Jij amuseert je ook, zie ik,' zei Annemie droog. Bracke verstijfde. Vruchteloos zocht hij naar woorden om zijn gedrag te verklaren. Hij duwde de vrouw van zich af alsof ze malaria had. Ze kneep zachtjes in zijn wang en wandelde heupwiegend naar buiten.

'*Un grand Scotch*,' wenkte Annemie de ober. Ze nam het glas en dronk het in één teug leeg. Ze pletste het glas met een doffe knal op de toog, gooide enkele biljetten neer en ging ogenschijnlijk beheerst weg. Maar hij kende haar genoeg om te weten dat ze vanbinnen kookte.

Helemaal van de kaart zat Bracke maar wat voor zich uit te staren. Het leek maar niet tot hem door te dringen wat er precies gebeurd was.

Ongevraagd schonk de ober hem ook een groot glas uit. J & B, zag hij, godbetert. Hij kwakte de inhoud in één keer achterover en rilde. Het was nog slechter dan hij zich herinnerde. Hij wenkte de ober om bij te vullen, en bleef dat nog een hele tijd doen.

Hoe lang hij daar gezeten had, wist hij achteraf niet meer. Alles leek in zijn hoofd te tollen, en het kwam niet van de slechte whisky. Waarom begon die vrouw hem in hemelsnaam te zoenen? Hij had nooit die aantrekking op het andere geslacht gehad, maar het leek alsof er geen zekerheden meer waren in het leven. Was de mensheid gek geworden?

Met slepende voeten slofte hij terug naar het hotel. In de lobby zaten enkele leden van de tangogroep nog een laatste glas te drinken. Ze waren naar de nieuwe hippe tangoclub El Suerte geweest, waar grootmeester Pablo Veron, die nochtans niet meer actief met tango bezig was, een onaangekondigd gastoptreden had gegeven. Toen hij dit hoorde, moest Bracke even naar adem snakken. Hij had de film *The Tango Lesson*, waarin Veron met regisseur Sally Potter danste, al minstens vijf keer gezien, telkens in het gezelschap van Annemie. Het idee van een vrouw die de tango wilde leren van de beste danser was misschien wat overdreven romantisch, maar het werkte wel. Annemie zou enorm ontgoocheld zijn als ze hoorde dat ze dit unieke optreden gemist had.

Bracke, je bent een huichelaar, dacht hij bitter. Eerst dat verdomde televisieoptreden met de verschrikkelijke Laurette, en nu deze schoonheid die zich zomaar in je armen stort. En het ergst van al is dat je op het punt stond voor de verleiding te bezwijken.

Bracke kreeg een slechte smaak in zijn mond, en dat niet van de whisky, want hij had nog een halve liter Heineken gedronken. Hij voelde zich een puber die last kreeg van zijn hormonen.

Zoals hij had gedacht, lag Annemie in bed. Maar ze sliep niet. Nu kwam natuurlijk het moment dat ze wilde praten. Maar dat kon hij toch zo moeilijk.

'Lieveling...'

Het bleek stil onder het laken. Hij voelde aan dat ze gehuild had, zonder haar gezicht te zien.

Nu mocht hij vooral niet te dicht komen. Haar zeker niet zoenen. Gewoon niet aanraken.

'Het is allemaal een misverstand.'

Hij zocht naar woorden. Waarom waren er geen magische formules voor ogenblikken als deze? Gevleugelde zinnetjes, die drijvend op zachte watten wolkjes de rook zouden verdrijven.

'Ik begrijp het zelf ook niet. Die vrouw zei dat ze me op tv gezien had en begon me ineens te kussen. Ik kan me voorstellen dat je schrok, dat deed ik ook.'

Even bewoog ze haar arm, om de jeuk aan haar bil weg te krabben. Dat was een taak die hij normaal met de nodige toewijding op zich nam, maar hij hield zich in. Zover was hij nog lang niet.

'Denk je echt dat ik zomaar andere vrouwen zou zitten zoenen als ik weet dat je elk ogenblik kunt binnenkomen?'

Toen hij dit zei, besefte hij dat het helemaal niet klonk zoals hij bedoelde. Nu was het alsof hij er wel voor zorgde dat hij het deed als hij zeker wist dat ze niet in de buurt was.

'Ik wil maar zeggen, dit is belachelijk. Zijn we eindelijk eens op reis, en dan gebeurt zoiets stoms. We gaan daar onze vakantie toch niet door laten vergallen?'

Het was *tricky*, maar hij besloot het erop te wagen. Zijn hand kwam wat dichterbij. Nu hij was beginnen te praten, mocht hij vooral niet ophouden. Niet nu hij haar aandacht had.

'Ik kan begrijpen dat je je gekwetst voelt. Dat zou ik in jouw plaats ook zijn.'

Bracke verbaasde zichzelf. De woorden waren nog nooit zo vlot gekomen. Hij merkte dat haar daarnet nog zo gejaagde ademhaling langzaam tot rust kwam. Voorzichtig streken zijn vingertoppen door haar krullen. Hij masseerde zacht haar hoofdhuid.

'Later zullen we hiermee kunnen lachen. En trouwens, ik heb nooit geweten dat ik zo'n supercasanova was die zomaar een bar binnenstapt en daar de eerste de beste *bimbo* versiert. Dat moet ik dan al die jaren wel heel goed voor jou verborgen hebben kunnen houden.'

Willen of niet, daar moest Annemie om lachen. Ze kende hem door en door. Toen ze pas samen waren durfde hij een andere vrouw amper aan te spreken.

Plots lagen ze in elkanders armen. Hij snoof haar heerlijke, weeë geur op. Eindelijk raakte hij het ordinaire parfum van de bardame uit zijn neus kwijt.

Zo sukkelden ze in een lange, diepe, lome slaap. Bracke droomde die nacht voor het eerst sinds lang weer heerlijk.

's Morgens herinnerde hij zich niets meer van de droom, alleen dat hij in een kano op een meer had gevaren, helemaal alleen onder een schitterende sterrenhemel. Terwijl Annemie aan de oever boven een houtvuurtje sardines roosterde.

*

Pas bij het ontbijt kon Bracke Annemie de afbeelding van Carlos Gardel overhandigen. Hij deed dat met een plechtig gebaar, alsof het een officieel geschenk was. Ze klonk oprecht blij, of deed tenminste toch heel goed alsof. Hoe goed hij haar ook kende, een deel van haar zou toch altijd een mysterie voor hem blijven. En hij voor haar ongetwijfeld ook, maar dat was maar best zo. Als je al zolang samen was, kon je enige verrassing in je relatie best gebruiken.

Na het ontbijt kreeg de groep een briefing van Pol, die iedereen probeerde warm te maken voor een bezoek aan de wijk Recoleta. Ze bezochten het imposante kerkhof, en konden uiteraard niet aan het graf van Evita Peron voorbijgaan.

Bracke merkte tot zijn opluchting dat Laurette verstek had laten gaan. Een kleine tête-à-tête onder vier ogen met Pol leerde hem dat ze ziek was, wellicht een of andere vrouwenaandoening.

Annemie had niets van het babbeltje gemerkt. Ze keek naar de inscripties op de vele praalgraven en het leek zelfs alsof ze bad. Bracke wist dat dit slechts schijn was. Annemie kwam uit een overtuigd rood nest en zette alleen een voet in een kerk bij een overlijden, doop en huwelijk. Wellicht stond ze te mijmeren over de vergankelijkheid van het leven, een gevoel dat Bracke op een kerkhof ook altijd kreeg. Hij sloeg zijn arm om haar middel en gaf haar een zoen in haar nek.

'Niet hier, George,' fluisterde ze, 'de mensen kijken. Je weet dat ik me dan niet op mijn gemak voel.'

'Laat ze kijken. Als ik dan toch zo'n ladykiller ben, dan is dit wel de ideale plek.'

De leden van de groep hadden zich over het kerkhof verspreid. Een aantal was blijven hangen op een van de vele marktjes in de wijk. Ze hadden de tijd, want pas bij de lunch werden ze verwacht in restaurant Mi Corazón.

Bracke voelde zich pas helemaal een toerist toen hij zijn camera nam. Hij draaide lukraak wat shots van gebouwen, winkels, mensen in de straat. Niet dat het veel zin had, want de sfeer van een grootstad kon je toch nooit in beelden vatten. De camera was een geschenk van de kinderen bij zijn vorige verjaardag geweest, en hij moest tot zijn scha en schande vaststellen dat hij het gesofisticeerde ding nog maar nauwelijks gebruikt had.

Op een terrasje zat een man van een glas gekoelde witte wijn te genieten, bladerend in een van de vele lokale krantjes. Zijn trendy zonnebril stak schril af tegen zijn getaande huid. Hij trok onafgebroken aan een sigaret. Neuriënd pulkte hij aan zijn bakkebaarden.

Zo dichtbij, dacht Adamo toen Bracke en Annemie hem passeerden. Hij hoefde zijn hand maar uit te steken om ze te kunnen tegenhouden.

Zo dichtbij en toch zo veraf.

Hij geeuwde. De vliegreis zat nog in zijn lijf, en de droge stadslucht pakte op zijn adem. Dankzij het gedetailleerde programma van de touroperator had hij het tangogezelschap snel weten te vinden.

Nu zou hij ze gemakkelijk kunnen volgen en toeslaan. In de woelige mensenzee verdwijnen, en het eerste vliegtuig naar Afrika nemen. Niemand zou hem ooit vinden.

Die gedachte wond hem meer op dan hij had kunnen dromen. Heel even flitste het door zijn hoofd om zijn instinct te volgen. Zijn hand omklemde al de wandelstok met ivoren knop, geen mens die kon vermoeden dat in het hout een vlijmscherpe dolk verborgen zat. Maar hij moest rustig blijven, en niet nodeloos gaan improviseren. De boel nu niet gaan verknoeien.

Hoewel niets hem belette Bracke een eindje te volgen. Hij stak met zijn smeulende peuk een nieuwe sigaret aan en begon te wandelen. Hij kon Bracke nog net de hoek zien omslaan, maar hoefde zich niet te haasten. Het was net de processie van Echternach. Vijf stappen vooruit, dan twee terugkeren om een etalage te bekijken, stoppen bij een kraampje voor een stuk watermeloen.

Adamo besefte dat hij met het schaduwen niets bereikte. Alleen maar de zekerheid wat een sufferd die Bracke wel was. Zich niet bewust van het gevaar, met zijn ogen open zijn ongeluk tegemoet. Het was bijna té gemakkelijk.

En ik heb wel andere dingen te doen, bedacht Adamo. Hij moest nu dringend even rusten. Die vlammende pijn ook, zijn hele borststreek stond in brand. Maar niets zou hem tegenhouden.

Hij negeerde de bezorgde vragen van de omstanders en leunde hijgend tegen een verkeersbord. Het eerste wat hij deed toen hij zich min of meer had herpakt was een nieuwe sigaret aansteken. Hij zoog de tabaksrook gulzig naar binnen. Mijn lieve kanker, snikte hij. Mijn metgezel.

Maar hij moest opschieten. Hij probeerde zich op zijn plan te oriënteren en zag dat hij vlakbij was. Zijn voeten weigerden dienst, maar dat was niet erg. Het gebeurde steeds vaker dat zijn lichaam hem in de steek liet. Nog even volhouden, fluisterde hij. Dikke zweetdruppels stroomden over zijn voorhoofd.

Aan de volgende stopplaats wenkte hij een taxi. Hij lette er zorgvuldig op dat het een officiële maatschappij was, want hij had ondervinding met piraten die in een valse taxi rondreden en hun slachtoffers op een afgelegen plek beroofden. In El Salvador had hij op dat punt genoeg meegemaakt. Hij zou het schreeuwen van die guerrillero die in hem een gewillige prooi had gezien nooit vergeten.

Adamo grinnikte bij de herinnering, en het verlichtte zijn pijn enigszins. De rebel had hem voorgesteld een taxi te delen op weg naar het front, en daar was hij na enige aarzeling op ingegaan. Zoals hij gevreesd had, zat de guerrillero in de slag met de taxichauffeur en haalde meteen een knoert van een mes boven.

'*Adios, amigo!*'

Maar de rabauw was veel te zelfverzekerd geweest. Dat besefte hij pas toen zijn eigen wapen met een snelle polsbeweging van zijn slachtoffer ineens tot aan het heft in zijn eigen borst geramd werd. De chauffeur was in paniek op de vlucht geslagen, maar het druipende mes had hem in de rug keurig tussen zijn schouderbladen getroffen.

Hij toonde de taxichauffeur het papiertje met de naam van de bar. De chauffeur nam zeker niet de kortste weg, maar hij maakte er zich niet druk om. Iedereen probeerde hier natuurlijk een centje bij te verdienen.

'Twintig dollar,' probeerde de chauffeur. Adamo gaf hem een handvol peso's en stapte uit. Ze moesten nu ook weer niet voor de gek houden. De chauffeur aarzelde of hij nog eens zou proberen. Maar hij was allerminst een held, en met een wandelstok kon je behoorlijk gemeen uithalen. Hij koos eieren voor zijn geld en gaf verkwistend gas.

In El Indio zat Laurette al nagelbijtend op hem te wachten, en dat zon haar duidelijk niet.

'Je bent een halfuur te laat.'

Adamo grijnsde. Het kon haar duidelijk geen bal schelen dat hij nog maar pas aangekomen was. Van haar opgewektheid bleef niets meer over, en ook haar Franse accent was plots weg.

'Je bent nog mooier als je weer je eigen verdorven ik bent,' spotte hij.

'Dan ben ik in goed gezelschap,' kaatste ze de bal terug. 'Ik hou het voor bekeken. Geef me mijn centen en ik bol het hier af. Dit land verstikt me.'

'Niet zo snel,' klonk Adamo ineens heel wat autoritairder. Hij nam zijn zonnebril af en keek haar met zijn grijze ogen indringend aan. Ze was al opgestaan en had haar hand ostentatief met de palm naar boven uitgestrekt, maar ging snel weer zitten.

'Je wordt goed betaald, en ik wil waar voor mijn geld. Vertel me alles. Laat geen detail onbesproken, hoe onbenullig het ook mag lijken.'

Hij bestelde met een hautaine vingerknip een kan wijn en twee *bifi de chorizo*. Ze had eigenlijk geen honger, maar durfde hem niets te weigeren. Niet meer nu ze in zijn ziel gekeken had en daar gezien had wie hij werkelijk was.

Bijna een uur lang was ze aan het woord, en ze had haar biefstuk amper aangeraakt.

Hij zat gebiologeerd te luisteren terwijl hij met grote happen het sappige vlees verslond. Dat had hij altijd al willen doen, naar Argentinië vliegen om daar het succulente vlees van de pampa te proeven. En voor het geld moest hij het niet laten.

'Niets kan die twee uit elkaar drijven,' besloot Laurette haar verhaal. 'En denk maar niet dat ik het niet geprobeerd heb. Die opname voor het nieuws was een onverwachte meevaller, maar zelfs dat heeft het 'm niet gelapt.'

'Ik heb nog meer ijzers in het vuur,' grijnsde Adamo zijn slecht onderhouden gebit bloot.

'Het zal toch zonder mij zijn. Ik wil hier weg, hoe sneller hoe beter.'

'Je kunt niet zomaar vertrekken. Dat zou verdacht zijn.'

'Daar heb ik aan gedacht. Ik heb Pol al laten weten dat ik me niet lekker voel. Een of andere vrouwenkwaal, denkt die arme, begrijpende schat. Het zal vandaag ineens nog veel erger worden, zodanig alarmerend zelfs dat ik in paniek zal slaan en tot elke prijs naar mijn specialist thuis in het universitair ziekenhuis wil. Er zullen natuurlijk heel wat traantjes bij te pas komen, en zelfs Annemie zal spijt hebben dat ik moet vertrekken. Het wordt de performance van mijn leven.'

Adamo lachte. Het venijnige vuur was weer uit zijn ogen verdwenen. Hij begon nu ook aan de biefstuk van Laurette, die er hooguit één hapje van geproefd had. Hij moest af en toe stoppen voor een zoveelste hoestbui waarbij zijn longen leken mee te komen, en Laurette wendde telkens discreet de blik af. Die kerel hoort thuis in een ziekenhuis, dacht ze.

'Jij je zin. Je hebt in ieder geval je steentje bijgedragen. En je hebt gelijk, Bracke is een harde noot om te kraken. Maar dat maakt het nu net zo interessant.'

Laurette was weer wat zekerder van haar stuk. Misschien had ze zich vergist in haar beoordeling. En die vent betaalde goed. Wat kon het haar schelen wat zijn drijfveer was.

'Mag ik dan nu mijn geld?'

'Natuurlijk, meisje,' zei hij met een beminnelijke glimlach. 'Maar dat heb ik uiteraard niet bij me. Je weet wat wereldsteden zijn, veel te gevaarlijk om daar met veel cash rond te lopen. Kom mee naar mijn hotelkamer, daar kan ik je uitbetalen.'

Hij gooide wat bankbiljetten op tafel en bedankte de baas uitvoerig voor het eten. De man boog eerbiedig en schudde hartelijk zijn hand. Laurette kreeg meteen een klinkende, vriendschappelijke zoen op haar wang.

Adamo stapte in de taxi, die de hele tijd op hem had staan wachten.

'Je weet waarheen, Paulo.' Hij tikte vrolijk met de wandelstok mee op het aanstekelijke ritme van *Rock around the clock* op de radio.

Laurette staarde maar wat voor zich uit. Ze zat in gedachten het geld al te besteden. Het was haar de laatste tijd niet voor de wind gegaan. En ze had niet bepaald gespaard voor slechte tijden. Misschien kon ze haar kans eens wagen bij die lieve commissaris Gomez. Ze kon daar op weg naar de vlieghaven nog even binnenwippen om te kijken hoe zijn reactie zou zijn. Ze had wel gezien hoe hij naar haar gewelfde boezem keek.

Ze bleven maar rijden, intussen al een heel eind buiten de stad. Adamo luisterde intussen op zijn walkman naar *C'est ma vie* en leek in trance.

'Waar is dat hotel ergens?'

Adamo wees naar zijn hoofdtelefoon en haalde verveeld zijn schouders op. Ze duwde op de stoptoets. Het was alsof ze een leeuw in zijn slaap gestoord had. Furieus hief hij zijn hand om haar te slaan, maar hield zich nog bijtijds in toen hij zag hoe ze ineenkromp.

'Ik wilde alleen maar weten of we er al bijna waren,' piepte ze, als een angstig muisje in haar holletje.

'Nog eventjes,' suste hij. 'Maak je niet ongerust. We komen er echt wel. En dan krijg je waar je recht op hebt.'

Ergens in haar achterhoofd ging een waarschuwingslampje branden. Maar de gedachte aan de zuurverdiende centen toverde alweer een glimlach op haar geverfde, veel te brutale lippen.

*

Na de lunch in restaurant El Matador zat het gezelschap bij een pousse-café nog wat na te kletsen over wat al voorbij was en wat nog moest komen. Iedereen keek uit naar de dansles die 's namiddags in El Aranque op het programma stond.

Bracke zuchtte, want van al dat wandelen begonnen zijn voeten pijn te doen. Gelukkig was zijn conditie de laatste tijd behoorlijk goed, en hij wist dat het een kwestie van even doorbijten was.

‘Waar is Annemie?’

Na de koffie had hij haar niet meer gezien. Ze stond wellicht in het toilet haar neus wat bij te poederen. Thuis deed ze dat zelden, maar hier wilde ze er blijkbaar op haar best uitzien. Niet dat het voor Bracke nodig was. Het beviel hem best dat hier en daar een rimpeltje verscheen.

‘Even naar huis bellen,’ zei Pol. Zoals altijd had hij weer ogen op zijn rug. Niets ontging hem.

Bracke knikte. Hij was dat ook van plan geweest, maar had besloten nog een paar dagen te wachten. Gewoon even horen of met zijn vader alles in orde was. Op kantoor konden ze het best zonder hem aan, had Cornelis hem gisteren nog weinig subtiel te kennen gegeven. En nee, ze wisten nog altijd niet wie die dode dame uit de Maïsstraat was. Maar daar moest hij zich vooral niets van aantrekken. En Cornelis verwachtte een privé-tangoshow zodra ze weer thuis waren.

Nu ja, niemand was onmisbaar. En dat gaf Bracke best een prettig gevoel. Al dat gejakker ook altijd. Het zou drastisch veranderen, wacht maar. Voortaan gaf hij prioriteit aan wat belangrijk was in het leven. Al had hij nog niet meteen uitgemaakt wat dat precies kon zijn. Maar het was een feit dat heel wat mensen aardig zouden opkijken.

Annemie had voldoende wisselgeld meegenomen om niet zonder te vallen. Ze verwachtte al een moeizame verbinding, maar kreeg tot haar verbazing haar moeder glashelder aan de lijn.

‘Annemie? Ben jij dat?’

Ze had nochtans nog geen woord gezegd. Dat was natuurlijk het moederinstinct.

‘Dag moeder. Ik dacht: ik ga eens horen hoe het op het thuisfront is.’

Thérèse antwoordde niet meteen. Haar ademhaling ging sneller dan normaal.

‘Moeder? Ben je er nog?’

‘Jawel hoor, schat,’ haastte haar moeder zich om iets te zeggen. Maar toen zweeg ze, en dat was niet haar gewoonte.

‘Scheelt er iets? Toch niet met de kinderen?’

‘O nee, met de kinderen is alles goed.’

‘Met jou dan? Het onderzoek?’

Annemie durfde er bijna niet naar te vragen. Thérèse moest, terwijl zij in Buenos Aires waren, na haar borstamputatie van enkele jaren geleden een routineonderzoek ondergaan. Doorgaans een klus van niets, maar je wist maar nooit.

‘Het onderzoek? Nee, hoor. Ik ben weer voor een jaar goed voor dienst. Volgens de dokter is de gevarenperiode nu wel echt achter de rug.’

‘Wat is het dan wel, moeder? Ik ken je toch. Draai niet zo rond de pot.’

Ze stak nog enkele munten in de gleuf, want het geld vloog er razendsnel door.

‘Ik weet niet of ik je dit mag vertellen,’ aarzelde Thérèse. ‘Ik heb daarnet per ongeluk een gesprek gehoord dat niet voor mijn oren bedoeld was.’

Annemies hart sloeg een slag over. Haar moeder had er een handje van weg om iemand de daver op het lijf te jagen.

‘Ga je het nu nog zeggen, alsjeblieft!’ vloog ze uit. De vrouw die achter haar geduldig stond te wachten schrok en deed onwillekeurig een stap achteruit.

‘Nu ja, het nieuws zal je vroeg of laat toch bereiken. En ze zullen je waarschijnlijk nog wel bellen,’ aarzelde ze hoorbaar, nog twijfelend of ze het wel zou vertellen.

‘Moeder, ik spring bijna uit mijn vel!’

‘Goed dan. Maar niet verklappen dat je het van mij wist. Beloof me dat je zult zwijgen.’

‘Moeder!’

‘Goed dan. Verlinden is ontvoerd,’ flapte Thérèse er in één keer uit.

‘Wat!’

‘Ik heb het ook maar toevallig gehoord, toen ik met Julie op het bureau was. Ze had wat informatie nodig voor haar spreekbeurt op school, en ik besloot die inspecteur op te bellen, meneer eh, hoe is zijn bijnaam ook weer. Stormram?’

'Stormvogel. Staelens dus,' zei Annemie geduldig, wetend dat het toch niet hielp als ze bij haar moeder aandrong om snel tot de kern van de zaak te komen. Als ze iets begon uit te leggen, gaf ze steeds alle mogelijke en onmogelijke details.

'Aan de balie lieten ze me door omdat ze mij daar nog kenden van die keer dat George me eens een rondleiding gegeven heeft. En toen ik bij meneer Staelens wilde aankloppen stond de deur op een kier. Ik hoorde die heer die op de televisie geweest is, hoe heet hij ook weer, jullie grote baas...'

'Van Aken.'

'Ik hoorde meneer Van Aken dus discussiëren met John Staelens en de partner van George, die meneer die eh, je weet wel wat ik bedoel.'

'Ja, moeder,' knikte Annemie geduldig. 'Je hoeft echt niet verlegen te zijn. Je bedoelt André Cornelis. Maar zijn geaardheid doet er nu niet toe.'

'Ik wilde ze niet afluisteren, echt niet. Maar je moet de situatie begrijpen. Ik hoorde aan hun opgewonden stemmen dat er iets ernstigs gebeurd was. En ik geef toe dat ik wilde weten wat.'

'Moeder!' zei Annemie berispend. 'Moet je daar zo oud voor geworden zijn!'

'Ik weet het, dat was verkeerd van me. Toen hoorde ik wat er aan de hand was. Ze hadden een anonieme brief gekregen waarin iemand de ontvoering van Verlinden opeiste. En blijkbaar had hij al een paar dagen niets meer van zich laten horen.'

Dat kon kloppen. De dag voor hun afreis naar Buenos Aires was Verlinden niet op kantoor geweest. Niemand had zich toen zorgen gemaakt, want hij behoorde tenslotte tot het leidinggevend kader. Al was het niet zijn gewoonte om weg te blijven. Annemie herinnerde zich dat hij ergens in de buurt van Dendermonde een lezing moest geven, maar ze had geen tijd meer gehad om te vragen hoe het verlopen was. Die avond had ze hun koffers gepakt, en zoals altijd blonk Bracke weer uit door afwezigheid. Al had hij wel een valabel excuus, want net die avond werd in de whiskyclub van Bob een zeldzame Coal lla ontkurkt en daar mocht Bracke toch niet bij ontbreken, vond ook Annemie.

'Meer heb ik niet gehoord, want Julie moest dringend plassen. Toen we terugkwamen van het toilet, was de deur dicht en heb ik keurig aangeklopt. John deed erg joviaal tegen me, maar ik merkte dat hij er met zijn gedachten niet bij was. Hij zei heel vriendelijk dat hij geen tijd had om Julie meteen te helpen, maar er zeker werk zou van maken. Dan ben ik maar afgedropen. Je moet me één ding beloven: je mag nooit iemand zeggen dat ik het je verteld heb,' huilde ze. 'Arme meneer Verlinden. Op de televisie zag hij er zo zelfverzekerd uit, en nu overkomt hem zoiets.'

Annemies hersenen draaiden op volle toeren. Er was natuurlijk een kleine kans dat het gewoon om een flauwe grap ging. Ze moest zich bedwingen om niet meteen naar het politiekantoor te bellen.

'Beloof het me,' drong Thérèse aan.

'Je begrijpt dat ik het wel tegen George moet zeggen. Zoiets kan ik onmogelijk voor mijzelf houden. Dat zou hij me nooit vergeven. En ik kan toch niet voor je gaan liegen.'

'Zwijgen is niet liegen,' probeerde Thérèse, maar ze besefte dat haar dochter gelijk had. 'Goed, je ziet maar, jij weet tenslotte beter dan ik wat je in zulke situaties moet doen. Ik hoop dat ik je vakantie niet verknoeid heb.'

'Het is jouw schuld toch niet, moeder!'

'Misschien niet. Maar voor één keer dat jullie eens op reis konden!' snikte Thérèse.

'Mijn muntstukken zijn er allemaal door. De verbinding kan elk ogenblik verbroken worden. Bedankt voor het spioneren, moeder. Zo verneemt een mens nog eens wat.'

Thèrèse wilde nog iets kwijt, maar het gesprek werd brutaal beëindigd. Dromerig stond Annemie met de hoorn in haar hand voor zich uit te staren. Als Verlinden werkelijk ontvoerd was, zou het bureau te klein zijn om zich voor de woede-uitbarsting van de chef te verschuilen. Van Aken had natuurlijk allang iedereen op pad gestuurd om elke steen om te keren.

Iemand tikte ongeduldig met een ring tegen het glaswerk van de cabine.

'*Señora, por favor!*'

Annemie maakte snel plaats voor een dikke matrone, die in ratelend Spaans met haar vriendin over haar buurvrouw begon te roddelen. Ze haastte zich naar het restaurant van het hotel, waar Bracke wat aantekeningen zat te maken. Toen hij Annemie opmerkte, stopte hij zijn boekje snel weg.

'Hé, staat er iets in brand?'

Haar hele lichaamstaal maakte duidelijk dat er iets ernstigs aan de hand was. Ze wenkte hem met een hoofdknik haar naar buiten te volgen.

Op de stoep stak ze meteen van wal.

'Groot alarm op het thuisfront. Verlinden is ontvoerd.'

Het gebeurde niet vaak, maar Bracke was sprakeloos. Hij moest het nieuws even tot zich laten doordringen. Voor hij de kans kreeg iets te vragen vertelde Annemie wat haar moeder had gezegd.

Bracke krabde in zijn haar.

'Poeh, dat is zware kost. En wat nu? Wordt van ons verwacht dat we terugkeren?'

'Officieel weten we nog nergens van, *remember*. Ik zou voorlopig even de kat uit de boom kijken. Wij kunnen trouwens niets doen. Als Van Aken ons nodig heeft, zal hij zelf wel contact met het hotel opnemen.'

Pol kwam op zijn bekende poeslieve manier aan het gezelschap vragen of iedereen klaar was voor de uitstap. Zelfs zij die vermoeid waren van de eerste drukke dagen durfden niet te zeggen dat ze liever wat zouden uitrusten.

Bracke keek snel even rond of hij Laurette niet zag, maar de kust was veilig.

Op de stoep werd hij aangeklampt door een van de deelnemers van de reis.

'Als ik u even mag storen, meneer Bracke?'

'Zeker, meneer Uyttendaele,' zei Bracke gelaten. Hij had Ronny

Uyttendaele en zijn weinig glamourvolle echtgenote Jenny op verscheidene tangosalons meer gezien dan hem lief was. Hij was slager en zij poetsvrouw, en op die manier dansten ze ook de tango. Het leek wel alsof ze beiden klompen droegen.

'Eindelijk zijn we er dan,' glunderde Ronny. 'Jenny en ik hebben er zolang naar uitgekeken. We wilden al zolang eens naar Buenos Aires gaan om onze tangokunsten verder te bekwamen, maar alleen komt dat er niet van. Dankzij Pol staan we hier maar mooi.'

Dat 'verder bekwamen' moest met een stevige korrel zout genomen worden, want ondanks jarenlange lessen stonden Ronny en Jenny nog aan het prille begin.

'Spannend hè!' kirde Jenny. Bracke had na de schok van de ontvoering van Verlinden geen zin in trivialiteiten, maar hield zich dapper. Het beste was gewoon niets te zeggen. De favoriete conversaties voor Jenny en Ronny waren trouwens die waarin zij alleen aan het woord kwamen.

'Ik ben nog nooit met een politie-inspecteur op reis geweest,' giechelde Jenny. 'Als het maar niet zoals op de televisie is. Inspecteur Poirot kan zijn neus ook niet buitensteken of er wordt iemand vermoord.'

Ik heb anders wel enkele kandidaten in gedachten, schoot het door Brackes hoofd. Maar hij bleef opvallend beminnelijk en bedankte het koppel voor het gesprek. Ze schenen niet te merken dat ze werden afgescheept en hingen ineens elk aan een arm van Pol, die geen kant meer uit kon.

'Pol, wat die *media luna* van de les van gisteren betreft...'

Gelaten liet Pol de spraakwaterval over zich heen gaan. Bracke vertraagde ongemerkt de pas en liet zich door enkele medereizigers passeren.

'Ik kan Omer maar niet uit mijn gedachten zetten,' snikte Annemie. 'Zitten we eindelijk in Buenos Aires, en dan gebeurt zoiets.'

'Het ergste is dat we machteloos staan,' knorde Bracke. 'Telkens als ik een telefoon zie, heb ik de neiging om naar Cornelis te bellen. Maar dat kan niet, want dan verraad ik je moeder.'

'Je moet haar nu niet gaan aanvallen. Zij is ook maar de boodschapper.'

'Zo had ik het niet bedoeld,' zei Bracke. 'Sorry, hoor. Maar dat gedoe werkt op mijn systeem.'

'Het is mijn schuld,' beet Annemie zich op de lippen. 'Had ik mijn ma niet gebeld, dan had ze ook niets van die ontvoering gezegd. Het zal mijn moederinstinct wel zijn. Ik wilde gewoon even horen hoe het met de kinderen ging.'

'Je hoeft jezelf niets te verwijten. Vroeg of laat zouden we het toch te weten gekomen zijn. Wat mij ergert, is dat ik na zoveel jaren eindelijk op vakantie ben en dus eindeloos zou moeten genieten. Je weet niet half hoe ik naar deze reis heb uitgekeken. En dan gebeurt er zoiets. Een mens zou voor minder vloeken.'

'Ik zit met net hetzelfde gevoel. Maar we moeten proberen er het beste van te maken. We zitten hier nu en we kunnen toch niets doen,' antwoordde Annemie, weer de nuchterheid zelve. 'Ik heb een voorstel, George.'

'Vertel op,' zei Bracke, blij dat zijn rots in de branding de zaak intussen blijkbaar grondig geanalyseerd had.

'Vandaag kunnen we toch niet meer helpen, zelfs al zouden we op het eerste vliegtuig terug naar huis springen.'

'Je hebt gelijk. Maar als Verlinden werkelijk ontvoerd werd, kunnen ze thuis onze hulp best gebruiken,' bedacht Bracke.

Het gezelschap wandelde langs de Avenida 9 de Julio, een laan van bijna 150 m breed. Ondanks de muizenissen in hun hoofd waren Annemie en Bracke danig onder de indruk. Ze passeerden de obelisk op de kruising met de Avenida Corrientes. De groep kwam aan bij het Theatro Colon, en iedereen keek zich de ogen uit op de schitterende koepel.

Bracke zag Pol naar hem kijken. De voelsprieten van de tangoambassadeur hadden weer goed werk geleverd. Hij stond op het punt te vragen of alles in orde was, maar voelde aan dat hij Bracke en Annemie beter met rust liet.

'Wie we daar hebben!' riep Annemie verwonderd uit. Wat verder op de hoek van een steegje zag ze een bekende, wat slome gestalte haar richting uit slenteren. Wuivend begon ze te roepen. 'Hé, Johan! Wat doe jij hier!'

Fotograaf Johan Martens keek alsof hij op iets onheus betrapt werd. Hij zag dat er geen ontkomen aan was en stapte breed glimlachend op Annemie af. Die kreeg een stevige knuffel en een zoen, en ook Bracke werd na enige aarzeling omhelsd.

'Wat een verrassing jou hier te zien,' knipoogde Bracke.

'*Surprise!*' lachte Martens zijn tanden bloot, trots omdat hij geregeld floste. 'Ik ben hier beroepshalve. Een leuke opdracht voor een van die flashy Hollandse tijdschriften met geld. En ik neem voor Pol ook nog wat foto's, nu ik hier toch rondloop.'

Ze besloten die avond samen iets te gaan eten in de buurt van La Cathedral, de plek waar vooral de jeugd haar tangokunsten kwam demonstreren. Bracke zuchtte, want het kon wel eens hun laatste vrije avond worden. Gelukkig was Martens aangenaam gezelschap, en de commissaris moest lachen om de gedachte dat de fotograaf dan eindelijk toch eens op zijn invitatie om een hapje mee te eten zou ingaan. Later zou het chic staan als ze in het gezelschap van bekenden konden opscheppen: weet je nog die keer dat we in Buenos Aires samen aan tafel zaten?

Kort brachten ze Martens van de ontvoering op de hoogte. Johan kon alleen maar niet-begrijpend het hoofd schudden. Hij had Verlinden al meermaals gefotografeerd, en vond hem een echte heer van stand.

Het wervelende tangospektakel deed Bracke zowaar even de ontvoering vergeten. Hij keek zich de ogen uit op het jonge grut, dat met het nodige enthousiasme aantoonde dat de tango nog lang niet dood was.

'*Le tango ne mourira jamais,*' zei Horacio Ferrer, de bekendste tangodichter van het land en ook voorzitter van de Academia de Tango, die op uitnodiging van Pol aan hun tafeltje was komen zitten. Deze galante man wilde zich verder niet opdringen, maar Bracke genoot van de babbel. Hij kon nog altijd niet geloven dat ze in Argentinië waren.

Tijdens de maaltijd had hij weer tijd om te piekeren. Het nochtans heerlijke malse vlees en de zoete aardappelen smaakten hem niet.

'Ik kan Verlinden maar niet uit mijn gedachten krijgen,' bekende hij.

'Ik ook niet,' zei Annemie.

Johan kon alleen maar zuchten. Alledrie zaten ze naar de steak in hun bord te staren.

'Het is nergens voor nodig dat we er hier als lijkbidders bijlopen,' probeerde Annemie het gezelschap op te monteren. 'We kunnen nu toch niets doen. Laat ons er vooral een gezellige avond van maken, want wie weet wat de dag van morgen brengt.'

'Voor mij eindigt de avond dan toch hier, want ik ga pitten,' zei Johan. 'Die vlucht zit nog in mijn lijf. Slaap lekker. Misschien zie ik je nog.'

De rest van het gezelschap wilde vooral dansen, en daar kon Annemie zich alleen maar bij aansluiten. Bracke gunde haar graag dit pretje. Het was lang geleden dat hij zoveel tango's na elkaar gedanst had, en dat niet alleen met Annemie. Ze liet zich volgens de regels van de kunst door de plaatselijke dansers uitnodigen en was de ster van de dansvloer. Brackes voeten deden er al pijn van. Hij had zijn dansschoenen weer in het hotel vergeten en moest dat nu bezuren. Maar hij droeg zijn lot als een man en nam tussen de tango's door voldoende rust bij een borrel. De belofte aan zichzelf om niet te drinken had hij toch al gebroken. Hij waagde zich liever niet aan de naamloze whisky van het huis en hield het dan maar bij tequila.

Het was al behoorlijk laat toen Bracke en Annemie, de laatsten onder de dapperen, hun hotel opzochten. Van lichamelijke liefde kwam er niets meer in huis, want beiden vielen ze als een blok in slaap. Het was een heerlijke, diepe rust, alsof ze allebei nu het nog kon wat extra krachten wilden opdoen.

Vooruitziend als hij was had Pol met wie ze de situatie hadden besproken het personeel de opdracht gegeven hen te laten uitslapen en ontbijt op bed te brengen.

Het was al bijna middag toen Bracke verwonderd één oog opentrok. Altijd als hij in een ander bed sliep had hij het even moeilijk om zich te realiseren waar hij was. Tot zijn opluchting merkte hij dat Annemie naast hem lag te doezelen, en het volgende ogenblik werd er aan de deur geklopt.

'Si? Entra por favor!'

Maria, het dienstmeisje dat de vorige dagen al zo behulpzaam was geweest, reed een karretje met het ontbijt naar binnen. Haar lach kon een ijsberg ontdooien. Ze wenste Bracke en de wakker wordende Annemie goedemiddag, en legde discreet een briefje op tafel voor ze de kamer weer verliet. Bracke wist niet goed wat hij ervan moest denken. Eerst dacht hij dat ze haar telefoonnummer had achtergelaten. En dat in het bijzijn van Annemie... Snel ging hij kijken en las de boodschap.

'Telefonear al oficina por favor. Urgente.'[14]

'Dag schat,' kuste Bracke Annemie, die geeuwend kwam kijken wat er op het ontbijttafeltje lag. Hij haalde nog even diep adem en zei dan zo nonchalant mogelijk: 'Ik vrees dat onze vakantie er alweer op zit.'

14 Naar het bureau bellen a.u.b. Dringend.

14

De thuiskomst was heel wat minder relaxed dan Bracke had gepland. Van anderhalve week genieten in Argentinië was al helemaal geen sprake geweest, en ook de paar daagjes lekker bekomen konden ze vergeten. Van Aken stond hen op de luchthaven al ongeduldig op te wachten en sloeg de beleefdheidsformules over.

'Goede reis gehad, hoop ik?' Maar hij wachtte niet eens op het antwoord. 'Dan stel ik voor dat jullie je even opfrissen en dan houden we crisisvergadering.'

Bracke kreeg niet eens de kans om te zeggen dat de verplaatsing nog in zijn lijf zat. Het tijdsverschil had heel zijn bioritme overhoop gehaald. Annemie kon er blijkbaar wat beter tegen, maar ook zij zat achter in de snelle wagen van chef Van Aken steeds breder te geeuwen.

Het vertrek was chaotisch geweest. Van Aken had het telefoongesprek kort gehouden.

'Jammer voor jullie vakantie, maar ik verwacht jullie onmiddellijk terug. Verlinden is ontvoerd.' Waarna hij in korte bewoordingen het weinige wat ze eigenlijk al wisten nog eens vertelde.

Ze hadden Pol nog kunnen strikken, die met de groep klaarstond om in de haven met de *Buquebus*-ferry de overtocht op de Rio de la Plata naar Montevideo te maken.

'Het lijkt wel *Tien kleine negertjes* van Agatha Christie,' lachte Pol minzaam. 'Laurette is blijkbaar ook al vertrokken zonder een bericht na te laten, en nu jullie. Maar niet getreurd, volgend jaar is er weer een groepsreis.'

Ze hadden snel de bagage in een taxi geladen en kwamen net op tijd aan voor de volgende vlucht naar huis. Van de verplaatsing in het vliegtuig kon Bracke zich achteraf niets meer herinneren. Het was één blinde vlek in zijn geheugen. Hij had de hele tijd aan Verlinden zitten denken en kon er met zijn verstand maar niet bij dat iemand het in zijn hoofd haalde de hoofdcommissaris van politie te ontvoeren.

'Ik zou willen beginnen met kort nog eens alles samen te vatten voor George en Annemie,' opende Van Aken de vergadering. 'Het enige wat we weten is dat hoofdcommissaris Omer Verlinden na een lezing in Appels verdwenen is, en dat zijn ontvoering in een anoniem schrijven opgeëist werd. We moeten deze brief wel ernstig nemen, aangezien de verdwijning van de hoofdcommissaris officieel nog steeds niet bekendgemaakt is en dus niemand kan weten dat hij vermist is. Op de ontvoerder na natuurlijk.'

Bracke kon het niet helpen dat hij bijna in slaap viel. Hij had al drie koppen sterke koffie op, maar het enige wat hij daarmee bereikte was dat zijn maag van streek was.

Annemie had zichzelf beter onder controle en nam ijverig notities. Dat noemen ze dan het zwakke geslacht, dacht Bracke.

'Ik heb de grafoloog de brief laten onderzoeken, en volgens zijn eerste analyse gaat het om iemand met een sterk karakter die heel goed weet waar hij mee bezig is. Jullie weten allemaal dat ik niet hoog oploop met dit soort onderzoeken, maar het is alvast een begin.'

Cornelis zat met een tandenstoker in zijn vals gebit te peuteren. Hij was eerst knorrig geweest omdat hij zijn weekendje aan zee abrupt had moeten afbreken, maar realiseerde zich algauw dat Bracke en Annemie het veel slechter getroffen hadden.

'De moeder van alle clichévragen, maar we moeten ze toch stellen: had Verlinden vijanden?' vroeg hij. 'Ik bedoel, behalve de klassieke *wacko's* die ervan dromen een flik af te slachten?'

'Ik heb Omers dossier grondig doorgenomen, en drie ploegen zijn op het veld bezig om iedereen met wie hij ooit een aanvaring heeft gehad te screenen,' zei Van Aken. 'Daartoe behoren heel wat criminelen, en een aantal heeft een schitterend alibi omdat ze in de gevangenis zitten.'

'Het kan natuurlijk altijd werk in opdracht zijn,' wist Staelens. 'Of een liefdesgeschiedenis.'

Ze keken Staelens verbaasd aan. Het laatste waar je Verlinden van kon verdenken was dat hij zijn vrouw bedroog. Niet alleen omdat hij niet bepaald het type van de geheime minnaar was, maar vooral omdat hij bang voor haar was.

'Ik heb contact opgenomen met de FBI, die een van zijn topagenten naar ons land stuurt. De man was toch al in Europa voor een paar lezingen en vliegt even over. Hij moet ongeveer over een uur in Zaventem landen.'

'Niet dat ik lastig wil doen, maar wat schieten we met de hulp van een yankee op?' vroeg Cornelis. 'Ik bedoel, die man kent ons land en Van Aken toch niet?'

'Hij kan toch enige nuttige informatie bieden? Vergeet niet dat de FBI heel wat expertise heeft op het vlak van ontvoeringen,' klonk Van Aken enigszins geërgerd omdat Cornelis zijn beslissing in twijfel durfde trekken.

'Zowel wat het onderzoek ernaar als het uitvoeren zelf betreft,' grinnikte Staelens.

Bracke was intussen weer klaarwakker. Een tijdelijke toestand, vreesde hij. 'Het is een bizarre zaak,' snoof hij. 'Een topman van de politie die ontvoerd wordt, dat heb ik in mijn carrière nog niet meegemaakt. Ik heb mijn hersenen al zitten pijnigen naar het motief voor een dergelijke onbezonnen daad. Als het werkelijk om een pure wraakactie ging, hadden we toch allang een lichaam moeten vinden en zouden we ook geen brief krijgen.'

'Ik weiger momenteel om aan dat scenario te denken,' zei Van Aken, en voor één keer zag hij er zelfs menselijk uit.

'Een andere mogelijkheid is natuurlijk dat de dader graag kat en muis met de politie speelt,' overwoog Cornelis. 'Misschien wil hij ons met deze daad belachelijk maken. Vergeet niet dat de politiehervorming bij heel wat mensen kwaad bloed heeft gezet, en misschien is hij...'

'Of zij,' onderbrak Annemie.

'Is hij of zíj erop uit om aan te tonen dat de politie toch niet zo efficiënt is als ze op de televisie beweert.'

Van Aken beet op zijn lippen. Dat was het *worst case scenario* waar hij voorlopig liever niet aan dacht.

'Maar in dat geval denk ik dat de ontvoerder veeleer met zijn actie zou koketteren. Hij, of zij, mijn beste Annemie, zou dan toch willen dat zo veel mogelijk mensen van de ontvoering op de hoogte zijn?'

'Het kan natuurlijk ook puur om het geld gaan,' bedacht Bracke. 'We moeten een kat een kat durven noemen, met deze ontvoering slaan we een belachelijk figuur. Wie weet speculeert de dader er wel op dat de politie zwaar wil betalen om de ontvoering geheim te houden.'

Van Aken zat met de handen in het haar.

'Ik vrees dat hij dan aan het verkeerde adres zal zijn. De minister heeft me gisteren nog gezegd dat we zullen moeten bezuinigen.'

'Misschien kunnen we met de pet voor Verlinden rondgaan,' grapte Staelens, maar niemand kon erom lachen. Even viel er een pijnlijke stilte.

Annemie porde Bracke aan. Hij dreigde opnieuw in te dutten en begon met beide handen tegen zijn wangen te slaan.

'Sorry hoor, maar we hebben amper geslapen.'

'Hoe moet het nu verder?' vroeg Cornelis. 'Veel kunnen we voorlopig niet doen. Als onze jongens niets vinden, kunnen we alleen maar afwachten.'

'Ik duik nog eens in de archieven,' klonk Staelens strijdlustig. 'Je weet maar nooit.'

'Als het voor jullie hetzelfde is ga ik een paar uur pitten,' zei Bracke. 'In deze toestand ben ik toch niets waard.'

'Je hebt gelijk. Je ziet er echt belabberd uit, als ik eerlijk mag zijn,' gromde Van Aken. 'Oké, dan houden we het hierbij. Volgende briefing over...' Hij keek op zijn horloge. 'Over vijf uur. Tenzij er iets gebeurt natuurlijk.'

'Laat het ons hopen,' klonk Cornelis gelaten. 'Laat het ons vooral hopen.'

Bracke lag al in slaap voor de taxi de bocht om was. Annemie zette voor het eerst sinds haar thuiskomst haar gsm weer aan en zag dat er twintig berichtjes in haar mailbox zaten. Maar dat was werk voor morgen. Ze konden allebei best wat rust gebruiken.

De gsm begon te rinkelen net toen ze het toestel in haar handtas wilde stoppen. Zonder naar het scherm te kijken nam ze op.

'Hallo, met Annemie Vervloet.'

Ze hoorde weer de bekende hijger, die nu voor het eerst ook sprak.

'Prettige reis gehad? Wel wat kort, nietwaar? Jammer toch dat je zo plotseling terug haar huis moest. En dat voor die hufter die zich zomaar laat vangen. Wens Bracke een goede nachtrust van me, slaapkop dat hij is. Of toch maar niet. Zeg hem dat ik in zijn dromen zal komen spoken.'

'Met wie spreek ik?' vroeg Annemie met overslaande stem, maar de verbinding was alweer verbroken. Met haar elleboog porde ze Bracke aan en ze vroeg de taxichauffeur meteen rechtsomkeert te maken.

'George, wakker worden!'

Met slaperige ogen keek Bracke haar aan.

'Zijn we er al? Dat is snel!'

Ze vertelde hem van het telefoontje. De commissaris was meteen klaarwakker.

'Wát! En wat zei hij nog meer?'

'Is dat al niet genoeg?'

Met de gsm bracht ze Van Aken op de hoogte.

'We zijn al op de terugweg, chef. Zet de koffie maar klaar.'

Bij hun aankomst op het hoofdkwartier zaten Van Aken en Cornelis al te overleggen. Ook Staelens kwam zijn neus weer binnensteken. Ze noteerden de verklaring van Annemie, die zich woordelijk probeerde te herinneren wat de stem aan de telefoon had gezegd.

'Denk goed na. Elk woord kan belangrijk zijn,' porde Cornelis haar aan.

'Hij vroeg of je een prettige reis gehad hebt, dat betekent dus dat het gaat om iemand die wist dat jullie op vakantie waren. Dat was niet bepaald een geheim, maar toch niet zo gek veel mensen waren daarvan op de hoogte,' zat Van Aken hardop te analyseren. 'En hij wist ook dat jullie vroegtijdig terugkeerden.'

'Van één ding kunnen we zeker zijn, en dat is dat het inderdaad om een "hij" gaat,' vulde Cornelis het denkwerk van zijn chef aan. 'En hij verwees naar, als ik zo vrij mag zijn te citeren, die hufter van een Verlinden die zich zomaar liet vangen. Ik denk dat het duidelijk is. Je hebt met Omers ontvoerder gepraat, Annemie.'

'Hij heeft me al eerder gebeld,' zei Annemie. 'Alleen zei hij toen niets.

Maar ik herkende hem aan zijn ademhaling en het hijgen, alsof er iets grondig mis met hem is. Hij kan natuurlijk ook gewoon doen alsof.'

'En dat vertel je nu pas!' schoot Bracke uit zijn krammen. Hij sloeg kwaad met de vlakke hand op tafel.

'Maar toen zag ik er geen kwaad in. Ik krijg nog wel eens van die dwaze telefoontjes, zoals ieder van ons.' Annemie was gestoord door Brackes reactie. Ze had op wat meer steun gerekend, maar hij deed al een tijdje zo verdomd afstandelijk. De reis had niet het verhoopte verzoenende effect gehad. Weggegooid geld, bedacht ze bitter.

Van Aken kreeg een telefoontje. Iedereen luisterde ademloos toe, alsof ze hoopten dat de oplossing van de zaak als een deus ex machina uit de lucht kwam vallen. Het gesprek was kort, en hij zag er niet bepaald gelukkig uit toen het afgelopen was.

'Dat was Lode Dierkens. Ik had hem gevraagd of hij het gsm-gesprek kon natrekken, maar de procureur wilde geen toestemming geven. Veel te duur, zei hij. En met te weinig kans op succes.'

'Ik wist niet eens dat we gsm's kónden natrekken,' zei Staelens verwonderd.

'Toch wel, oldtimer,' zei Cornelis droog. 'De Amerikanen staan op dat punt al veel verder dan wij, maar nu we zulke goede maatjes zijn hebben we wat van hun technologie mogen aankopen, is het niet, chef?'

Van Aken keek sip omdat dit goed bewaarde geheim blijkbaar al was uitgelekt.

'Cornelis heeft gelijk,' gaf hij schoorvoetend toe. 'Maar die techniek staat nog in zijn kinderschoenen. We hebben een gesprek van minstens tien minuten nodig om een gsm achteraf te kunnen traceren. De verbinding was te kort, en het kan ook niet met alle toestellen. Nu ja, het was het proberen waard. Kan ik meteen een rapport naar de minister sturen dat zijn aankoop een miskleun was.'

Hoe erg hij het ook vond, Bracke kon zijn ogen met de beste wil van de wereld niet meer openhouden.

'Het spijt me, maar ik moet echt dringend wat gaan pitten. Ik val om van de slaap.'

Dat was niet naar de zin van Van Aken, maar hij gaf geen krimp.

'Kom terug zodra je je weer wat fitter voelt. Ik ga intussen onze Amerikaanse gast ontvangen. Kom op jongens, ertegenaan! Het gaat hier wel om een collega!'

*

Kurt Russell zag er precies uit zoals André Cornelis had verwacht. Een rijzige, gespierde man van halfweg de veertig die duidelijk nog steeds veel tijd in het fitnesslokaal doorbracht, een onopvallend modern pak en een hoed droeg, met elegante gebaren. Bovendien was hij een vlotte prater. Echt helemaal zijn type, maar die vent was ongetwijfeld ook een ware casanova voor wie de vrouwen bij bosjes vielen.

Russell bleek zowaar een aardig mondje Nederlands te spreken, wat te danken was aan zijn stage van een jaar bij Interpol in Amsterdam.

'Aangename kennismaking,' zei hij met een typisch Hollandse tongval. 'Als ik me nu eerst even mag opfrissen?'

Cornelis gaf de FBI-man een lift naar de Holiday Inn, waar Van Aken een kamer gereserveerd had. Onderweg vertelde hij wat ze wisten over de ontvoering van Verlinden.

'*I see*,' dacht Russell hardop na. 'Op het vliegtuig heb ik alvast het dossier van de hoofdcommissaris doorgenomen. Ik hoop tegen morgenmiddag een weliswaar vage schets van het profiel van de dader te kunnen opmaken, maar dan heb ik nog wat meer gegevens over meneer Verlinden nodig.'

Ja, dat zal wel, dacht Cornelis. Je mag dan wel een mooie jongen zijn, maar maak dat de ganzen wijs. Alsof jij ons morgen die ontvoerder op een schotel zult kunnen presenteren.

'Ik kom echt je job niet afnemen,' zei Russell. 'Beschouw mijn hulp als een vriendendienst.'

Cornelis trok een zuur gezicht. Die yankee had hem door, en dat was geen prettig gevoel. Maar die man was veel te knap om kwaad op te kunnen zijn.

*

Met de handen in het haar zat Annemie naar de stapel papieren op haar bureau te staren. Na de tekst vluchtig te hebben doorgenomen had ze in haar papiermand naar de envelop zitten graaien om te kijken of er geen afzender op stond, maar de schoonmaakster had al opgeruimd.

Waarom krijg ik dit toegestuurd, vroeg ze zich af. Is dit een mailing die iedereen ontvangen heeft, of alleen ik?

Ze zette haar leesbril op en begon nu aan een grondige lectuur. Alleen de titel al was intrigerend. *Studie van de monogamie bij de man* door dokter Jacques Vercruysse. In het rapport deed de dokter een aantal markante uitspraken over het seksuele gedrag van moderne mannen.

'Tachtig procent van de mensen heeft een ondermaats seksleven, en dat in schrijnende tegenstelling tot de vaak snoeverige manier waarop we over onze prestaties opscheppen,' beweerde Vercruysse.

Annemie moest denken aan de helaas veel te schaarse heerlijke nachten die ze in Buenos Aires hadden beleefd en voelde een warme blos naar haar wangen stijgen. Vooral het standje van het hert was haar wel bevallen. George zat met gestrekte benen op het vloermatje, en zij kroop met haar rug naar hem toe op zijn schoot. Daarop tilde hij haar onder de knieën iets omhoog en drong met forse stoten naar binnen. En dat allemaal voor de grote, ronde spiegel. Dat had ze altijd hoerig gevonden, maar nu moest ze toegeven dat ze er erg opgewonden van werd.

'Laat er geen misverstand over bestaan: ruim 90% van de mannen gaat een relatie met een vrouw aan met de bedoeling haar trouw te blijven,' schreef de professor in zijn inleiding. 'En in principe maken we meer kans op een hechte relatie dan vroeger. Nooit eerder waren gemengde contacten in onze samenleving zo frequent als vandaag. Alle milieus worden nu op een of andere manier wel met elkaar gemengd: op het werk, in de sportclub, de plaatselijke vereniging, het uitgaansleven. Wat de kans dat men iemand van het andere geslacht tegenkomt en dat het klikt erg groot maakt.'

Inderdaad, dacht Annemie. Ze moest onwillekeurig denken aan hun eerste ontmoeting, toen Bracke als jonge agent om beroepsredenen in haar dansclub langskwam en de vonk pas echt was overgeslagen nadat zij het initiatief genomen had.[15] De kans dat een agent met nauwelijks culturele interesses een danseres zou leren kennen was in normale omstandigheden klein, maar het lot had het anders beslist.

'Vroeger waren de omstandigheden waarin huwelijken zich voltrokken abominabel. Hoeveel koppels zijn destijds niet *gearrangeerd*? En hoeveel kinderen kregen thuis een goede seksuele opvoeding?' las ze.

Op dat punt hadden Jorg, Julie en Jonas zeker niet te klagen. Toen ze nog heel klein waren, wisten ze de grote lijnen al omdat Bracke na Julies vraag over dat groeiende kindje in de buik van de buurvrouw enigszins onwennig over zaadjes en eitjes had verteld. Hij wilde dat zijn kinderen uit zijn mond vernamen hoe de vork in de steel zat, en niet later op school van een juffrouw die verveeld haar lesje van elk jaar afdreunde.

'Vandaag kiest het individu vrij zijn partner. Vaak gaan ze eerst samenwonen vooraleer te trouwen. En toch is het aantal echtscheidingen nooit zo hoog geweest. Hoe is dat te verklaren? Door onze verschrikkelijke onverdraagzaamheid,' klonk de dokter nogal ferm.

Daar moest Annemie even over nadenken. Ook zij hadden in hun ruim twintig jaar samenzijn wel enige stormen meegemaakt, vooral in de eerste jaren. Ze moest er toen aan wennen dat Bracke vaak nacht- of weekenddienst had, maar aan de andere kant was zij als ballerina bij het Ballet van Vlaanderen toch ook de wereld rondgetrokken. Op tournee in het buitenland had ze best gelegenheden genoeg gehad om avontuurtjes te beleven, maar ze leefde toen volledig voor de dans. George had wellicht ook kansen gehad, maar ze was er zeker van dat hij haar trouw was gebleven. Ze kende hem door en door, het zou op zijn gezicht te lezen staan en hij zou zich diep schamen.

Wel maakte ze zich soms zorgen over de kinderen. Als ze zag hoe ze met hun leeftijdsgenoten omgingen, sloeg de schrik haar om het hart. Het was uiteraard toe te juichen dat de onderlinge verstandhouding tussen de tieners van beide geslachten veel losser was dan in haar

15 Zie *Botero*.

jeugd. Aan de andere kant spraken die jongelui dan weer van een nieuw lief alsof ze van hemd wisselden. In Julie en Jonas stelde ze alle vertrouwen, maar George en zij hadden al nachten wakker gelegen van het gedrag van Jorg. Nu hij met een hoop jongens met brommers omging hielden ze hun hart vast voor wat nog allemaal zou komen.

Ze zette haar bril die was afgezakt weer op en las verder. De kop lavendelthee was intussen koud geworden, maar dat merkte ze niet eens. 'Tachtig procent van de mensen heeft een ondermaats seksleven, en dat in schrijnende tegenstelling tot de vaak snoeverige manier waarop we over onze prestaties tegen elkaar opscheppen. Zo zijn meer vrouwen dan algemeen wordt aangenomen bang van seks. Bij de minste intieme aanraking verkrampen ze. Zeer vaak ligt het antwoord in hun verleden. Een foute seksuele opvoeding, vriendinnen die hen vertelden dat het de eerste keer pijn doet. Ook knappen veel vrouwen af op de onbehouwen aanpak van hun man, die absoluut geen feeling heeft, of brutaal is.'

'Zonde als dat echt zo is,' zei ze hardop. Van haar seksleven had ze nooit te klagen gehad. Ook van de eerste keer, al kon ze zich daar nauwelijks wat van herinneren. Het was met een balletleraar geweest, maar ze had toen de veel gemaakte fout begaan te denken dat zijn geflirt gemeend was. Hij had haar begeerd zoals hij naar een trofee hunkerde, en had dan snel zijn interesse verloren. Maar ze kon niet zeggen dat haar hart gebroken was, want zijn grofheid had haar eerder verbaasd dan geraakt. Nadien waren nog enkele vriendjes gevolgd, allemaal uit het balletmilieu en stuk voor stuk even weinig betekenend. Toen George op de proppen kwam, had ze meteen geweten dat dit de ware was en had ze zelf de eerste stap gezet.

En bang van seks ben ik ook al niet, dacht ze dapper. Het kan fijn en prettig zijn, zonder te moeten overdrijven. Seks is een van de allerbelangrijkste bijzaken van het leven. Ze kreeg trouwens het gevoel dat ze pas nu tot volle seksuele wasdom begon te komen, en haar scholing als klassieke danseres kwam haar daarbij zeker goed van pas. Ze kon nog steeds een perfecte spagaat uitvoeren, en die soepelheid had alleen maar positieve gevolgen op hun liefdesspel.

Over die bloei op rijpere leeftijd had de professor ook een passage geschreven.

'Vrouwen van boven de 35 à 40 worden seksueel veeleisender. Ze zijn uit de kleine kinderen en denken: nu ga ik eens profiteren van mijn leven. En dan vinden ze thuis hun nog weinig geïnteresseerde echtgenoot. Hoeveel vrouwen van die leeftijd heb ik daarover al niet horen klagen: meneer, mijn man doet niet echt meer mee in bed. Het is ook de leeftijd waarop vrouwen weer beginnen uit te gaan omdat ze nu de kinderen alleen thuis kunnen laten. Uitgaan betekent contacten met andere mannen. Dat schept gelegenheid tot overspel.'

Annemie dwong zich na te denken over de mogelijkheid een minnaar te nemen en daarmee geheime opwindende amoureuze ontmoetingen te beleven. De gedachte was zo bespottelijk dat ze spontaan in de lach schoot.

'Maar niet alle redenen om vreemd te gaan zijn seksueel. Vaak loopt het fout bij de koppelvorming. Vrouwen die er bijvoorbeeld pas laat achterkomen dat ze niet kunnen praten met hun echtgenoot. Of ze voelen zich intellectueel onvoldoende gesteund. Voor veel vrouwen is het gemis aan een goed gesprek de reden om een verhouding aan te gaan met iemand waarmee ze wel kunnen praten.'

Daar had de professor een punt. Ze had het Bracke moeten leren om elke avond, al was het maar even, te spreken over de voorbije dag en eventueel wat op zijn lever lag. Maar hij had snel begrepen hoeveel belang ze daar aan hechtte, en vaak zaten ze 's morgens bij het ontbijt al gezellig te kletsen. En ze had niets liever dan dat hij overdag onverwacht even bij haar binnenwipte, al was het maar om samen een kop koffie te drinken of een snelle lekkere zoen. Maar hoelang was dat ook alweer geleden?

'Een belangrijk aspect in ontrouw vormt de klassieke midlifecrisis van de man,' ging de professor verder. 'Die kan plaatsvinden tussen zijn 35ste en 50ste. Maar wat is die midlifecrisis eigenlijk? Ze begint bij de tanende potentie van de man. De *Sturm und Drang* lijkt over. De man heeft wat meer stimulatie nodig, wat meer prikkeling om tot presteren te komen.'

Op dat punt hebben wij niet te klagen, bedacht Annemie. Buenos Aires was net wat we nodig hadden om het vuur weer aan te wakkeren, ook al hebben de omstandigheden ons gedwongen om vroeger naar huis terug te keren. En van die tanende potentie heb ik nog niet veel gemerkt.

Integendeel, ze kreeg het gevoel dat George pas nu begon los te komen. Als zij niet op wat meer variatie had aangedrongen was het al die jaren wellicht tot het klassieke missionarisstandje met hooguit wat voorspel beperkt gebleven. Vier jaar geleden had ze hem voor zijn verjaardag een standaardwerk over Oosterse liefdestechnieken gekocht, maar ze had gemerkt dat hij het boek pas recent uit de plastic folie had gehaald.

De volgende passage was een shock: 'Vaak door gewenning vindt de man in de overgang de stimuli om seksueel actief te zijn niet meer thuis. Daarom gaat hij die elders zoeken. En ook al om zijn viriliteit nog eens te kunnen bewijzen. Zo van: kijk eens, ik kan nog veroveren.'

Om de een of andere reden kon ze Bracke moeilijk als een veroveraar zien. Hij had haar ooit toegegeven dat hij als tiener nauwelijks met een meisje gepraat had. Met de blonde engel uit zijn buurt had hij nooit een woord gewisseld. Het enige wat hij wist was dat ze Rita heette en dat hij jarenlang smachtend op een blik van haar had gewacht. Onlangs waren ze haar nog eens op straat tegengekomen, en nu had hij wel een gesprek durven te voeren. Rita was tot een forse matrone uitgegroeid. Ze was drie keer getrouwd geweest, had vijf kinderen en werkte aan de lopende band bij Volvo. Brackes ogen glinsterden toen hij dit hoorde, en hij knipoogde even naar Annemie.

Ze besloot de studie niet verder te lezen. Nu toch niet. Ze kon er zich niet toe bewegen de papieren weg te gooien, en borg ze veilig in een map op.

Er viel trouwens wel wat anders te doen. Van Aken had aan iedere overste in het korps en ook aan haar gevraagd om voor de FBI-man een persoonlijke schets van de figuur van Omer Verlinden te maken. Ook Annemie had die vraag gekregen, en ze merkte hoe moeilijk het was om iemand die je zo goed kende voor een wildvreemde te beschrijven. Ze moest verschillende keren opnieuw beginnen en was uiteindelijk niet tevreden over het resultaat, maar de tijd drong.

Ze had haar beschrijving nog geen tien minuten naar Russell doorgemaild of hij hing al aan de lijn voor verdere gegevens. De Amerikaan had niet bepaald zitten luieren, want hij was ook al bij Verlindens vrouw en naaste vrienden langsgegaan.

Annemie had graag Engels gepraat om het nog eens te oefenen, maar Russell stond erop haar in het Nederlands te woord te staan. Daar ging haar vooroordeel tegen een kauwgummende plat Amerikaans sprekende flik die als een olifant de porseleinwinkel kwam binnengestormd.

'Vreemde zaak,' vond Russell. 'Maar ik wil voorlopig nog geen conclusies trekken. Dat doe ik straks wel in mijn rapport. *Bye,* Annemie.'

Best een aangename stem heeft die man, bedacht ze. En even voelde ze een zachte kriebeling in haar maag.

15

Abdel Hassim was best trots op zichzelf, maar als strikte moslim van de zachte lijn probeerde hij altijd om zich bescheiden op te stellen.

'De aanhouder wint,' zei hij hardop, en hij schrok zelf van de triomfantelijke klank in zijn stem.

Met een veel te harde knal trok hij zingend de deur van het muffe gebouw achter zich dicht. Hij kon Staelens alleen maar oneindig dankbaar zijn voor diens tips die eens te meer nuttig waren gebleken. Stormvogel had hem enkele adressen meegegeven waar hij zijn licht eens moest opsteken.

Voor de eerste naam op zijn lijst was hij net iets te laat gekomen. Om heel eerlijk te zijn had zijn timing niet slechter gekund.

Walter Duerinckx, nestor van het tandartsengids, werd net ten grave gedragen toen hij aan diens huis aanbelde. De huishoudster had hem in tranen verteld hoe de man op net geen 93-jarige leeftijd, twee dagen voor zijn verjaardag, in het bijzijn van zijn kinderen en kleinkinderen aan een slepende longontsteking overleden was.

Abdel betuigde formeel zijn medeleven en besloot er eerst nog enkele dagen te laten overheen gaan alvorens de geplaagde familie opnieuw lastig te vallen. Zijn eigen grootvader was in het voorjaar gestorven, en hoewel iedereen het overlijden had zien aankomen was hij wekenlang van de kaart geweest. Ook nu nog richtte hij elke dag een extra gebed voor zijn Baba ten hemel.

Nummer twee, tandarts Marc Geens, had hem niet verder kunnen helpen. De man was destijds erg actief geweest in de Orde, waar hij vurig gepleit had voor een verdere informatisering. Maar hij kon met de beste wil van de wereld niet zeggen hoe succesvol de inventarisering van de gegevens verlopen was, omdat hij al bijna tien jaar in het buitenland werkte en alleen nog voor korte vakanties terugkeerde.

*

Van Aken zat geconcentreerd over het daderprofiel gebogen dat Russell aan de politieofficieren had bezorgd. De FBI'er had zich werkelijk uitgesloofd en de tekst in zogoed als onberispelijk Nederlands opgesteld. Tot zover het vooroordeel dat Amerikanen hun talen niet kenden.

Veel wijzer werd Van Aken er niet van. Het ging volgens Russell om iemand die alleen handelde, niets te verliezen had en een persoonlijke rekening met de politie wilde vereffenen. De man, zo oordeelde de FBI-man, was gefocust op zijn missie, liet zich door niets of niemand van zijn doel afbrengen en kende geen genade. Verlinden was wellicht een toevallig slachtoffer, en het viel te vrezen dat er nog zouden volgen. En dat zouden dan hooggeplaatste figuren zijn, alsof de dader wilde aantonen dat hij oppermachtig was.

'De eerste dagen zijn van cruciaal belang,' onderstreepte Russell. 'Mijn advies is dat je deze zaak voorlopig nog intern houdt, in ieder geval zolang er communicatie met de ontvoerder is. Dit soort figuur denkt van zichzelf dat hij boven de wet staat, en dat hij onaantastbaar is. Vroeg of laat maakt hij een fatale fout, maar het is mogelijk dat hij vooraf nog heel wat schade aanricht. Het is van kapitaal belang dat je hem niet voor het hoofd stoot. Blijkbaar is hij niet uit op media-aandacht, maar dat zou nog kunnen veranderen. Laten we hopen dat het niet zover komt, want deze man zal zich door niets of niemand laten tegenhouden.'

Zuchtend wreef Van Aken in zijn ogen. Hij zag er ineens tien jaar ouder uit. Maar hij mocht vooral niets laten merken. Een chef moest een rots in de branding zijn, een onfeilbare figuur op wie iedereen kon steunen.

'Bedankt voor je inspanningen, Kurt. We waarderen dit ten zeerste.'

De Amerikaan haalde verontschuldigend zijn schouders op.

'Sorry dat ik op die korte tijd niet meer kon doen, maar de plicht roept. We zitten in Houston met een seriemoordenaar die het op oude weduwen gemunt heeft. Hou me op de hoogte van de verdere ontwikkelingen.'

Nog geen tien minuten later was Russell alweer op weg naar de vlieghaven. Tezelfdertijd zat Van Aken met zijn naaste officieren in conclaaf. Ze bespraken het verdere onderzoek en eventuele veiligheidsmaatregelen voor de korpsoversten.

'Ik kan heus wel voor mijzelf zorgen,' knorde Cornelis.

'Dat dacht Verlinden ook,' zei Bracke, en hij kreeg ineens een slechte smaak in de mond.

*

Driemaal is scheepsrecht, dacht Hassim toen hij aanbelde bij Rudolf Knoops. Deze man had als handelaar in gebitten, valse tanden en tandprothesen zowat een monopolie opgebouwd dat hem schatrijk had gemaakt. Aan zijn infrastructuur zou je het niet zeggen, want hij had onderdak gevonden in een vervallen loods in de havenbuurt.

'Ga Knoops ook maar eens opzoeken,' had Staelens gezegd. 'Je zou het hem niet meteen nageven, maar hij is een verdomd pientere knaap die zijn schaapjes meer dan op het droge heeft. Hij moet intussen zowat met pensioen zijn, maar dat soort kerels stopt nooit helemaal met werken omdat ze gewoon niet kunnen stilzitten. Ga gerust met mijn groeten. Hij is me nog wat verschuldigd.'

Hassim had moeten aandringen om te weten te komen wat precies. Staelens pochte niet graag met zijn eigen heldendaden. Een jaar of twintig geleden had hij Knoops het leven gered toen die door twee gangsters met de dood bedreigd werd. Die persten hem al een tijd geld af omdat hij niet langer smeergeld wilde betalen. Staelens was toen nog minstens dertig kilo lichter en oneindig veel lichtvoetiger, en hij had de technieken die hij bij de paracommando's had geleerd op efficiënte wijze in de praktijk gebracht. Knoops was hem enorm dankbaar geweest, en sindsdien hadden ze geregeld contact gehouden.

'Ik weet dat Rudolf zijn hoog aangeschreven materiaal levert aan zowat elke zichzelf respecterende tandarts uit de streek. En het is iemand die zijn dossiers goed bijhoudt,' prees Staelens. Grotere lof uit zijn mond was niet denkbaar. 'Het is natuurlijk nattevingerwerk, maar wie weet kan hij je verder helpen. Want ik heb niet bepaald veel vertrouwen in de waterdichtheid van dat fameuze tandartsenarchief.'

De nogal bitse toon van de secretaresse aan de intercom had Hassim het ergste doen vrezen, maar de naam Staelens opende na een kort telefoontje alle deuren. Jazeker, meneer de directeur kon best even tijd voor de inspecteur uittrekken.

Ze liep hem voor door een wirwar van gangen naar een kantoor dat duidelijk aan renovatie toe was.

'Let maar niet op de omgeving,' lachte Rudolf Knoops een smetteloos wit gebit bloot. 'Iedereen die hier voor het eerst komt, denkt dat mijn bedrijf wel aan de rand van het faillissement moet staan. Maar ik hou nu eenmaal van dit sfeertje van verval en teloorgegane glorie. Hier zijn trouwens ooit scènes voor een Amerikaanse thriller opgenomen.'

Hassim was in gedachten zodanig met de zaak bezig dat hij vergat te vragen welke film. Niet dat het hem iets zou zeggen, want zijn favoriete films waren *Terminator* en *First Blood.* Hij schaamde zich daar een beetje voor en gaf zelf als referentie altijd *The Silence of the Lambs* op omdat dit voor de buitenwereld blijkbaar een algemeen aanvaarde favoriet was.

'Ik zou me nooit in een kille, moderne omgeving die niets uitstraalt thuis kunnen voelen. Ik ben er vroeger niet toe gekomen het gebouw onder handen te nemen, op wat noodzakelijke werkzaamheden na. En nu ga ik er niet meer aan beginnen, want ik heb toch geen opvolgers. Mijn zoon reist liever als zeiler de wereld rond en hoopt op de volgende Olympische Spelen goud te halen, een niet-onredelijke ambitie trouwens, want hij staat momenteel vierde op de wereldranglijst,' vertelde Knoops, die duidelijk iets van een kletskous had. 'Dat komt natuurlijk amper in het nieuws, zeker niet nu die twee huppelende tenniskontjes alle aandacht naar zich toe trekken. En mijn dochter zit voor Artsen Zonder Grenzen in Afrika. Ik doe nog wat verder voor mijn plezier, tot ik de zaak op een dag verkoop en mijn fortuin aan mijn dochter zal schenken. Er gaan nu trouwens al veel van mijn centen naar Afrika. Ik investeer nog altijd liever in mensen dan in stenen, ook al weet ik dat misschien de helft van mijn geld aan de verkeerde vingers blijft hangen. Maar ik verveel u natuurlijk met mijn geleuter.'

'Helemaal niet,' zei Abdel, en hij meende het. 'Ik moet u trouwens de groeten doen van John Staelens.'

'Ach ja, John, waar is de tijd!'

Knoops was duidelijk in de stemming om herinneringen op te halen, en hij deed in geuren en kleuren nog eens het verhaal van zijn miraculeuze redding. Hij had duidelijk al talloze mensen op deze vertelling getrakteerd, en hij beleefde er zichtbaar genoegen aan.

'Ja, die John, dat is een speciale! Ik stond daar maar te beven, letterlijk met de rug tegen de muur naar hun messen te staren. Ik dacht echt dat mijn laatste uur geslagen was, want die kerels kenden geen medelijden. Ik wist dat om genade smeken niets zou uithalen, want ze zeiden letterlijk dat ze een bloedig voorbeeld voor anderen gingen stellen. Vanwaar hij ineens opdook, ik weet het nog altijd niet, maar hij was mijn reddende engel.'

Hassim probeerde zijn gezicht in de plooi te houden, want hij kon zich Staelens moeilijk met vleugeltjes voorstellen. Toch niet met zijn huidige gewicht.

'Voelt u zich niet goed? Dat is allicht de lucht hier. Te droog en te stoffig, ik weet het,' zei Knoops bezorgd. 'De verluchting is inderdaad een probleem, dat geef ik graag toe. Wilt u misschien een glas water?'

'Nee, hoor, alles is in orde, ik had gewoon een binnenpretje,' vocht Hassim vruchteloos tegen de slappe lach. 'Maar gaat u vooral verder.'

'Je zou het John misschien niet meteen nageven, maar hij heeft een behoorlijk pittige rechtse in huis. Een van die kerels stond grijnzend met zijn mes te zwaaien, maar hij heeft nooit geweten wat hem geraakt heeft. Hij was wellicht al buiten westen toen zijn kin tegen de kasseien smakte. Zijn makker wilde ook met zijn dolk beginnen te steken, maar John had zijn pols al in een ijzeren houdgreep. Die vent zakte jankend op zijn knieën en smeekte om zijn moeder. Ik kon alleen maar vol ongeloof het hoofd schudden. Waren dat die twee rotzakken die mij zoveel geld hadden gekost en mij wekenlang uit mijn slaap hielden?'

Hassim was oprecht onder de indruk. Hij zou Staelens voortaan met andere ogen bekijken. Van die bureaurat had hij nooit verwacht dat hij vroeger 'de Rambo' uithing.

'Maar u komt allicht niet naar hier afgezakt om naar de sentimentele herinneringen van een oude man te luisteren. Wat kan ik voor u doen?'

'Dit is inderdaad meer dan een beleefdheidsbezoekje. Het betreft het vrouwenlichaam uit de Maïsstraat. Ik weet niet of u de berichten in de pers gevolgd hebt?'

'Uiteraard!' lachte Knoops. 'Noem het een vorm van loyaliteit van mijn kant. De laatste jaren staat John natuurlijk niet meer zo vaak in de krant, maar ik heb het gevoel dat ik zijn collega's ken alsof het mijn vrienden zijn. Ik wil u graag van dienst zijn, alleen begrijp ik niet hoe ik u kan helpen. Geen van de tandartsen uit die buurt was of is een klant van mij, vrees ik.'

Hassim haalde zijn wenkbrauwen op.

'Misschien kunt u iets zeggen over deze foto's. Ik wil u wel waarschuwen: het zijn niet de meest prettige beelden.'

'Als kind heb ik in de oorlog het een en ander gezien dat eigenlijk niet voor kleine oogjes bestemd was. En ik ben al veertig jaar vrijwilliger bij de brandweer,' zuchtte Knoops. 'Ik ben intussen heel wat gewend.'

Hassim overhandigde hem een dikke map. Knoops zette zijn bril op en bekeek elk van de foto's aandachtig.

'Een heel mooie vrouw,' zei hij met een klank van spijt en treurnis in zijn stem. 'Aha, nu wordt het interessant! Hier komen we op mijn terrein.'

Knoops hield halt bij de foto's van het gebit. Hij nam een loep uit zijn borstzakje en tuurde ingespannen naar de tanden.

'Prima verzorgd. Deze dame ging duidelijk meer dan één keer per jaar naar de tandarts. Maar dat had u natuurlijk zelf ook al kunnen verzinnen.'

'Ik wilde eigenlijk vooral uw mening horen over de laatste foto's,' zei Hassim veelbelovend. Knoops keek snel achter in de map en haalde er enkele vergrotingen van tanden uit. De tanden waren uit alle hoeken en langs kanten gefotografeerd.

'Twee valse tanden,' zei Hassim overbodig. 'Ik weet niet of u daarover iets kwijt kunt.'

'Hm, ik moet dit even nader bestuderen,' dacht Knoops hardop na. 'Over welke periode spreken we alweer?'

'Wellicht begin jaren zeventig, 1972 om precies te zijn,' zei Hassim, maar Knoops hoorde hem al niet meer. Hij bekeek en herbekeek de foto's en haalde toen een map van onder het stof. Koortsachtig begon hij te bladeren.

Hassim zag over zijn schouder bladzijden vol met afbeeldingen van gebitten en tanden. Knoops maakte een paar onleesbare aantekeningen, keek dan weer naar de foto's en bladerde verder in de map.

Hassim voelde aan dat hij de man best even liet begaan. Op zijn gemak ging hij de foto's aan de muur wat nader bestuderen. Hij zag een kader met een uitvergrote foto waarop Staelens uit de handen van een of andere hoge ome een medaille ontving. Knoops stond op de achtergrond te applaudisseren, en Stormvogel zag eruit alsof hij het elk ogenblik op een lopen kon zetten. Verder hingen aan de muur certificaten voor het snelst groeiende bedrijf van het jaar en een diploma van de Arbeid. Op een van de muren waren verschillende affiches ter aanmoediging van het tandenpoetsen opgehangen.

'Nog een ogenblikje. Ik moet even iets controleren,' zei Knoops. 'Ik zal niet lang weg zijn. Ik zal koffie laten aanrukken.' En hij verliet het bureau.

Hassim was eigenlijk geen grote koffiedrinker, maar wilde zich niet opdringen door iets anders te vragen. Hij bedankte keurig het meisje dat de koffie kwam brengen en deed vier suikertjes in de kop. Als zijn tanden aan vervanging toe waren, wist hij meteen waarheen.

Hij probeerde omgekeerd te lezen wat in de agenda van Knoops op het weekprogramma stond. Elke dag was van 's morgens tot 's avonds met afspraken gevuld. Abdel begon ongemakkelijk op zijn lederen stoel te draaien, want hij wilde deze vriendelijke man niet lang tot last zijn.

Gelukkig kwam Knoops snel weer opdagen.

'Hebbes! Ik dacht het meteen toen ik de foto's zag, maar ik wilde zekerheid hebben. Die tanden waren voor die tijd echt zeldzaam. Het betreft een voor die tijd behoorlijk revolutionair nieuw soort tandporselein, dat voor de gewone sterveling onbetaalbaar was. Toen hadden we nog heel wat problemen om onverslijtbare valse tanden te fabriceren, maar ik had in die tijd net een deal met een Deense fabrikant gesloten. Jarenlang raakte ik ze aan niemand kwijt, gewoon vanwege hun prijs en omdat ze niet door het ziekenfonds werden terugbetaald. Tot begin de jaren tachtig had ik maar één tandarts als klant, met name mevrouw Dekens uit de Krijgslaan. Ze is intussen met pensioen, maar haar zoon zet de praktijk verder. Ik wil u geen valse hoop geven, maar de kans is groot dat zij of haar zoon u kan verder helpen. Die dame heeft haar job altijd met veel zorg gedaan, en ik ben er zeker van dat ze haar dossiers keurig heeft bijgehouden. Haar echtgenoot, kinderarts op rust Walter Hovaerts, was in de jaren waarover we het hebben trouwens voorzitter van de Rotary. Niet dat ik uw werk wil doen, maar de dame die u zoekt zou weleens uit die milieus afkomstig kunnen zijn.'

Ze namen vormelijk afscheid met een stevige handdruk.

'Altijd tot uw dienst,' lachte de tandenfabrikant.

'Yes!' riep Hassim toen hij de glazen deur achter zich dichtgooide en met volle teugen eindelijk weer frisse lucht inademde. Daeninck zat nog steeds achter het stuur rustig zijn sigaretje te roken. Snel draaide hij het raam open om de tabakslucht te laten ontsnappen. Hij respecteerde zijn partner die geheelonthouder was, maar had af en toe zijn rokertje nodig.

'En? Hebben we onze tijd verprutst of niet?'

Hassim probeerde niet te enthousiast te klinken, want dan zou de ontgoocheling bij een mislukking des te groter zijn.

'Nog even afwachten. Maar mijn kleine teen zegt me dat we op het goede spoor zitten.'

'Je kleine teen? En ik dacht dat jij niet in intuïtie geloofde?' treiterde Daeninck zoals alleen hij dat kon, maar Hassim ging daar wijselijk niet op in.

'Voor jou moet het toch allemaal oerdegelijk politiewerk uit het boekje zijn? Feiten en niets dan feiten, zo helpe mij God. Of Allah, voor mijn part.'

Hassim belde de centrale om te melden dat hij op weg was naar de Krijgslaan.

'Gelieve deze boodschap aan commissaris Cornelis door te geven,' zei hij gewichtig. Niet dat die daarom gevraagd had, maar het klonk goed. En niemand zou hem nalatigheid kunnen verwijten.

Onderweg belde hij handenvrij naar Jurgen Hovaerts, die de praktijk van zijn moeder had overgenomen. Over een kwartiertje was hij aan zijn lunchpauze toe en had hij wel wat tijd voor de politie, zei de tandarts.

Hassim hield zich keurig aan de verkeersregels. Toen ze pas een duo vormden, had Daeninck meestal achter het stuur gezeten. Maar nadat hij tot twee keer toe door het rode licht was gereden en bijna een stilstaande vrachtwagen had geramd, had Hassim hem voor de keuze gesteld: een andere partner kiezen of het chauffeurszitje afstaan.

'Pf, die rotkarren bollen me toch veel te traag. Ik laat me voortaan dan maar voeren,' had Daeninck gegrijnsd.

Het was oranje en ze konden er strikt genomen nog door, maar Abdel stopte mooi voor het zebrapad. Een oud vrouwtje met een goed gevulde boodschappentas op wieltjes knikte vriendelijk naar de politiewagen en moest zich haasten om tijdig te kunnen oversteken.

'Zo, onze goede daad van de dag is ook weer gesteld,' zei Daeninck sarcastisch. 'Zie ons hier rijden, net twee padvinders.'

Hassim liet hem maar betijen. Als het erop aankwam, zou zijn partner voor hem door een vuur gaan. Dat had hij op hun allereerste dag gemerkt, toen Daeninck bij een verhitte vechtpartij op de Brugse Poort onvervaard voor zijn makker in de bres gesprongen was. Abdel had het aan de stok gekregen met drie Belgen die hem van omgekeerd racisme hadden beschuldigd, en ondanks de overmacht had Daeninck door zijn stoere optreden de situatie weten te redden.

Op de Krijgslaan was zoals gewoonlijk geen parkeerplaats te vinden, maar Hassim posteerde de wagen voor de garage van de tandarts. Ze waren tenslotte in functie.

Jurgen Hovaerts zat hen in de keuken al op te wachten. Hij at een paar simpele boterhammetjes met kaas en schijfjes tomaat, hoewel hij zich ongetwijfeld veel beter kon veroorloven. Getuige daarvan de schilderijen aan de muur waaronder Hassim een oorspronkelijke Gustaaf De Smet herkende. Hij had zich daarin verdiept nadat hij in Sint-Martens-Latem eens een interventie in een museum had gedaan en met de conservator aan de praat geraakt was.

Hassim kwam snel tot de orde van de dag en vertelde over het dode lichaam uit de Maïsstraat. Hij toonde ook de foto's.

Hovaerts knikte begrijpend. Het laatste hapje boterham was met een glas gezoete karnemelk weggespoeld, en hij schonk nu alle aandacht aan beide inspecteurs.

'Die goeie oude Rudolf zou die tanden dus aan mijn moeder geleverd hebben. Dan moet het niet moeilijk zijn de identiteit van die vrouw te achterhalen,' meende Hovaerts. 'U zult meteen zien wat ik bedoel.'

Hij wenkte de inspecteurs hem te volgen. Hij ging ze voor naar een kamer achter in de praktijk.

'Ziehier haar schatkamer,' zei hij met een brede glimlach, alsof hij de grot van Ali Baba betrad.

Hassim keek verbaasd naar de vele rekken met daarop keurig verzameld tientallen klasseermappen. Op de rug van elke map zat een etiket met daarop duidelijke informatie over de inhoud.

'Dit moest Staelens zien,' floot Hassim tussen de tanden. 'De arme man zou huilen van geluk, omdat hij dan toch niet de enige van zijn ras is.'

'U zegt?' vroeg Hovaerts niet-begrijpend.

'Niets belangrijks,' zei Hassim. 'Maar hoe vinden we hier wat we zoeken?'

'Vergeet niet dat ik als kind hier al speelde,' lachte Hovaerts. 'Zelfs blindelings zou ik hier de juiste map kunnen aanwijzen. De eerste helft van de jaren zeventig, zei u? Als het werkelijk om die Deense tanden gaat, is het een kwestie van ogenblikken. Het is pas tien jaar later dat we die in grote aantallen zijn gaan verkopen omdat we een goedkopere manier vonden om het porselein aan te maken. Een goed product, dat overigens nog steeds zijn waarde bewijst.'

Hij ging vastbesloten naar een rek en haalde er een map uit. Hij keek naar het register. 'Nee, deze is het niet, maar we zitten dichtbij. Een ogenblikje graag.'

De volgende map beviel Hovaerts al heel wat beter.

'Dit zou het moeten zijn. Eens even kijken. In de jaren zeventig hebben we deze tanden bij welgeteld negen personen geplaatst. Als ik vlug de persoonlijke gegevens overloop, hou ik twee, hooguit drie namen over die met uw slachtofferprofiel overeenkomen. Even kijken, volgens mij kunnen we A. Dhont, C. Verschueren en G. Rijmenans selecteren.'

'Heb je geen voornamen?' vroeg Hassim enigszins teleurgesteld. Hij zag alles al in duigen vallen.

'Geen paniek,' suste Hovaerts. 'Van elk van die mensen bestaat nog een individueel dossier, en dat moet ons heel wat wijzer maken. Ik schrijf alvast even de namen op, dat zoekt gemakkelijker. Hebt u een papiertje voor me?'

Hassim scheurde een paar blaadjes uit zijn notitieboekje en reikte behulpzaam zijn balpen aan.

'Een ogenblikje.'

Hovaerts noteerde de namen en ging naar een grote archiefkast. In een mum van tijd had hij de drie mappen opgediept.

'*So, we are in business*,' lachte hij. 'Vergeef me mijn Engels, ik schakel daar spontaan naar over als ik opgewonden ben.'

'Leuk voor je vriendin,' spotte Daeninck.

'Nu je het zegt. Ik heb haar nog niet horen klagen. Ik heb vier jaar in Harvard gestudeerd, en trek geregeld een paar maanden naar Amerika om me bij te scholen.'

Hassim keek verlekkerd naar de dossiers. Hij kon amper wachten om er een blik in te mogen werpen.

'Nog even en hij ontploft,' knikte Daeninck in de richting van zijn partner.

'Waar zijn mijn manieren!' riep de tandarts uit, en hij overhandigde de dossiers aan Hassim. 'Aan u de eer, inspecteur.'

Abdel sloeg het eerste dossier open: Alexander Dhondt, 64 jaar. 'Een man. Die kunnen we al meteen uitschakelen.'

Daeninck hield de vingers gekruist. Hij mocht dan vaak de cynicus uithangen, hij wilde niets liever dan dat zijn partner scoorde. Niet alleen omdat een deel van het succes dan ook op hem zou afstralen, maar ook omdat hij tot zijn eigen verbazing die overtuigde, zij het gelukkig niet-fanatieke muzelman best kon pruimen.

'Nummer twee: Geraldine Rijmenans, 66 jaar.'

Bij het lezen van die naam kreeg Abdel even een schok. Snel bladerde hij in zijn notitieboekje naar de namen van vermiste personen uit die periode. Daar stond het zwart op wit: Geraldine Rijmenans, echtgenote van Rudy, moeder van twee kinderen, beroep: zonder. Lid van verschillende verenigingen.'

Hassim kreeg een warm gevoel vanbinnen. Hij maakte nog net geen rondedansje. Voor alle zekerheid keek hij nog even naar het derde dossier: Cyriel Verschueren, 71 jaar, gewond bij een inslaande bom van de geallieerden tijdens de oorlog, slecht geheelde kaakbreuk en niet meer in het bezit van zijn onderste tanden.

Ze keken hem nieuwsgierig aan. Abdel haalde diep adem.

'En?'

Hij hief de handen afwachtend ten hemel en moest moeite doen om niet in vreugdekreten uit te barsten.

'We mogen vooral niet te vroeg victorie kraaien. Maar het zou wel eens kunnen dat we beet hebben.'

De mobiele telefoon ging.

'Hassim,' zei Abdel triomfantelijk. Het was Cornelis. Die heeft dat blijkbaar aangevoeld, dacht de inspecteur.

'Ik wilde eens even horen of je bij Knoops iets opgeschoten bent,' zei hij. 'Het is best een geschikte vent. Uit dankbaarheid voor de redding door Staelens heeft hij ooit aan zowat het hele korps gratis kunstgebitten weggegeven. Mijn vader draagt het nog altijd. Wat mij eraan herinnert dat het morgen zijn verjaardag is. Als ik jou niet had, Abdel.'

Daeninck kuchte in zijn hand, om niet in lachen uit te barsten. Hassim voelde dat zijn wangen kleurden, maar deed alsof er niets aan de hand is. Snel gaf hij een korte uiteenzetting van de resultaten van zijn onderzoek.

'Goed zo, goed zo!' zei Cornelis overdreven enthousiast. 'Ik geef het meteen aan onze *big chief* door. Die is wel net met een interview voor *Knack* bezig, maar het staat altijd chic als hij een update met het laatste nieuws onder de neus geschoven krijgt. Een leuk werk voor Annemie, dan kan ze ook even de benen strekken. En moet ze niet de hele tijd aan die arme Verlinden zitten denken. Ze maakt een moeilijke periode door. Een goeie flik moet werk en privé van elkaar kunnen scheiden, maar we hebben het hier allemaal knap lastig met die ontvoering.'

'Verder nog geen nieuws?' vroeg Hassim, blij dat Cornelis zo vertrouwelijk met hem sprak. Hij was als een van de weinigen van het korps op de hoogte van de verdwijning van Verlinden. Van Aken had hem persoonlijk geïnformeerd met de melding dat hij stand-by moest blijven voor het geval ze hem nodig hadden.

'Nee, of het moet dat fameuze daderprofiel van die yank zijn die ons alweer verlaten heeft om op oude weduwes te gaan passen. Het is intussen al twee dagen geleden dat we nog iets van de ontvoerder gehoord hebben. Bracke loopt hier als een zombie rond, en Van Aken is helemaal niet te pruimen. Hij staat natuurlijk onder zware druk om Verlinden terug te vinden. De minister is als de dood dat het nieuws zou uitlekken, en vroeg of laat zal dat ook gebeuren. Verlinden kan niet eeuwig 'op ziekteverlof' blijven. Maar daar moet jij je hoofd niet over breken. Concentreer jij je maar op mevrouw Dingemans.'

'Ik kom eraan, met gezwinde tred,' sprak Hassim op de toon van de veroveraar.

'Ik zal nog even wachten met de champagne. Nu ja, jij drinkt natuurlijk niet. Maar je weet wat ik bedoel. Dit is puik politiewerk.'

'We mogen de rol van Stormvogel niet vergeten,' pikte Hassim daarop in.

'Dat is waar,' gaf Cornelis toe. 'Je zou zo onderhand gaan denken dat hij vanuit zijn miezerige archiefkamertje nog de grootste speurder van het korps is. Je zult hem nog nodig hebben, want met een naam zijn we nog niets.'

Hassim grinnikte.

'Gelukkig is er het dossier van de tandarts. Meneer Hovaerts hier is zo goed geweest om nog wat verder te neuzen, en heeft een stel prachtige foto's van het gebit van mevrouw Rijmenans gevonden. Ik ben natuurlijk geen expert, maar op het eerste gezicht komen die aardig overeen met de foto's van het gebit van ons slachtoffer. En... raad eens.'

'Ik ben niet goed in dat soort spelletjes. Die tandarts heeft je net bekend dat hij haar vermoord heeft omdat ze zijn hemd niet leuk vond.'

Hassim negeerde deze flauwekul. Voor alle zekerheid sloeg hij eerst nog even zijn notitieboekje ter bevestiging open.

'Geraldine Rijmenans staat op onze lijst van vermiste personen.'

'Jouw lijst,' verbeterde Cornelis. 'Neem deze gouden raad van mij aan. Laat anderen nooit met jouw veren pronken. Dat mag heel collegiaal zijn, als het erop aankomt de postjes en leuke jobs te verdelen telt wat in je dossier staat.'

'Goed, mijn lijst dan. Ik moet natuurlijk het dossier van die mevrouw nog eens opdiepen, want ik kan me alle details niet meer voor de geest halen. Ik meen me te herinneren dat ze ergens rond de kerstperiode verdwenen is.'

'Om de ballen voor de kerstboom te halen, en ze is nooit meer teruggekeerd. Gekidnapt door *Santa Claus*,' liet Cornelis zijn fantasie op hol slaan.

Hassim was deze suggestie al aan het noteren, tot hij besefte dat hij weer in het ootje werd genomen.

'Ik ga het hierbij laten; we komen meteen terug naar het bureau.'

'Doe dat, jongen. En voorzichtig rijden,' beëindigde Cornelis het gesprek. Hij had telkens weer die vreemde drang om Hassim te beschermen. De hormonen die opspelen, zou zijn vriend Bart ongetwijfeld zeggen. Bart, nu hij eraan dacht, hij had die al een hele dag niet gehoord en dat was onvergeeflijk. Hij nam de telefoon mee naar het toilet, om dat snel recht te zetten.

Ook Bart vroeg meteen naar Verlinden. De officieren hadden de opdracht gekregen niets over de ontvoering te vertellen, maar tegen Bart had hij niet kunnen zwijgen.

'Wie weet wat ze met hem hebben gedaan,' snotterde Bart. Cornelis ging niet graag met hem naar de film, want hij was altijd de eerste om te beginnen huilen.

Ze kletsten wat over koetjes en kalfjes. Bart had nochtans een belangrijke vergadering op de agenda, maar dit ging voor.

Bracke stond in de gang te aarzelen. Hij had Cornelis met de telefoon in de hand naar het toilet zien gaan en wist uit ervaring dat het een tijdje zou duren. Hij was zo discreet om niet te staan afluisteren, maar kon zich amper bedwingen om niet aan te kloppen. Hij waste luidruchtig zijn handen en neuriede een wijsje.

'Bart, hier moet ik echt afsluiten,' hoorde hij Cornelis zeggen. Een treurig lachje sierde Brackes lippen. Cornelis had de stille wenk begrepen.

André kwam uit het toilet en trok eerst door. Niet dat het nodig was, maar hij wilde zichzelf een houding geven.

'Last van de darmen,' zei hij overbodig.

Bracke snakte ineens naar een sigaret. Nu moest hij sterk zijn. Exroker, dat bestond eigenlijk niet. De kans dat je herviel bestond altijd. Zelf zei hij altijd dat hij tijdelijk gestopt was, wat intussen toch al meer dan acht jaar betekende.

'We moeten eens spreken, nu meteen,' zei Bracke. 'Maar niet hier. De muren hebben hier oren.'

Cornelis keek op zijn horloge.

'Ik was toch al van plan om mijzelf vandaag op een vroege lunch te trakteren. Ik nodig je uit op een hapje in Café Théâtre.'

In andere omstandigheden zou Bracke bijzonder verheugd met die invitatie geweest zijn. Maar nu kon er nauwelijks een glimlach af.

'Geef me vijf minuten, en we kunnen samen rijden.'

'Ik ga eventjes Van Aken op de hoogte brengen dat we er een werklunch van maken.'

'Ja, Van Aken,' zuchtte Bracke. 'Ook hij staat nog op mijn lijstje. En Annemie niet te vergeten.'

'Dat klinkt ernstig,' klonk Cornelis bezorgd.

'Je weet nog niet half hoe erg. Maar ik moét het vertellen, voor ik ontplof.'

*

Hassim liep niet door de gangen, hij zweefde. Zijn partner had het opgegeven om hem proberen bij te houden en was dan maar in de kantine koffie gaan drinken.

Met een brede grijns op zijn gezicht klopte Hassim bij Staelens aan. Diens lunchpauze zat er weliswaar nog niet helemaal op, maar toch stopte hij alweer zijn neus in de fiches. Er viel weer heel wat te klasseren, en hij kreeg dat vandaag onmogelijk binnen de werkuren klaar.

'Binnen!' riep hij pas na de derde keer kloppen, hopend dat de persoon aan de andere kant van de deur het beu zou worden en uiteindelijk zou weggaan.

'Ben jij het, Hassim! Had dat dan toch gezegd! Ik zie aan die grimas dat je goed nieuws hebt. Dan toch iemand, want het lijkt hier de laatste tijd meer op werken in het lijkenhuisje.'

Hassim vertelde bijna woordelijk hetzelfde verhaal dat hij ook aan Van Aken gedaan had.

Staelens floot tussen de tanden.

'Dat klinkt lang niet slecht. Wat zeg ik, schitterend werk, Abdel. Maar ik veronderstel dat je me niet alleen voor mijn mooie ogen komt opzoeken. Ik had een voorgevoel, en heb nog wat bijkomend opzoekwerk voor je verricht. Je vindt de dossiers van de verdwenen personen op die stapel daar. Opletten alsjeblieft dat je niets omverloopt.'

Hassim verbaasde zich allang niet meer over de onoverzichtelijke bergen papier die Staelens had verzameld. Schijnbaar onoverzichtelijk, want hij vond blindelings wat hij zocht. Hij pikte er het dossier van Geraldine Rijmenans uit en begon koortsachtig te lezen.

16

Het is altijd wat met die hoge heren, dacht Robert Verbelen. Als dienstdoend officier achter de balie had hij alle tijd om zijn superieuren elke dag bij hun aankomst en vertrek nauwlettend te observeren. Neem nu die Bracke, die verdient misschien meer dan dubbel zoveel als ik; hij heeft een moordwijf dat maar met de vingers moet knippen om met iedereen van het korps in de koffer te duiken, en hij lost de ene zaak na de andere op. Toch loopt hij voortdurend met een lang gezicht rond. Sommige mensen zijn nooit tevreden.

'Dag commissaris,' knikte Verbelen onderdanig. Bracke merkte hem nauwelijks op en knorde iets onverstaanbaars.

En daar hebben we onze nicht, klakte de balieofficier met de tong. Ons heertje is zich met zijn vette onkostennota weer gaan volproppen. Kijk, hij veegt de saus nog van zijn mond. Zal ik wel boterhammen met salami en belegen kaas zitten vreten. En een simpele goedendag kan er natuurlijk ook niet af.

Bracke haalde nog eens diep adem alvorens aan te bellen. Hij had een hele hoop papieren onder zijn arm.

'Binnen!' hoorde hij Van Aken roepen, enigszins geërgerd alsof hij in iets belangrijks werd gestoord.

Het is nu of nooit, dacht Bracke. Zo kan het echt niet blijven duren.

'Ha, Bracke,' zei Van Aken, amper opkijkend. 'Net de man die ik nodig had. Je komt precies op tijd. Er is weer een brief binnengekomen, die je bijzonder zal interesseren.'

Eindelijk nog eens nieuws van Verlinden, zuchtte Bracke opgelucht. Dat werd tijd.

Van Aken duwde Bracke een vel geel papier onder de neus waarop in nauwelijks leesbare hanenpoten letters waren gekrabbeld. Op het papier hingen enkele foto's waarop Bracke een geboeide Verlinden herkende, zijn ogen dichtknijpend voor het licht. Op een van de foto's hield een duidelijk versufte hoofdcommissaris de krant van gisteren vast.

Bracke had moeite om de letters te ontcijferen.

‘Het heeft me ook enige tijd gekost,’ bekende Van Aken. ‘Ik heb het voor je opgeschreven.’

Bracke wilde niet naar de notities van zijn baas kijken. In zulke situaties vertrouwde hij alleen zijn eigen ogen.

DAG 13 WAS MOEILIJK VOOR ONZE OMER. HIJ HEEFT WEER SLECHT GESLAPEN. GELUKKIG KON HIJ VANDAAG EINDELIJK WEER VAST VOEDSEL OPNEMEN. HIJ HEEFT EVEN ZIJN KNEVEL MOGEN AFDOEN EN VROEG METEEN NAAR JULLIE. VOORAL NAAR BRACKE. MAAR HIJ WEET NATUURLIJK NIET WAT IK WEET. DE DAGEN VAN GEORGE BRACKE BIJ DE POLITIE ZIJN GETELD. MAAR GOED OOK. HIJ HEEFT HET ZELF GEZOCHT.

Van Aken wachtte geduldig tot Bracke met zijn moeizaam puzzelwerk klaar was. Hij nam zijn bril af en wreef in zijn vermoeide ogen.

Bracke slikte. Dit was het ogenblik dat hij altijd gevreesd had.

‘Ik heb de foto’s al laten analyseren, en volgens het lab zijn ze authentiek. Dit is dus wel degelijk een bericht van de ontvoerder. Op zich is het goed nieuws, want we mogen aannemen dat Omer dus nog leeft. Maar zijn brief baart me zorgen. Het is niet minder dan een bedreiging, George, en dan vooral aan jouw adres. Heb je enig idee waar de ontvoerder het over heeft?’

Even moest Bracke naar woorden zoeken, en dat overkwam hem zelden of nooit. ‘Eerlijk gezegd, totaal niet, nee.’

‘Dan zal ik je geheugen even opfrissen,’ zei Van Aken. Met een grimmige trek op de mond gooide hij een dik dossier op tafel. Bracke keek verbaasd naar de stapel papieren en dan naar zijn chef.

‘Ik zal je het leeswerk besparen. Dit zijn allemaal klachten die de voorbije dagen tegen jou ingediend zijn na je, eh, optreden in de Wondelgemstraat toen je die vrouw verwondde.’

Bracke was perplex. Weer was hij, tegen zijn gewoonte in, sprakeloos. Met stijgende verbazing bladerde hij het dossier door.

‘Maar ik heb die vrouw helemaal niet geslagen! Het was een ongeluk zeg ik je!’

‘Al deze klachten zijn afkomstig van buren, die je aan het werk gezien hebben. Veertien getuigen tegen, en geen enkele voor. Ik moet er toch geen tekeningetje bij maken, George. Als dit ooit naar de pers uitlekt, hang je. Om nog maar te zwijgen van die gestapo's van Intern Toezicht. Hoe heb je dit in godsnaam kunnen laten gebeuren?'

Brackes reactie bleef in zijn keel steken. Hij had het gevoel dat hij ging stikken.

'Verdomme, George! En net nu we een paar vervelende gevallen van flikken met losse handjes hebben gehad! Ze zullen ons aan de schandpaal nagelen!'

'Ik kan het alleen maar blijven herhalen: ik heb die vrouw per ongeluk even met mijn elleboog aangeraakt, meer niet. En er was een klein opstootje, maar dat is in die buurt niet ongewoon. De politie is daar niet bepaald geliefd, zeker niet na onze laatste inval toen we al die huiszoekingen hebben uitgevoerd en negen drugdealers oppakten. Toen ik wegging, leek ze trouwens alweer gekalmeerd. Het is me echt een raadsel waarom al die mensen nu ineens een klacht hebben ingediend.'

Van Aken zuchtte. Bracke zag hem letterlijk denken, en dan was hij gevaarlijk.

'Ik persoonlijk zou je vanwege je onberispelijke staat van dienst het voordeel van de twijfel geven, maar je begrijpt dat ik dit hier niet bij kan laten. Zeker niet omdat eh, hoe zou ik het zeggen, ik gemerkt heb dat je de laatste tijd niet helemaal normaal functioneert. Ik wil zo snel mogelijk van je weten hoe groot de schade is.'

Damage control, dacht Bracke. Eerst proberen de brand een halt toe te roepen, en pas dan beginnen met blussen.

'Als ik heel eerlijk ben moet ik je gelijk geven,' gaf hij moeizaam toe. 'Er is inderdaad het een en ander gebeurd waar ik me niet goed bij voel.' Aarzelend begon Bracke te vertellen.

'Wel, het zit zo...'

Bracke was ruim een uur aan het woord. Van Aken zei niets, en noteerde de hele tijd. Op het einde van Brackes betoog gooide hij zuchtend zijn vulpen neer op tafel. *Red alert.*

'Je begrijpt dat je me tot actie dwingt, George. Beschouw je vanaf nu van je taken ontheven. Ik kan onmogelijk zeggen voor hoe lang, maar ik moet het algemeen belang van het korps voor ogen houden. Hou je thuis ter beschikking.'

'Thuis,' zei Bracke mistroostig. 'Thuis. Waar dat ook mag zijn.'

Van Aken stond op en gaf hem na enige aarzeling een geforceerd schouderklopje.

'Kop op, man. Aan het eind van elke tunnel wacht het licht. Als je me nu wilt excuseren, ik heb verdomd nog heel wat te regelen.'

Van Aken liet Bracke alleen in zijn bureau achter. Geruime tijd zat de commissaris doelloos maar wat voor zich uit te staren. Nu komt het zwaarste werk, dacht hij. Zijn hand reikte al naar de telefoon om Annemie te bellen, maar zijn spieren leken dienst te weigeren. Hij legde de telefoon van de haak en zat daar nog toen het buiten al donker werd.

*

Drie deuren verder liep Annemie nagelbijtend te ijsberen. Iemand gaat toch de eerste stap moeten zetten, dacht ze. En de bal ligt in zijn kamp.

Ze was al uren bezig om een biografie van Omer Verlinden op te stellen, dit op aanraden van de grote chef. 'Het mag bot klinken, maar we moeten op alles voorbereid zijn, ook op het allerergste,' had Van Aken weinig bemoedigend geklonken. Hoe cru ook, ze wist dat hij gelijk had. Hoe langer een ontvoering duurde, hoe groter de kans dat ze faliekant afliep. En dan zou ze ineens heel wat aan haar hoofd hebben.

Ze had zeker een halfuur verloren door de echtgenote van Verlinden die ze had proberen te kalmeren. De psychologe van het korps Nina Wijckmans was door Van Aken aangesteld om de vrouw zo veel mogelijk op te vangen, en dat had ze keurig gedaan. Nina voelde zich van nabij bij de ontvoering betrokken, omdat Verlinden bij de aanwervingsprocedure persoonlijk voor haar gepleit had. Maar vandaag was ze weggeroepen om de slachtoffers van een uitslaande brand in een appartementsgebouw met sociale woningen bij te staan.

Annemie had met haar mond vol tanden gestaan toen een op-en-top zenuwachtige Van Aken Irène Verlinden uit pure wanhoop met haar had doorverbonden.

'Ik word ziek van dat mens. En ik denk dat jij haar beter begrijpt, ik bedoel als vrouw.'

Wat kun je zeggen tegen iemand die je eigenlijk verafschuwt, maar die op het punt staat in te storten omdat haar echtgenoot ontvoerd is? En die bovendien tegenover de buitenwereld de schijn moet ophouden dat er niets aan de hand is? Annemie wist het ook niet, en tijdens het gesprek had ze meermaals de neiging gehad Nina van de slachtoffers van de brand weg te roepen. Een echt gesprek kon je het bezwaarlijk noemen: Irène foeterde op alles en iedereen, snotterde dat ze haar man niet meer levend ging terugzien en wilde in één moeite ook weten of het korps de kosten van de begrafenis voor zijn rekening zou nemen. Met heel veel moeite had Annemie er een paar woorden kunnen tussenkrijgen, en ze had de jeremiade eindelijk kunnen stoppen met de dooddoener dat nog heel wat werk te wachten lag.

'Ik stuur Nina zodra ze bij die brand weg kan.'

'Ja, meisje, doe dat.'

Uit ieders mond zou dat 'meisje' als een compliment geklonken hebben, maar Irène Verlinden slaagde erin het als een verwijt te laten klinken.

'We laten iets weten zodra er nieuws is.'

'Dat zou er nog aan mankeren!' had Irène het gesprek bits afgesloten.

Annemie kon de foto's van de hulpeloze Verlinden maar niet uit haar hoofd krijgen. Het was bijna niet voor te stellen dat de van zelfvertrouwen blakende, professionele politieoverste van de harde lijn en dit zielige hoopje ellende één en dezelfde persoon waren. Hij was nu al veertien dagen vermist, en wie weet in welke omstandigheden hij gevangenzat. Net als Van Aken had ze zich al talloze malen het hoofd gebroken over de motieven van de dader. Hij had nog altijd geen losgeld gevraagd, en het leek er ook niet op dat hij de politie publiekelijk te kakken wilde zetten. Hij had al ruimschoots de kans gehad om de ontvoering te laten uitlekken, maar had totnogtoe hardnekkig het stilzwijgen bewaard.

Het ellendigste van de zaak was dat ze niets konden doen, behalve lijdzaam afwachten. Die kerel had hen in zijn greep.

Uit de schaarse gegevens van het onderzoek in de gemeentelijke zaal van Appels was na getuigenverhoor in ieder geval gebleken dat meerdere personen een rolstoelgebruiker naar de kleedkamer hadden zien rijden. Niemand had de gehandicapte terug zien buitenkomen, maar de aanwezigen hadden er ook niet echt op gelet. De uitbater van de cafetaria hield die avond net happy hour, en dat was veel interessanter.

Wel had de inspecteur in zijn verslag genoteerd dat zich net naast de kleedkamer van Verlinden een deur naar de parkeerplaats bevond, wat het heel goed mogelijk maakte dat de ontvoerder Verlinden via die toegang ongemerkt in zijn wagen had kunnen stoppen. Niemand van de toeschouwers had de gehandicapte eerder gezien. Wat verwonderlijk was, want in deze kleine gemeenschap kende iedereen elkaar.

Het wilde maar niet vlotten. Annemie kwam nauwelijks verder dan de geboortedatum van Verlinden en een overzicht van zijn studies. Ineens vond ze dat ze toch wel erg voorbarig bezig was en besloot er dan maar mee te kappen voor vandaag. Buiten werd het trouwens al aardig donker. Maar goed dat haar moeder de kinderen na school had opgevangen.

Snel belde ze haar moeder Thérèse even op, om te melden dat ze zowat in aantocht was.

'Je weet dat je je nergens voor hoeft te haasten,' zei haar moeder, de eeuwige schat. 'Ik heb alles onder controle. De kinderen slapen al. Het is te zeggen, ze zijn op hun kamer. Jorg was wat bokkig, maar we hebben eens goed gepraat. Die jongen valt best mee, als je maar naar hem luistert.'

Het was niet als een verwijt bedoeld, maar Annemie voelde het wel zo aan. En het ergste was nog dat haar moeder gelijk had. Ze had zich al zo vaak voorgenomen om eens een dag voor Jorg uit te trekken, maar het leek er maar niet van te komen.

'Voor eten hoef je ook niet meer te zorgen. Ik had toch nog een reuzenlasagne in de oven. De kinderen hebben er al danig van gesmuld, maar er is voor jullie nog genoeg over.'

'Bedankt, moeder. En blijf voor ons maar niet op. Je weet hoe het hier gaat, hè.'

Ze maakten beiden een kusgeluidje in de hoorn en legden tegelijk op.

Toen werd er aangeklopt.

'Binnen,' riep ze. Hopend. Zou hij dan toch?

Bracke kwam resoluut binnen.

'We moeten eens praten. Ik bedoel, écht praten.'

'Dat vind ik ook,' zei Annemie opgelucht. Of toch niet helemaal. Het was eerder de zucht naar confrontatie, om eindelijk eens de mist te laten optrekken.

'Maar niet hier.'

Ze merkte hoe hij vermeed haar aan te kijken. Dat beloofde niet veel goeds.

'We hebben alle tijd. Moeder heeft de kinderen intussen al in bed gestopt.'

'Binnen een halfuur in de Carte Blanche. Ik vraag Walter of we in het kamertje boven mogen eten, dan worden we niet gestoord. En we rijden apart. Ik vertel je wel waarom.' Heel even was hij weer de nimmer besluiteloze Bracke van vroeger. Maar de aanraking waar ze op gehoopt had bleef uit. Geen zoen, geen hand die even door haar haren streek.

Bracke verdween als een schicht in de nacht. Ze zag hem de parkeerplaats verlaten, niet eens naar boven kijkend. Maar ze zou sterk zijn. Niet huilen.

Ze gooide haar theemok stuk tegen de muur. Maar ook dat luchtte haar niet op. Wat weerhield haar ervan om Bracke achterna te racen en hem onderweg klem te rijden? Het moest voor eens en altijd gedaan zijn met die geheimzinnigheid.

Ze vocht tegen haar tranen terwijl ze de scherven van haar mok opraapte. Maar ze zou niet plooien. Niemand zou iets aan haar merken. Ze schminkte zichzelf wat bij in haar handspiegeltje en weerstond de verleiding om een slok te nemen van de fles scotch die ze in haar kast voor hoge gasten opzij hield. The Glendronach 15 years

Sherry Cask[16], George had haar die fles nog cadeau gedaan om ze te bewaren voor mensen die het waard waren.

George, die naam sneed haar als een dolk door het hart. Wat was er in godsnaam toch allemaal gebeurd dat hen zo uit elkaar had kunnen drijven?

Annemie overliep de gebeurtenissen van de voorbije weken en begon een schema te maken. Ze stak het papier in haar handtas en nam dan toch een slok van de whisky.

De interne bode kwam een envelop brengen.

'Dat heeft iemand voor u gebracht, mevrouw Vervloet,' zei hij eerbiedig. 'Ik kon niet zien wie, daarvoor was hij te snel weer weg.'

Nieuwsgierig opende Annemie de envelop. Misschien moet ik het eerst op antrax laten onderzoeken, schoot het door haar hoofd. Maar ze was natuurlijk weer veel te achterdochtig.

De envelop bevatte alleen twee sleutels en een kaartje met enkele onhandige krabbels. 'Durf je te gaan kijken, Annemie? Graaf van Vlaanderenplein 13c.'

Haar verstand zei dat dit iets voor een rechercheur was, maar ze kon het niet laten. Met gierende banden reed ze naar het Zuidkwartier. Ze zette haar wagen in de ondergrondse parkeergarage en holde de trappen met twee treden tegelijk op.

Voor het appartement bleef ze even staan, twijfelend of ze dit wel zou doen. Ze had het nummer van Cornelis al ingetoetst, maar maakte uiteindelijk toch geen verbinding.

Ze keek naar de brievenbussen. Nummer 13c stond op naam van Nelly Maes.

Zonder er verder bij na te denken stopte ze in de hal de sleutel in de deur en ging op zoek naar het juiste nummer.

13c lag op de tweede verdieping. Ze luisterde even met haar oor

16 Gerijpt in een sherryvat, wat mee het volle, rijke smakenpalet bepaalt. Een behoorlijk zware whisky met duidelijke houttoetsen. In de bomen rond de distilleerderij van deze Highlander huist een kolonie roeken die volgens de overlevering geluk brengt.

tegen de deur en klopte dan aan. Geen geluid. Die geheimzinnigheid moest voor eens en altijd gedaan zijn. Ze haalde nog eens diep adem en ging dan naar binnen.

Het appartement was bepaald luxueus, met een lederen sofa en trendy meubelen. Er woonde duidelijk iemand met geld, al had ze geen smaak. Ook de kleur van de muren vloekte met de inhoud.

De inhoud. Annemie verstijfde. Aan een van de muren hing een wat wazige foto van een blonde stoot, wellicht Nelly. Ze kuste iemand die Annemie maar al te goed kende. Het was haar echtgenoot George Bracke.

En dat was nog niet de ergste schok. Op de vloer lag een van de tangaslips die ze hem voor zijn verjaardag gekocht had. Verslagen ging ze zitten en bestudeerde nu het appartement zorgvuldig, geen enkel detail overslaand.

Voor ze de flat weer verliet, keek ze of niets haar aanwezigheid kon verraden. Maar het was overbodig werk. De deur ging open. Een blonde vrouw kwam fluitend binnen en gooide haar sleutels op de kast. Ze was duidelijk in haar schik. Verschrikt merkte de blondine toen pas Annemie op.

'Nelly Maes, veronderstel ik?' zei Annemie ogenschijnlijk kalm, maar haar hart bonsde in haar keel.

'Ben jij het,' beefde Nelly.

'Laat ons gezellig wat kletsen, aangezien wij blijkbaar het een en ander delen. We hebben genoeg om over te praten, dacht ik,' klonk Annemie droog

'Doe me geen pijn,' kromp Nelly ineen. Van haar branie bleef niets meer over.

Toen Annemie een goed halfuur later voor de deur van Carte Blanche parkeerde, stond gastheer Walter haar al met een brede glimlach op te wachten. Ze proefde nog steeds de dropachtige nasmaak van de stevige Speyside malt.

17

Donker. Koud. De tijd stond stil. Hoe lang was het al geleden dat hij nog echt geslapen had? Omer Verlinden was het stadium van acute honger en dorst allang gepasseerd. Hij was zo zuinig mogelijk op de grote waterfles geweest, en had geprobeerd om tussendoor zijn gedachten te ordenen. Telkens als de dorst hem te machtig werd, dwong hij zichzelf om eerst tot duizend te tellen vooraleer een slok te nemen. Het water smaakte zoet en bevatte waarschijnlijk suiker, dus was het ook nog voedzaam.

De eerste dagen was de drang om zich te ontlasten groot geweest. Eén keer had hij zich niet kunnen bedwingen en had hij in zijn broek gescheten. Nood breekt wet, hield hij zichzelf voor. Ik weiger me hiervoor te schamen. De gedachte dat hij in zijn eigen uitwerpselen lag vervulde hem met walging, maar hij wende eraan. En na enkele dagen zonder voedsel hoefde hij ook niet meer zo nodig. De schaarse slokjes water die hij tot zich nam waren wellicht maar net voldoende om zijn lichaam op gang te houden, want hij had geen nood aan plassen.

Naar zijn gevoel zweefde hij nu al verschillende dagen in een toestand van half waken en af en toe indutten zonder echt van slapen te kunnen spreken. De ongemakkelijke houding met die verrekte boeien deed zijn spieren verkrampen.

Maar ik leef nog! murmelde hij strijdlustig. Hij spitste zijn aandacht toe op het rietje, dat hij vooral niet mocht verliezen.

Welk weer zou het buiten zijn? Vreemd toch dat een mens in nood aan dergelijke banale dingen dacht. Maar hij herinnerde zich het gesprek met FBI-woordvoerder Bresson, die een studie bij getraumatiseerde Amerikaanse soldaten had uitgevoerd. De soldaten waren na een *rescue operation* uit een Vietnamese gevangenis bevrijd na meer dan twee jaar gevangenschap. Allen waren ze zwaar mishandeld en gefolterd, en meer dan de helft had het niet overleefd. Uit deze ondervragingen bleek dat diegenen die erin slaagden hun geest van de horror af te sluiten en hun gedachten concentreerden op ogenschijnlijk banale dingen zoals de smaak van de pikante saus in hun lokale Chicken Wings Diner of de maat van de bh van hun eerste vriendinnetje het meest kans maakten om deze gruwelen geestelijk te overleven. Soldaten die over hun lot zaten te piekeren en het scenario van hun wrede dood voor hun ogen zagen afspelen waren een vogel voor de kat. Sommigen konden niet meer eten, en waren meteen veel minder bestand tegen de onmenselijke behandeling die hen te beurt viel. En wie zich zwak opstelde, was een gewillige prooi voor de folteraars.

Mijn Porsche, dacht Verlinden. Ik wil lederen zetelhoezen. Een minibar waarin steeds champagne ligt. Ik zal nooit meer kankeren op Bracke. We gaan samen een proefrit maken, en hij mag zelfs eens rijden. Auto's zeggen hem niet veel, denkt hij. Tot hij aan het stuur van een Porsche gezeten heeft. Die ongebreidelde kracht die je onder je kont voelt sluimeren, de machtige vibraties van de motor. De nieuwsgierige, jaloerse blikken van de mensen langs de kant.

Hij dronk behoedzaam nog een slok water. Langzaam dommelde hij in. De fles was op een bodempje vol suikerbezinksel na helemaal leeg.

*

Net op hetzelfde ogenblik reed Abdel Hassim met zijn partner op nog geen vijftig meter afstand van de keldergewelven voorbij. Hun dienst zat er eigenlijk al op, maar Hassim wilde van geen ophouden weten. Niet nu het spoor warm was. Al was 'warm' na meer dan dertig jaar relatief.

'Kan het echt niet wachten tot morgen?' zeurde Daeninck zoals alleen hij dat kon. 'Laat die vrouw toch in vrede rusten. Geen haan die ernaar zal kraaien als we er eerst nog een nachtje over slapen.'

'Je hoeft niet mee te komen,' zei Hassim. 'Van Aken heeft me gevraagd zo snel mogelijk de familie van het slachtoffer in te lichten, en daar houd ik me aan. Ook al is het ruim dertig jaar geleden dat ze verdween.'

'Jij uitslover. Waar rijden we naartoe?'

'Grondwetlaan 79.'

'En daar woont?'

'Eddy Rijmenans.'

'Zoon van onze dooie,' raadde Daeninck. 'Ik had het kunnen weten. Hebben we nu al een positieve identificatie?'

Hassim knikte.

'Van Aken heeft me net het rapport gegeven. Het gaat inderdaad om Geraldine Rijmenans, verdwenen in de kerstperiode van 1972. Getrouwd met Rudy Rijmenans, destijds directeur van een veevoederbedrijf, hertrouwd met een Franstalige schooldirectrice op rust en vreedzaam gestorven in 1994. Ze hadden twee kinderen. De dochter heet Liliane, en ze moet nu ongeveer 45 zijn,' zei hij uit het hoofd. 'Van haar ontbreekt voorlopig elk spoor. Dan hebben we nog de zoon Eddy. Hij is intussen zelf al 59 en enige tijd werkloos. Ik heb nog geen tijd gehad om verdere gegevens over hem te verzamelen. Maar dat kan tot morgen wachten. Het belangrijkste is dat hij op de hoogte wordt gebracht van de dood van zijn moeder.'

'Alsof hij dat niet had kunnen vermoeden,' knorde Daeninck, die op zijn horloge keek. 'Binnen vijf minuten zit mijn dienst erop. En ik had Cindy beloofd om vanavond samen naar de film te gaan. Tom Cruise heeft naar het schijnt weer een misbaksel afgeleverd. Cindy is gek op die slijmbal. Maar achteraf is ze wel als was in mijn handen.'

'Je kunt nog altijd de laatste voorstelling halen.'

'Dan moet ik haar zeker even bellen om te laten weten dat het laat kan worden,' zei Daeninck. 'Je kent die wijven. Als ik dat niet doe, krijg ik het toch maar weer naar mijn kop.'

Hassim had het allang opgegeven nog te reageren. Hij zou zo zelfs niet over een vrouw durven te denken, laat staan erover te spreken. Maar ieder moest op zijn manier zijn leven leiden.

'Zeg, wat is dat met Bracke?' vroeg Daeninck. 'Ik heb gehoord dat hij geschorst is. Wat heeft hij mispeuterd? Zijn handen verbrand door de centen van de belastingbetaler te verbrassen? Die verwaande kwast ook. Ik heb gehoord dat meneer alleen whisky van meer dan vijftig euro de fles lust. En dat allemaal met zijn flikkenpree zeker, maak dat een ander wijs. Ik drink ook graag een stevige borrel, maar ik blaas niet zo hoog van de toren. Een Long John uit de Aldi is even goed.'

Hassim kende niets van sterke drank en hield wijselijk zijn mond. Het deed pijn dat Daeninck zo over Bracke sprak. Toen hij het nieuws van de schorsing gehoord had, was hij even van de kaart geweest. Bracke had hem al zo vaak geholpen, en ook op Annemie kon hij altijd een beroep doen.

'Zo zie je maar, ook die heren aan de top kunnen hun boekje te buiten gaan,' ging Daeninck verder met zijn genadeloze inquisitie. 'Ik heb daar geen medelijden mee. Ze moeten die vent streng aanpakken.'

'Er is nog niets bewezen,' kon Hassim niet laten Bracke te verdedigen. 'Hij is alleen preventief geschorst.'

'Dat geloof je zelf toch niet? Geen rook zonder vuur. Kun je hier even stoppen?' vroeg Daeninck. 'Ik heb honger. Jij ook iets? Ik trakteer.' Dat vond hij heel genereus van zichzelf, maar Hassim maakte een afwerend gebaar.

Daeninck bestelde bij de frituur een groot pak friet met stoofvlees, een gehaktbal en twee frikadellen met samoeraisaus en mayonaise. De uitbater had even de reflex op de vlucht te slaan, maar herpakte zich net op tijd toen hij zag dat de inspecteur gewoon iets kwam bestellen. Hassim maakte er een mentale aantekening van.

Hij reed verder naar de Grondwetlaan en wachtte geduldig voor nummer 79 tot Daeninck klaar was met zijn avondmaal. De wagen stonk naar de frieten, en hij dacht al verlekkerd aan de dampende couscous van zijn vrouw die nu thuis stond koud te worden. Maar het werk ging voor, en zij deed daar niet moeilijk over.

Binnen brandde licht. Hassim had Rijmenans verwittigd van hun komst zonder de reden van het bezoek te verklappen. De deur ging al open voor ze aangebeld hadden.

Hassim kwam meteen ter zake. Hij had goed geluisterd tijdens de cursus *Brengen van slecht nieuws* die Nina Wijckmans aan de nieuwelingen gaf. Een van de ideeën van Verlinden die intussen zijn waarde al bewezen had.

'Meneer Eddy Rijmenans?'

'Jawel. Wat kan ik voor u doen? Aan de telefoon klonk u nogal, eh, ernstig.'

‘We hebben uw moeder gevonden.’

Eddy Rijmenans verbleekte. Hij moest even gaan zitten.

‘Hoe? Ik bedoel, waar?’

Hassim vertelde van de ontploffing in de Maïsstraat en het lichaam dat ze onder het puin hadden gevonden.

‘Wellicht heeft u over dat geval iets in de krant gelezen.’

‘Het nieuws interesseert me niet,’ zei Rijmenans. ‘Ik lees nooit kranten, en ik heb zelfs geen televisie. Maar bent u er zeker van dat het mijn moeder is? Ik bedoel, na zoveel jaar.’

‘Onderzoek van het gebit heeft een positieve identificatie opgeleverd,’ zei Hassim op overtuigende toon. ‘Heeft u foto’s van haar?’

Rijmenans pulkte nadenkend aan zijn neus.

‘Ik moet er wel ergens hebben liggen. Maar zoals u ziet ben ik niet bepaald het type dat veel schoonmaakt.’

Dat was nog zacht uitgedrukt. Rijmenans leefde duidelijk alleen. Niet dat hij geen moeite deed om de boel te onderhouden, maar over de stoelen hingen lukraak gebruikte broeken en hemden. Hassim zag op het aanrecht ook een stapel vuile borden staan.

‘Ik probeer wel,’ verontschuldigde Rijmenans zich. ‘Maar dan denk ik: waarom al die moeite doen? Ik heb geen vrouw of kinderen, dus...’

‘De foto’s?’ drong Hassim zachtjes aan.

‘Tja, ik zal even moeten zoeken. Ik moet u bekennen dat ik allang niet meer aan mijn moeder gedacht heb, toch niet meer sinds mijn vader gestorven is. Dat was in eh...’

‘1994,’ wilde Daeninck aan Hassim bewijzen dat ook hij goed had opgelet.

‘Juist, in 1994. Wat vliegt de tijd. Zijn tweede vrouw is niet lang nadien ook overleden.’

Rijmenans haalde een grote kartonnen doos uit de kast.

‘Hier zit vast wel iets tussen.’ Hij graaide in de doos en haalde allerlei rommel boven. Oude vergeelde schoolschriften, kindertekeningen, en ook pakken foto’s.

‘Kunt u iets vertellen over haar verdwijning?’

‘Tja, dat was een vreemde historie,’ zei Rijmemans terwijl hij verder zocht. 'We spreken over het jaar 1972, rond Kerstmis. Eerlijk gezegd weet ik daar niet zoveel van, want ik werkte toen als vrachtwagenchauffeur, internationaal transport. Ik woonde alleen en kwam niet zo vaak meer thuis op bezoek.'

'Bent u altijd vrachtwagenchauffeur geweest?' voelde Daeninck zich verplicht om ook eens een vraag te stellen. Hij keek naar de foto's aan de muur waarop Rijmemans met een koksmuts stond te poseren.

'Eh, nee. Ik heb tijdens mijn loopbaan meerdere jobs uitgeoefend. Zo was ik onder meer loodgieter, magazijnbediende, meubelmaker en aan het einde ook kok. En dan vergeet ik nog wel enkele betrekkingen.'

'Een merkwaardig curriculum,' vond Hassim. 'Vanwaar die verscheidenheid?'

'Ik kon moeilijk ergens aarden. En ik was niet het soort om me in een bedrijf te settelen. Vroeger waren het natuurlijk andere tijden. Ik heb altijd graag met mijn handen gewerkt, en steeds goed mijn boterham verdiend. Een paar keer heb ik een eigen bedrijfje proberen op te richten, maar dat lag me niet. Ik moet vrij zijn, en dat gedoe om omzet te halen en toestanden met personeel en de sociale wetgeving hebben me al snel doen inbinden.'

'Had uw vader niet zijn eigen veevoederbedrijf? Kon u daar niet aan de slag?'

Rijmemans pufte.

'Dat had ik zeker gekund, maar ik wilde niet. Als het van mijn vader had afgehangen, was ik hem als bedrijfsleider opgevolgd. Maar dan zou ik gek geworden zijn. En eerlijk gezegd, het was geen gemakkelijk man. Om de haverklap had hij ruzie met mijn moeder. Hij heeft me af en toe tijdens moeilijke periodes wel eens financieel geholpen. Maar ja, waar heb je anders een vader voor.'

Hassim nam ijverig notities.

'Zou het op die kerstdag uit de hand gelopen kunnen zijn?'

Rijmemans haalde zijn mondhoeken op.

'Wie weet. Ik zat die dagen voor mijn baas in Keulen, om allerlei spullen voor de kerstmarkt te transporteren. Ik kwam pas na nieuwjaar terug. Toen ik thuis mijn wensen kwam overbrengen, trof ik mijn vader reddeloos aan en ook mijn zus was in alle staten. Moeder was al ruim een week verdwenen, en hij had nog niet eens de politie gebeld. Maar het is ook allemaal zo lang geleden. Heeft het nog zin dat weer op te rakelen?'

'Was uw vader van het gewelddadige type?'

Rijmenans keek Daeninck onderzoekend aan.

'Wat vraagt u me nu eigenlijk? Denkt u misschien dat mijn vader mijn moeder vermoord heeft?'

'Zolang er geen bewijzen pro of contra zijn, denken of verwerpen wij niets,' kwam Hassim sussend tussenbeide. 'Mijn collega probeert zich alleen een beeld van uw vader te vormen. En aangezien hij niet meer leeft moeten we wel op getuigen afgaan.'

'Ik begrijp wat u bedoelt. Mijn excuses. Zoals gezegd, heel veel contact met mijn ouders had ik niet meer. Ik merkte wel dat er spanningen waren, maar dat had dan meestal met geld te maken. Het is te zeggen, mijn vader verdiende heel goed met zijn bedrijf, en mijn moeder had een gat in haar hand. Kleding, juwelen, vakanties, het kon nooit duur genoeg zijn.'

'Had dat gevolgen voor het bedrijf?'

'Nee. Mijn vader heeft destijds schatten verdiend toen het in de veevoedersector allemaal zo nauw niet stak. Veel in het zwart en zo, ik moet daar wellicht geen tekeningetje bij maken. Mijn moeder mocht van hem niet uit werken gaan, want dat zou in zijn ogen gezichtsverlies geweest zijn. Maar ze was niet het type vrouw dat hele dagen thuisblijft en kookt voor haar echtgenoot. Wel had ze een tuin waarin ze vaak zat te wroeten, maar alleen als ze zin had. Ze had wat bloemen en kruiden, van het soort waar weinig werk aan was. Veel liever ging ze met haar vriendinnen op stap.'

'En wat vond u daarvan?' vroeg Hassim. Over deze vraag moest Rijmemans duidelijk even nadenken.

'Ik? Niets eigenlijk,' zei hij ontwijkend. 'Mijn ouders waren volwassen mensen. Ze deden wat ze wilden.'

'Om de vraag van mijn partner te herhalen: was hij opvliegend van aard?'

'Niet meer dan een ander. Als kind kreeg ik soms wel eens een oorvijg, maar dat was in onze tijd nu eenmaal zo. Ik kan niet zeggen dat ik hem moeder ooit heb zien slaan. Maar zoals gezegd, de laatste jaren kwam ik er nog nauwelijks.'

'Volgens ons dossier heeft u op uw zuster na geen verdere familie meer,' zei Hassim. 'Is er nog iemand die ons iets meer over uw ouders kan vertellen? Vrienden of buren?'

'Dat denk ik niet. Voor zover ik weet zijn al hun kennissen intussen ook overleden.'

'Heeft u nog contact met uw zuster?'

'Nee. We zijn niet echt een familie die veel met elkaar optrekt. Ik heb eerlijk gezegd zelfs geen flauw idee of ze nog leeft.'

'Laat het ons weten als je haar toch zou vinden,' schoof Hassim Rijmemans een adreskaartje toe. 'Nog één vraag: wat is er met het geld van uw vader gebeurd? Vergeef me de uitdrukking, maar het lijkt hier niet bepaald een vetpot.'

'Na het verdwijnen van mijn moeder is hij steeds zwaarder gaan gokken. Eerst viel zijn verlies nog mee, maar je weet hoe dat gaat. Hij heeft er zijn hele fortuin doorgejaagd. Nu ja, dat was zijn goed recht natuurlijk, het waren zijn centen.'

Hassim sloot zijn notitieboekje.

'Zo, ik denk dat we rond zijn voor vandaag.'

'Ik moet haar toch niet gaan identificeren?' rilde Rijmenans.

'Dat zal niet nodig zijn,' kon Hassim hem geruststellen. 'We houden u in ieder geval van de verdere verwikkelingen op de hoogte. 'Ik denk dat de procureur het lichaam binnen een paar dagen wel zal vrijgeven voor de begrafenis.'

'Ook dat nog,' pufte Rijmemans. 'In ieder geval bedankt om het nieuws te brengen. Ook al is het allemaal al zolang geleden, het blijft toch mijn moeder. En zolang ze niet gevonden was, bleef er die onzekerheid over haar lot.'

'Nog een goedenavond, meneer Rijmemans.'

Ze waren nauwelijks buiten, of het licht ging al uit.

'Meneer Rijmemans gaat blijkbaar vroeg slapen,' constateerde

Daeninck. 'Als ik me haast, kan ik misschien nog net de filmvoorstelling halen.'

'Eén ding is vreemd,' knabbelde Hassim op zijn gedachten.

'Dat hij ons niets te drinken aanbood. Er stonden nochtans een paar dure flessen cognac in de kast,' raadde Daeninck.

Abdel keek zijn partner hoofdschuddend aan.

'Hij heeft ons niet eens gevraagd wat er met zijn moeder gebeurd is.'

'Tja, hij leek niet bepaald overmand door verdriet. Maar hoe zou je zelf zijn als na meer dan dertig jaar ineens twee ijverige flikken op de stoep staan met de melding dat ze je moeder eindelijk gevonden hebben.'

18

'Nu weet je alles, voor zover ik het zelf weet.'

Bracke veegde zijn mond zorgvuldig schoon en vermeed Annemie aan te kijken. Het leek alsof een zware last van hem af gevallen was. Hij had het gevoel dat hij eindelijk wat vrijer kon ademen. Hij was niet het soort man dat lang met geheimen kon rondlopen.

Annemie herkauwde wat hij haar allemaal verteld had. Uiteindelijk had ze de kookkunsten van chef Paul toch niet kunnen weerstaan, en ze verbaasde zichzelf omdat ze alles keurig had opgegeten. En dat hoewel ze er met haar gedachten absoluut niet bij was geweest. Gastheer Walter had begrepen dat ze discretie wensten, zodat ze in alle rust hadden samen gezeten.

'Ik zie ook geen andere oplossing,' zei ze. 'We moeten het dan maar doen. En liefst meteen. Het heeft geen zin ermee te wachten.'

Bracke was het met haar eens.

'Ik stel voor dat we het morgen samen aan de kinderen vertellen.'

Ze gingen samen naar buiten. Bracke wilde betalen, maar Walter legde zijn hand op de onderarm van de commissaris.

'Laat maar zitten. Dit was een etentje van het huis, voor bewezen diensten. Paul en ik hadden het gisteren toevallig nog over je.'

Bracke glimlachte flauwtjes. De twee uitbaters van het restaurant hadden ooit problemen gehad met een anonieme stalker, die te pas en te onpas telefoneerde en de gevel bekladde omdat hij niet kon leven met de gedachte dat twee mannen samen een bestaan hadden opgebouwd. Bracke had de zaak snel opgelost en de dader, een jaloerse restaurantuitbater die op de rand van het faillissement stond, ontmaskerd.

Ze stonden elkaar op de stoep besluiteloos aan te kijken. De stilte woog zwaar.

'Dan ga ik maar,' zei Bracke. 'Tot morgenvroeg.'

Hij twijfelde of hij haar zou zoenen, maar vond het uiteindelijk niet gepast. Hij draaide zich om en wandelde naar zijn wagen.

Annemie bleef hem nakijken tot hij uit de bocht verdwenen was en nam dan ook plaats in haar auto. Ze kwam er blijkbaar niet toe hem te starten.

Binnen keek Walter bezorgd door het raam, en overwoog te vragen of er iets scheelde. Toen zag hij dat Annemie aan het bellen was. Discreet schoof hij het gordijn weer dicht.

Aan de overkant van de straat stond het raampje van een ingedeukte auto op een kier. Door de opening kringelde witte tabaksrook naar buiten.

Adamo roffelde vrolijk de maat van de muziek mee op het dashboard. *Les filles du bord de mer*, zijn stem kwam uit boven die van zijn grote idool. De cassette haperde af en toe wegens veelvuldig gebruik.

In de wagen van George Bracke speelde op dat moment toevallig hetzelfde liedje, maar dan in de ruwere, doorleefde versie van Arno. Bracke zong niet mee. Hij draaide de volumeknop helemaal open, maar registreerde de muziek niet. Zwarte gedachten flitsten door zijn hoofd, en hij kon achteraf met de beste wil van de wereld niet zeggen welke weg hij genomen had.

Ineens stond hij voor het Novotel.

'Komt u toch binnen, commissaris,' zei de portier.

Bracke had geluk. Er was een internationaal congres van nierspecialisten in de stad, en alle hotels zaten vol. Maar voor hem kon de bruidssuite er wel af.

Bracke lag moederziel alleen in het grote bed te woelen. Hij moest zich bedwingen om niet naar Annemie te bellen. Hij was er zeker van dat ze ook niet zou kunnen slapen.

Annemie had de telefoon al in de hand. Gelukkig sliepen de kinderen, zich nog niet bewust van wat hen boven het hoofd hing. Op de trap was ze bijna tegen haar moeder aangebotst, die naar het toilet ging. Op de overloop had ze in het kort verteld wat ze met Bracke had afgesproken.

In tegenstelling tot haar dochter had Thérèse haar tranen wel de vrije loop gelaten.

Het liep al tegen de ochtend aan toen Bracke eindelijk indutte.

Het was een weinig verkwikkende slaap waarin hij van Verlinden droomde. Verlinden die onbeholpen een tango met Annemie danste, en ze lachten met Bracke die door Cornelis vergiftigd was.

Stipt om zeven uur werd hij door een bediende van het hotel gewekt, zoals hij gevraagd had. Hij besloot snel een ontbijt te nemen, want zijn bezoek thuis zou tot het allernoodzakelijkste beperkt blijven. Snel wat spullen bij elkaar grabbelen, de kinderen kort uiteenzetten hoe de situatie was en dan wegwezen. Beter de korte pijn dan de lange.

Bracke was nog nooit met zoveel tegenzin naar huis gereden. Mocht hij het eigenlijk nog wel thuis noemen?

Hij aarzelde even of hij zou aanbellen, maar gebruikte uiteindelijk dan toch maar zijn sleutel.

Thérèse stond in haar peignoir koffie te drinken.

'Je weet het dus al,' zag hij in één oogopslag. Thérèse zei niets. Ze kon niet. Haar keel zat helemaal dicht.

De kinderen zaten alledrie aan de ontbijttafel. Julie keek verbaasd op toen ze haar vader ineens langs de voordeur naar binnen zag komen.

'Kinderen, je moeder en ik moeten jullie iets vertellen,' zei Bracke, zoekend naar de juiste woorden. Hier bestond geen handleiding voor.

Julie liet van het schrikken haar boterham vallen, met de gesmeerde kant naar beneden. Dat klonk niet bepaald veelbelovend.

Bracke was een hele tijd aan het woord, af en toe bijgestaan door Annemie. Nog nooit hadden de kinderen zo aandachtig naar hem geluisterd. Hij vertelde alles in één ruk, zonder iemand aan te kijken.

'En daarom hebben je moeder en ik besloten dat het beter is een tijdje uit elkaar te gaan. Niemand hoeft zich schuldig te voelen, het is gewoon allemaal zo gelopen zonder dat we er vat op hadden.'

Daar viel niets aan toe te voegen. Je kon een speld horen vallen. Niemand had nog zin om te eten.

'Tijdelijk. We zien wel,' probeerde Annemie nog iets van de situatie te redden.

Bracke was intussen naar boven gegaan. In zijn werkkamer graaide hij snel wat spullen bij elkaar. Op de slaapkamer nam hij een reiskoffer en deed er lukraak wat kleren in. In de badkamer nam hij zijn scheergerei en tandenborstel. Hij zocht nog even naar zijn pantoffels, maar die waren nergens te bespeuren. Even overwoog hij of hij zijn privé-collectie whisky zou meenemen, maar besloot het uiteindelijk toch niet te doen. Dat was hem net iets te definitief.

In de keuken zaten ze nog allemaal in dezelfde positie te wachten, alsof ze niet wilden geloven dat hij echt opstapte.

'Dan ga ik maar,' zei Bracke. 'We houden contact. En jullie kennen mijn nummer.'

Hij voelde de blikken in zijn rug branden, maar keek niet meer om. Hij liet de deur naar zijn zin veel te hard dichtknallen.

*

'Het is maar even, tot ik iets anders gevonden heb. Toch bedankt, André.'

'We zwijgen erover,' legde Cornelis zijn partner meteen het zwijgen op. 'Waar zijn vrienden anders voor? Het is hier wel geen grote luxe, maar we zullen ons wel uit de slag trekken. Veel last zul je van mij niet hebben, want ik verblijf enkele dagen bij Bart. We hebben nog het een en ander te regelen, en na dat weekje in het Zwarte Woud hadden we elkaar nog nauwelijks gezien.'

'Dat klotewerk ook,' knorde Bracke.

*

Stilaan begon Hassim het gevoel te krijgen dat hij behoorlijk onderlegd werd in het graven in andermans verleden. Zijn zoektocht naar de achtergronden van Geraldine Rijmenans had al een aantal interessante wetenswaardigheden opgeleverd.

Kennissen of rechtstreekse getuigen had hij niet gevonden, maar ook de hulp van Staelens kwam eens te meer van pas. Navraag bij enkele juweliers leerde dat Geraldine op meerdere plaatsen een goede, loyaal betalende klant was geweest. In de periode 1968-1972 had ze volgens de boekhouding bij drie bekende juweliers ruim een miljoen frank uitgegeven, telkens contant.

Ook Daeninck begon de smaak te pakken te krijgen. Een deel van het korps was discreet bezig met het onderzoek naar de ontvoering van Verlinden, maar zij hadden van de chef de opdracht gekregen zich in het dossier-Rijmemans vast te bijten.

'Ze had dus duidelijk geld,' zei hij. 'En als ze zo vaak met cash op straat liep, kan ze natuurlijk gewoon voor haar centen vermoord zijn.'

'Dan heeft haar moordenaar wel een behoorlijk omslachtige manier gekozen om haar van kant te maken. Zoals Bracke of Cornelis zei: ze is wellicht vermoord door iemand die haar goed kende.'

'Het blijft gissen. En we kunnen helaas niet teruggaan in de tijd. Wat is er trouwens met haar erfenis gebeurd?'

'Goede vraag,' zei Hassim. 'Daar kun jij misschien werk van maken.'

'Zodat jij op je luie krent kunt liggen, zeker. Jij niet, makker,' plaagde Daeninck.

'Ik heb nog iets anders te doen. Er zijn een paar dingen die mij niet bevallen.'

'Zolang het maar weer geen overwerk wordt,' zeurde Daeninck. 'Ik was gisteren bijna Cindy's verjaardag vergeten, stel je voor. Gelukkig kon ik nog net mijn vege lijf redden met de boodschap dat het kreeftenrestaurant waar ik haar in de bloemetjes wilde zetten gesloten was, maar vanavond kan ik er niet aan ontsnappen. Kreeft verdorie, had ik niets anders kunnen bedenken. Daar gaat het geld van mijn overuren.'

*

Van Aken kwam met een rood hoofd briesend van woede bij Annemie binnengestormd.

'Het is ongehoord!'

Annemie kende haar baas intussen voldoende om te weten dat ze hem best wat stoom kon laten afblazen. Toch vreesde ze even voor lijf en leden. Van Aken nam een stoel op en slingerde die zover hij vliegen wilde, knal tegen de muur. Zo kwaad had ze hem nog nooit gezien.

'Als je nu eens even ging zitten en mij vertelt waar het om gaat,' zei ze rustig. Ze schonk hem een kop kruidenthee uit. Haar beheerste reactie kalmeerde hem ietwat.

Hij dronk de thee in één teug leeg en plofte de mok op tafel. Kalm maar, dacht Annemie, het is mijn laatste. Ik heb de laatste tijd zelf ook het een en ander stukgegooid.

'Deschacht en Dorekens,' bromde hij. 'Ze zijn een schande voor het korps.'

Annemie wachtte geduldig tot hij helemaal was uitgeraasd. Ze knikte uitnodigend.

'In welk opzicht?'

'Dit keer hebben ze het te bont gemaakt. Ze hadden al eens een tuchtonderzoek aan hun broek, maar dit is anders. Nu kunnen we ze onmogelijk de hand nog boven het hoofd houden.'

Van Aken wiste het zweet van zijn voorhoofd. Annemie vermoedde dat die twee iets ernstigs op hun kerfstok hadden. Ze waren nog maar net gerehabiliteerd na hun vorige misstap. Enkele maanden geleden hadden ze zich bij een arrestatie van een jonge migrant behoorlijk misdragen. Bij de aanhouding van een jeugdige Marokkaan, die achteraf volledig onterecht bleek te zijn, hadden ze niet alleen de knaap maar ook twee toevallige passanten in elkaar geslagen. Deschachts ongelukkige opmerking voor de tuchtraad dat hij alle *makaken* haatte was niet bepaald van aard geweest om de oversten gunstig te stemmen, en ze werden allebei twee maanden zonder loon geschorst. Van Aken had de twee een donderpreek gegeven waarvan de muren nog natrilden.

'Nog één blunder en ik schop jullie er eigenhandig uit! Knoop dat goed in jullie oren!

In het kader van de opendeurpolitiek had Annemie de opdracht gekregen om de ontwikkelingen in dit dossier *as soon as possible* aan de pers door te geven, een hoogst onaangename taak voor het imago van de politie want de zaak was in het lang en het breed besproken geweest. Toch was Van Aken uiteindelijk versterkt uit de strijd gekomen. Aan deze affaire had hij het imago overgehouden van de strenge generaal die met ijzeren hand over zijn troepen heerste.

'Die stommeriken dachten dat niemand het zou merken als ze smeergeld aannamen. Bij wijze van straf waren ze in de wijk van het Glazen Straatje gestationeerd, maar ze namen hun taak iets te letterlijk op,' sakkerde Van Aken. 'Het is uiteindelijk Cornelis geweest die erop uitkwam. Die twee smeerlappen lieten zich door de meisjes betalen voor zogenaamde protectie. Klanten die wat te opdringerig waren of niet wilden afdokken werden voor ondervraging opgepakt, en ze vonden altijd wel een of andere reden. Een vervallen rijbewijs, desnoods een te oude foto op de identiteitskaart, alles was goed om zich als de grote beschermers van de dames van plezier op te werpen.'

Hier zou de publieke opinie van smullen, dacht Annemie. Ze wist meteen dat haar drukke dagen te wachten stonden, want Van Aken zou geen genade kennen. Hij zou deze zaak tot op het bot uitspitten en de twee inspecteurs meedogenloos aan de schandpaal spijkeren. Hem kennende was hij inderdaad in staat ze zelf in het cachot te schoppen.

'De heer Deschacht streek maandelijks vier- tot vijfduizend euro extra op en was zo stom ze ook nog op zijn spaarboekje te zetten. Dierkens liet zich liever in natura betalen of kocht af en toe een zak weed,' sakkerde Van Aken. 'Wie heeft die twee uilskuikens in godsnaam aangenomen!'

'Het is nog een erfenis van de politiehervorming,' herinnerde Annemie zich het dossier van de twee inspecteurs die door de leiding van de vroegere politie de hand boven het hoofd werd gehouden.

'Daar zitten wij mooi mee opgescheept,' zei Van Aken gelaten. 'Nu ja, we kunnen de klok niet meer terugdraaien. Ik vrees dat je een drukke tijd tegemoet gaat. Zal het gaan?' vroeg hij bezorgd. 'Ik bedoel, met die toestanden met eh...'

'Het gaat best,' zei Annemie snel. 'Het zal me goed doen mijn tanden ergens in te kunnen zetten. Waar beginnen we?'

*

Hassim kreeg zo langzaam het gevoel dat hij van al dat neuzen in bestofte dossiers een punthoofd kreeg. Dit was niet bepaald het soort werk dat hij in gedachten had toen hij zich bij de politie aanmeldde. Zijn ouders waren aanvankelijk niet bepaald opgetogen geweest met zijn keuze, want ze hadden gehoopt dat hij hun groothandel in groenten en fruit zou overnemen. Gelukkig was zijn jongste broer intussen in de zaak gekomen zodat de toekomst verzekerd was. Bij zijn officiële aanstelling had hij van de gouverneur een lintje gekregen omdat hij de eerste nieuwe allochtoon binnen het eenheidskorps was, en sindsdien waren zijn ouders apetrots op hem. Zijn vader Abdullah had zelfs een levensgroot portret van zijn zoon in uniform in de winkel gehangen, wat blijkbaar een positief effect op de buurt had, want sindsdien was de kleine criminaliteit waar de wijk onder te lijden had zogoed als verdwenen.

Voor het eerst ondervond hij hoe frustrerend het was met een dossier vast te zitten, en dat beviel hem allerminst. Hij overwoog even de mogelijkheid om Bracke te consulteren, maar besloot het uiteindelijk toch niet te doen om Van Aken niet voor het hoofd te stoten. De chef had net zoveel vertrouwen in hem gesteld, en dat wilde hij niet beschamen.

Daeninck was na een botsing met zijn wagen enkele dagen arbeidsongeschikt, al meende Hassim dat hij vooral wat extra vakantie wilde. Het was maar te hopen dat Van Aken geen dokter ter controle zou sturen, want het ziekteverzuim was de laatste tijd steeds meer een doorn in het oog van de politieoverste.

Met veel moeite wist Hassim uiteindelijk de zus van Eddy Rijmenans op te sporen. Liliane was na twee echtscheidingen aan lager wal geraakt en liet een spoor van vluchthuizen, kleine gevangenisstraffen en onbetaalde hotelrekeningen achter zich. Uiteindelijk bracht het 'moederke' van het Hulphuizeke, het opvangcentrum voor thuislozen op de Muide, Hassim op haar spoor. Hij was ooit bij een geval van brandstichting in de wijk op onderzoek geweest en wipte nu geregeld nog eens bij haar binnen. Als het moederke, zoals 'haar' mensen deze kranige dame vertederd noemden, hulp nodig had belde ze sindsdien rechtstreeks naar Hassim. Ondanks haar leeftijd bleef ze zich belangeloos inzetten voor het wrakhout van de maatschappij dat in haar tehuis kwam aangespoeld, vaak tegen beter weten in. Haar bezoekers draaiden er immers hun hand niet voor om hun weldoenster te beroven en zelfs te bedreigen.

'Dag moederke!' begroette Hassim haar met een zoen, en hij kreeg er prompt een terug. Hij had behoefte aan een kop koffie en een luisterend oor, zoals al de sukkelaars die rond de tafel van het moederke zaten geschaard. Hij wachtte geduldig tot iedereen zijn verhaal gedaan had en begon dan zelf over de zaak-Rijmenans die hem in de ban hield. In alle vertrouwen, want het was eigenlijk niet toegestaan dat een inspecteur een lopend onderzoek met derden besprak.

'Ik denk dat ik je kan helpen. Een ogenblikje,' zei het moederke. Ze ging in haar bureau een telefoontje doen, en nog geen vijf minuten later stond Liliane Rijmenans in levenden lijve voor hem. Toen wist Hassim het zeker: het moederke was een heilige, en die schatte hij als islamiet even hoog als een profeet. Maar dat zou hij haar nooit zeggen, want ze haatte het om op een voetstuk gezet te worden. Fotograaf Johan Martens had haar al meermaals voor zijn lens gevangen, maar telkens weer uitte ze haar afkeer voor publiciteit.

Liliane schrok toen ze de inspecteur in uniform zag, maar het moederke wist haar te kalmeren.

'Abdel is een vriend van het huis. Van hem heb je niets te vrezen. En hij heeft je iets te vertellen. Maar ik laat jullie even alleen. Er is nog koffie genoeg. Sluit de deur achter je als je weggaat.'

En weg was ze, om een aantal broodnodige voedselpakketten aan huis te bezorgen.

Liliane zat onwennig op haar stoel te draaien. Hassim schonk haar een kop koffie in en haalde melk uit de koelkast.

'Hebt u er niets sterks bij?' zei Liliane.

'U kent de regels van het huis, veronderstel ik. Geen alcohol of drugs.'

'Het was het proberen waard,' lachte Liliane zenuwachtig. 'Maar zeg eens, wat kan ik voor u doen?'

'Ik heb nieuws voor u,' zei Hassim. 'Uw moeder is dood. Het is te zeggen, ze is al lang dood, maar we hebben haar eindelijk gevonden.'

Liliane keek niet eens verbaasd.

'Eerlijk gezegd was ik haar zogoed als vergeten. Hoe is ze gestorven?'

Hassim gaf haar een samenvatting van het dossier. Hij vertelde ook dat hij haar broer opgezocht had.

'Och ja, Eddy, leeft die ook nog,' blies ze een dikke rookwolk uit. 'Ik zou bij God niet weten waar hij woont.'

'Hier hebt u zijn adres.' Hassim schreef het op een briefje, dat hij haar toeschoof. Ze keek er niet eens naar.

'Ik heb hem in geen jaren gezien. We hebben elkaar ook niets te zeggen.'

'Mag ik hem uw adres doorgeven?'

Ze keek hem wantrouwend aan.

'Ik bedoel, in verband met de begrafenis. Ik veronderstel dat u daar toch naartoe zult gaan?'

'Daar moet ik nog even over nadenken. Ik zal nog zien,' zei ze ontwijkend. 'Maar ik zal zelf wel contact met hem opnemen. Ik heb, eh, geen vast adres.'

Abdel had er ongemerkt zijn notitieboekje bijgenomen. 'Kunt u me iets over uw moeder vertellen? Voorlopig hebben we geen enkel spoor.'

Liliane liet een diepe zucht ontsnappen.

'Wat wilt u ook, na al die jaren. Wat voor zin heeft het nog? Laat haar in vrede rusten. Of voor mijn part in de hel creperen.'

Hassim haalde zijn wenkbrauwen op. Het zou nooit in hem opkomen zo over een dode te spreken.

'Dat moet u waarschijnlijk vreemd in de oren klinken. Maar ik voel niets meer voor mijn moeder. Daarvoor heeft ze me te veel aangedaan.'

'Mag ik ook vragen wat precies?' polste Hassim voorzichtig.

'Waarom ook niet, al zie ik het nut daar niet van in. Laat de oude koeien waar ze horen, in de gracht. Nu ja, als het moederke zegt dat u een goeie flik bent dan wil ik haar wel geloven.'

Hassim werd warm vanbinnen. Als het moederke zoiets zei, meende ze het ook.

'Ik was, denk ik, 24 jaar toen ze plots verdween, en ik haatte haar toen als de pest. Ik was een nakomertje. Een ongelukje, dat heeft ze me vaak genoeg verweten. Om te vermijden dat het nog eens gebeurde, liet ze haar baarmoeder weghalen toen ze toch voor een of andere operatie naar het ziekenhuis moest. Ik schaamde me dat ze mijn moeder was. Heeft Eddy daar niets over gezegd?'

Hassim schudde ontkennend het hoofd. Nu hij erover nadacht, had Eddy eigenlijk weinig of niets verteld.

'Of mijn vader het werkelijk niet wist of alleen deed alsof, dat kan ik niet met zekerheid zeggen. Feit is dat iedereen in de buurt wist dat ze hem bedroog. En niet zomaar eenmalig in een *coup de foudre*. Zelf heb ik haar zeker drie keer in bed betrapt, onder meer met de postbode en de buurman. Kun je je voorstellen hoe ik me toen voelde? Ze deed niet eens de moeite om het te ontkennen of naar een verontschuldiging te zoeken. "Vertel het maar aan papa als je durft!" lachte ze.'

'Was Eddy daar ook van op de hoogte?'

'Wat dacht je? Hij had eveneens de twijfelachtige eer om haar in actie te zien, met de plaatselijke kruidenier in het tuinhuisje toen hij zijn fiets ging halen. Eddy was toen razend. Nu ik erover nadenk, vader moet het zeker geweten hebben. Af en toe verdween ze voor enkele dagen, zonder achteraf een verklaring te geven.'

'Heb je daar met je broer over gepraat?'

'We hadden weinig contact, hij is tenslotte een heel stuk ouder dan ik en woonde al alleen. Ik weet dat hij het er erg moeilijk mee had. De relatie met zijn moeder was zo al niet bepaald goed, en hij leed er enorm onder dat de kinderen op school hem plaagden. Op een dag had een van hen in grote rode letters 'hoerenjong' in zijn rapport geschreven. Eddy heeft toen een epilepsieaanval gehad waarvoor hij in het ziekenhuis opgenomen moest worden. Ik weet nog goed dat ze hem niet eens is komen opzoeken, want haar vlam van dat moment had haar meegenomen voor een weekendje aan zee. Ze was trouwens niet bepaald kieskeurig. De ene keer dook ze in bed met een van de heren van stand die ze in de kringen van mijn vader had leren kennen, maar een andere keer kon het ook gewoon de ijsventer of zelfs een leurder zijn. Eigenlijk twijfel ik tot op de dag van vandaag of mijn vader ook echt wel mijn vader was.'

Hassim probeerde zich een beeld van de persoonlijkheid van Geraldine Rijmenans te vormen en kon alleen maar medelijden hebben. Behulpzaam schonk hij haar nog een kop koffie in.

'En uw vader? Hoe nam hij het op?'

'Mijn vader,' zei Liliane treurig. 'Hij was keihard, een koele sfinx. Over die dingen werd nooit gesproken. Toen mijn moeder verdween, heeft hij me dat pas na verschillende weken gezegd. Ik had haar niet eens gemist, en was zelfs opgelucht. Ik schaam me niet om dat te zeggen. We hebben het achteraf nooit meer over haar gehad. En hoe gaat dat, op mijn zestiende was ik zwanger en liet ik een abortus uitvoeren. Mijn vader heeft me de deur uit gejaagd. Ik heb hem nooit meer teruggezien. Mijn broer ontmoette ik sindsdien puur toevallig, op straat of ergens op café. U begrijpt nu wellicht dat ik niet veel zin heb om naar die stomme begrafenis te gaan. Veel kans trouwens dat er niemand zal zijn.'

'Bedankt voor de informatie,' zei Hassim welgemeend. 'Als er iets is wat ik voor u kan doen?'

'Als u me een lift naar het centrum zou willen geven,' zei Liliane. 'Ik denk dat ik toch maar eens voor mijn moeder ga bidden.'

*

Het was een lange, vermoeiende dag geweest. Annemie kon het aantal journalisten dat haar om verdere uitleg over het onverkwikkelijke gedrag van Deschacht en Dorekens had gevraagd niet bij benadering schatten. Ze had interviews voor niet minder dan vier televisiestations gegeven en was bekaf. Maar thuis zou er vanavond niemand op haar wachten, bedacht ze bitter. Gelukkig maar dat Van Aken 'het dossier-Bracke' zoals hij de klachten tegen George in alle ernst noemde voorlopig uit het nieuws had weten te houden.

Even speelde ze met het idee om Bracke te bellen, maar ze verwierp die gedachte. Ze hadden iets afgesproken, en daar moest ze zich aan houden.

Haar moeder had een rijsttafel bij de afhaalchinees besteld, maar het smaakte haar niet. God, ze miste Bracke nu al.

Tezelfdertijd zat Bracke op het balkon van het appartement van Cornelis aan haar te denken. Het was behoorlijk fris, maar hij had er behoefte aan om de wind in zijn haren te voelen. Cornelis was met Bart op stap, en die zag hij vannacht waarschijnlijk niet meer terug.

Op het bijzetttafeltje stond een fles ordinaire Vat 69. Bob moest me hier zien zitten zuipen, hij liet me waarschijnlijk nooit meer binnen in de whiskyclub, zuchtte hij. Schuldbewust dacht hij terug aan de whiskyproeverij van enkele dagen terug in Bobs whiskyclub Glengarry op het Sint-Baafsplein. Die avond stonden niet minder dan zeven exclusieve bottelingen van distilleerderij Bowmore op het programma, waaronder een vintage 1957 die ruim 2000 euro kostte. Er is iets fundamenteel mis met me, want het liet me allemaal koud, schudde hij het hoofd. Zelfs de jubelende analyse van culinair journalist Filip Verheyden, wiens kritische commentaren hij anders slikte voor zoete koek, waren nauwelijks tot hem doorgedrongen. En zeggen dat de exclusieve proefavond al een halfjaar vastlag en hij er zo naar uitgekeken had.

Op straat botsten twee wagens tegen elkaar. Hij had de reflex om naar beneden te rennen en in de ruzie tussenbeide te komen, maar hield zich in. Tenslotte was hij niet langer in functie.

Het was al diep in de nacht toen hij met het laatste restje van de fles in bed kroop. Met een hoofd vol pulp en een tong die als schuurpapier aanvoelde. Hij wist nu al dat het wakker worden verschrikkelijk zou zijn.

*

Abdel Hassim dacht dat hij de eerste was om aan de shift te beginnen, maar iemand tikte hem in de gang op de schouder.

'Wie we daar hebben, onze uitslover!' lachte Cornelis, die duidelijk in een opperbeste stemming was. Na een nochtans ultrakorte nacht voelde hij zich fris als een hoentje.

'Goedemorgen, commissaris,' zei Hassim beleefd, zelfs ietwat onderdanig.

'Al iets opgeschoten in de zaak-Rijmenans?'

Hassim had het warm en koud tegelijk.

'Ik heb gisteren de dochter gevonden. Ze heeft me nuttige informatie over haar moeder gegeven.'

'Goed zo,' prees Cornelis. 'Ik hoop dat je niet het gevoel krijgt dat ik je controleer.'

'Zeker niet, commissaris!' zei Hassim snel. 'Integendeel. Ik ben vereerd.'

Cornelis voelde zich in zijn ijdelheid gestreeld.

'Misschien heb ik iets voor je.' Hij stopte Hassim een dossier toe. 'Stormvogel is niet de enige die weet waar hij informatie kan halen,' lachte hij.

Hassim ging er wijselijk niet op in. Hij had al gemerkt dat die twee elkaar rauw lustten.

'Bestudeer het maar eens op je gemak,' ging Cornelis verder. 'Wie weet heb je er wat aan. Maar nu heb ik dringend een kop koffie nodig.'

Hassim wilde al naar de automaat lopen, maar Cornelis hield hem tegen.

'Ik ga er zelf wel om, je bent tenslotte mijn loopjongen niet.'

Nog geen tien minuten later zag Cornelis door het raam hoe Hassim duidelijk gehaast de parkeerplaats verliet. Glimlachend dronk hij de koffie in één teug leeg en trok een gezicht vol afgrijzen. Die rommel werd met de dag slechter.

*

Tot driemaal toe diezelfde voormiddag werd Annemie door haar anonieme beller lastiggevallen. Het waren telkens korte telefoontjes van hooguit enkele woorden en dan weer een stilte.

'Dag schatje.'

'Mijn lekkertje.'

'Slaap zacht.'

Ja rotzak, doe jij maar, dacht Annemie strijdlustig. Als ik je ooit in mijn handen krijg zal het je beste dag niet zijn.

Met een droge, kordate knak brak ze haar potlood doormidden en gooide het zover het vliegen wilde.

'Heb je even?' klopte Van Aken aan. 'We hebben de officiële inbeschuldigingstelling van onze twee paljassen binnen, en ik wil die informatie aan de pers doorgeven. Overigens, nog iets van George gehoord?'

Haar vijandige blik deed hem de aftocht blazen.

'Eh, ik heb binnen vijf minuten een vergadering met de burgemeester in verband met de veiligheid op de Gentse Feesten,' droop Van Aken met de staart tussen de benen af.

Ze besefte dat ze hem niets over de telefoontjes had gezegd en stuurde hem snel een mailtje. Van Aken kwam meteen na de meeting met de burgemeester de zaak evalueren, maar er viel weinig aan toe te voegen.

'Eén ding is positief, en dat is dat de ontvoerder contact blijft houden,' probeerde hij er de moed in te houden. 'Goed, binnen een uur houden we teamvergadering. Ik mail je eerst nog de grote lijnen van de meeting met de burgemeester door.'

Hoewel er nog een stapel werk op haar lag te wachten leek Annemie maar niet op gang te komen. De momenten kwamen zelden voor, maar nu had ze echt een stevige borrel nodig. Haar hand ging naar de kast, ze kon de whisky al in haar keel voelen branden.

*

'Ik zal het kort maken, meneer Rijmenans. U heeft me de vorige keer niet alles verteld.'

Eddy Rijmemans maakte geen aanstalten om Hassim binnen te laten.

'Bent u daar weer? Laat dat mens toch verder rotten.'

Hij was duidelijk dronken. Hassim zette zijn schouder tegen de deur en vroeg:

'Mag ik binnenkomen?' Hij kon zich gemakkelijk zelf de toegang tot de woning forceren, maar wilde het volgens het boekje doen. Als Rijmenans de toestemming gaf, gold dat officieel als een uitnodiging tot het betreden van de woning.

'Er zijn een paar losse eindjes die ik aan elkaar zou willen knopen,' stak hij meteen van wal. 'Zo klopt het niet dat u geen krant leest. Ik heb eens met uw krantenboer gepraat, en die zegt dat u elke dag trouw uw dagblad komt halen. Ten tijde van de ontdekking van het lichaam van uw moeder in de Maïsstraat hebt u ze zelfs dagenlang allemaal gekocht.'

Rijmemans keek hem met bloeddoorlopen ogen aan.

'En dan? Is dat een misdaad misschien? Ik ken die buurt toevallig van vroeger, dat is alles.'

'Gek dat u daar zelf over begint,' zei Hassim. 'Ik heb wat speurwerk verricht, en het blijkt dat u in het jaar 1972 inderdaad vaak in de Maïsstraat vertoefde.'

Gert Rijmemans leek op slag weer nuchter. Hij maakte het bovenste knoopje van zijn hemd los, alsof hij het ineens erg warm kreeg.

'Werkelijk? Daar herinner ik me niets meer van. Het is ook allemaal zolang geleden.'

'Ik kan u nog veel meer vertellen, maar dan liever op het bureau. Als u me wilt volgen?'

'Moet dat echt?' spartelde Rijmemans nog tegen, maar het was niet van harte.

'We kunnen dit zacht of hard spelen, meneer Rijmemans. Ik kan een officieel aanhoudingsbevel laten uitvaardigen en u met veel machtsvertoon laten arresteren. Of u gaat gewoon uit vrije wil met me mee; dat maakt bij de rechter een betere indruk.'

'Goed, u uw zin,' gaf Rijmemans zich over.

In de wagen begon Hassim meteen te telefoneren.

*

'Start van het verhoor van Eddy Rijmemans in de zaak-Geraldine Rijmemans om 14u23,' keek Cornelis op zijn horloge. 'Aanwezig zijn naast de beklaagde diens advocaat Sam De Graeve, commissaris André Cornelis, inspecteur Abdel Hassim.'

Rijmemans zat wezenloos voor zich uit te staren.

'Mijn cliënt zegt niets zolang we de beschuldiging niet hebben gehoord,' zei zijn advocaat koel.

'Ach, wat heeft het allemaal nog voor zin,' zuchtte Rijmemans gelaten.

'Toch wil ik graag horen wat de aanklacht inhoudt,' volhardde de advocaat in de boosheid.

'De feiten zijn de volgende. Uit onderzoek blijkt dat de heer Rijmemans in de periode van de verdwijning van zijn moeder niet voor een transportfirma werkte zoals hij had verklaard, en dus ook niet in opdracht in Keulen vertoefde. Wel had hij zijn eigen bedrijf in renovatiewerken, dat vier maanden later failliet ging. Het bedrijf was tijdens de eindejaarsdagen werkzaam in de Maïsstraat 9, waar een verzakking ten gevolge van wegenwerken was gebeurd,' zei Cornelis op vlakke toon in de micro. 'Analyse leert dat de cement die voor de vloer gebruikt werd dezelfde samenstelling heeft als die van eh, de sarcofaag waarin het lichaam van Geraldine Rijmenans werd begraven.'

De advocaat reageerde niet. Knock-out en einde van de match, dacht Hassim.

'Heeft de heer Rijmemans daar nog iets aan toe te voegen?' vervolgde Cornelis.

De advocaat was over de eerste schok heen.

'Ik raad u aan daar niet op te antwoorden zolang we het bewijsmateriaal niet hebben onderzocht, meneer Rijmemans.'

Eddy Rijmemans maakte een wegwerpgebaar, alsof het hem allemaal niet meer kon schelen.

'Waarom zou ik het ontkennen? Natuurlijk heb ik het gedaan. Ik had al veel langer moeten bekennen. Dat rotwijf behekst me elke nacht.'

De advocaat wilde zijn cliënt nog weerhouden verdere verklaringen af te leggen, maar er was geen stoppen meer aan de woordenvloed. Rijmenans vertelde dat hij zijn moeder met een smoes naar de werf had gelokt, zogezegd om tot een verzoening te komen. Ze had het glas champagne zonder argwaan leeggedronken, ook al vond ze dat er een raar smaakje aan zat. De morfine had hij opgespaard toen hijzelf met een maagwandontsteking in het ziekenhuis had gelegen. Het giftige mengsel had hij al een tijdje staan, en hij had het gemaakt van een kruid uit haar eigen tuin. Ooit had ze spottend gezegd dat ze haar vent daar nog eens mee ging om zeep helpen, en dat was Eddy niet vergeten. Toen hij haar inspoot, was hij erg opgewonden geworden en had zelfs op de grond geëjaculeerd. Een wel bijzonder spontane bekentenis die niet bepaald goed op de jury zou overkomen, bedacht Hassim. Ze had vrijwel meteen het bewustzijn verloren, en dan was het allemaal in een roes gebeurd. Bij wijze van afleidingsmanoeuvre voor het geval ze haar ooit zouden vinden had hij een kassabon uit een buurtwinkel in haar jaszak gestopt. Terwijl anderen feest aan het vieren waren, had hij zijn moeder begraven en vlug een vloer gelegd.

De advocaat gaf zich snel gewonnen. Hier was geen helpen meer aan. Maar in gedachten was hij al bezig met de verdediging voor assisen, een zaak die ongetwijfeld stof zou doen opwaaien en waarmee hij zijn naam kon maken. Als hij de moeder maar voldoende kon afschilderen als een onbetrouwbare slet, zat het erin dat zijn cliënt er met een lichte straf van afkwam. Alleen dat ejaculeren zat hem niet lekker, maar het stond nu eenmaal in de bekentenis die Eddy al had ondertekend. Veel kans dat hij het argument van de verjaring van de feiten kon uitspelen.

Hassim was onder de indruk van de afloop van de zaak. Cornelis gunde hem de eer zelf Van Aken van de ontknoping van de zaak op de hoogte te brengen. Dat kon immers alleen maar goed voor zijn zelfvertrouwen zijn.

'Eindelijk nog eens goed nieuws!' riep Van Aken verheugd uit, en hij schudde Hassim stevig de hand. 'Knap gedaan, kerel.'

Hassim glunderde. Nu had hij nog één ding te doen, of eigenlijk twee. Eerst en vooral op zoek gaan naar Liliane en haar vertellen wie haar moeder vermoord had voor ze het in de krant zou lezen. En verder een anonieme gift bij het moederke in de bus steken, om haar voor haar hulp te bedanken.

*

Spoedbericht uit Buenos Aires, afzender commissaris Antonio Gomez, ter attentie van commissaris George Bracke.

Van Aken vloekte toen hij het bericht las.

'Houdt die ellende dan nooit op!'

Hij belde naar Annemie met de vraag of ze even langs wilde komen.

'Lees dit eens.'

Met steeds groter wordende ogen van verbazing las Annemie het bericht. In een achterafzaaltje van tangozaal Geraldo had de politie een vrouwenlichaam gevonden dat met enige moeite geïdentificeerd werd als Laurette Lemaire, op bezoek in het land als lid van een Belgisch tangogezelschap. De vrouw was met één welgemikte messteek in het hart vakkundig om het leven gebracht.

'Ook dat nog.'

Annemie verborg haar handen in haar gezicht.

'We moeten Bracke op de hoogte brengen.'

'Ja, doe dat,' zei Van Aken. Hij liet Cornelis komen en gaf hem de opdracht iedereen die mee naar Buenos Aires geweest was te ondervragen, zoals commissaris Gomez vriendelijk maar beslist had gevraagd.

Buiten landde een verdwaalde uil op het dak van het politiehoofdkwartier. Het angstige muisje in zijn bek was eindelijk opgehouden met piepen.

*

Het stopte maar niet. Met een verveeld gezicht overhandigde de bode Van Aken de post van de dag. Het oog van de chef viel op een bruine gewatteerde envelop.

In de envelop zat een audiocassette. Toen hij het etiket las, verstijfde hij.

OMER VERLINDEN LIVE!

Voor hij er de andere speurders bij haalde, luisterde Van Aken snel naar de cassette. Zijn gezicht stond grimmig toen hij Cornelis belde.

Cornelis kwam nog sneller dan de wind aandraven. Beiden beluisterden ze wel vier keer de boodschap, en toen liet Van Aken de inhoud uittikken.

De cassette begon met het nodige gekraak en gepiep, maar dan was de weliswaar verzwakte stem van Verlinden te horen.

'Hier Omer Verlinden. Het is zaterdag, 22 uur 45. Anderlecht heeft net met 3-2 van Standard gewonnen met twee doelpunten van Zetterberg, en het zal morgen regenen, zegt de weerman. Ik moet het kort houden. Het heeft geen zin om naar me te zoeken, jullie zullen me toch niet vinden.'

Toen werd de opname bruusk beëindigd. Het duurde niet lang voor Van Aken van het lab de bevestiging had dat ze wel degelijk de stem van Verlinden gehoord hadden, en dat er niet met de opname geknoeid was.

'Hoe onrustwekkend ook, we weten tenminste dat hij nog steeds leeft,' greep Van Aken naar zijn slapen. Hij had al de hele dag barstende hoofdpijn.

'Verdomme toch,' knorde Cornelis, en hij schrok er zelf nog het meest van.

19

De wind waaide door de schoorsteen. Buiten was het stil, op het geluid van enkele spelende migrantenkinderen na. Ze namen met hun fietsjes hautain bezit van de stoep. Een van de jochies deed in zijn eentje met een doek rond het kaalgeschoren hoofd de slag van Bagdad na en bevrijdde eigenhandig de opgesloten maagden uit de kerkers van Saddam.

Een auto stopte. Zachtjes. Het portier ging behoedzaam open. Een man met een aktetas onder de arm stapte uit. De lederen zolen van de dure merkschoenen dempten de voetstappen op de stoep.

In het leslokaal was het geluid van de roffelende djembé nog maar net uitgestorven. De laatste cursiste leek geen afscheid te kunnen nemen van de Afrikaanse leraar, die zijn kans schoon zag en eindelijk een afspraakje wist te versieren. Arm in arm verlieten ze het pand.

De man stak de binnenplaats over op weg naar de buitentrap. Hoofdschuddend keek hij naar de enorme stapel kartonnen dozen vol papier die dreigde om te vallen. De jeugdbeweging zou hier ongetwijfeld een aardig centje aan verdienen. Het afval was voor een groot deel afkomstig van de bonte kunstenaarskolonie die beneden een reeks ateliers ter beschikking had. Maar het was zondagavond, en dan vertoefden de artiesten allemaal in beschonken toestand in De Muze om vandaar uit de wereld te veroveren.

Twee verdiepingen hoog zat Adamo in zijn penthouse uit te hijgen, zijn puffer bij de hand. Hij beklaagde het zich elke dag meer dat de eigenaar geen lift had geïnstalleerd. Hij spitste de oren. De voetstappen op de trap waren steeds duidelijker te horen. Dat betekende bezoek. Het gebouw was verlaten, dus moest het wel voor hem zijn.

Een gelukzalige glimlach gaf zijn van pijn vertekend gezicht een grimmige schijn. Hij tastte onder tafel naar de knop en duwde erop. De deur sprong uit het slot op een kier.

George Bracke stond net naar de bel te zoeken. Hij aarzelde even, en klopte dan kordaat op de deur.

'Eindelijk! Waar bleef je zolang?'

Bracke duwde de deur voorzichtig open. Binnen was het donker, en zijn ogen moesten even aan de duisternis wennen.

'Kom er toch in, commissaris!' zei Adamo zwakjes. Hij begon onbedaarlijk te hoesten. Er kwam een gulp bloed mee die zijn eens witte hemd bevlekte.

Bracke zette behoedzaam een stap voorwaarts. Hij keek rond in de kamer, maar kon in het donker alleen vage contouren onderscheiden.

'Ik bijt echt niet hoor,' grijnsde Adamo. 'Maar waar zijn mijn manieren? Ga toch zitten!' Hij maakte moeizaam een gebaar naar de enige vrije stoel in de kamer.

'Een beetje licht zou niet misstaan,' knorde Bracke. Hij voelde zich als een gazelle in een kooi vol hongerige leeuwen.

'Het komt er dan toch van,' lachte Adamo minzaam. 'Ik had je al veel eerder verwacht. Maar beter laat dan nooit.'

'Ik was tijdelijk opgehouden,' zei Bracke grimmig. 'Maar hier ben ik dan. Eindelijk, inderdaad. We hadden dit veel vroeger moeten doen.'

Adamo knipte een schemerlampje aan.

'Zo, dan zien we tenminste wat we zeggen.'

De kamer was een puinhoop. Adamo zat aan een eiken tafel met daarop een laptop en een grote, goed gevulde fruitschaal. Overal lagen stapels papieren en kleding. In de hoek stond een grote rieten hutkoffer met het deksel open.

Bracke verstijfde. Aan de muur hing het vol met foto's van Annemie en hemzelf. Onder een levensgrote foto van Annemie brandde een kaars. Op de grond zag hij verscheurde foto's van Verlinden en Van Aken liggen. Eén muur was voorbehouden voor affiches en platenhoezen van de echte Adamo.

'Niet bepaald jouw stijl, hè,' grinnikte de aanbidder van de zanger. 'Jammer. Ik wilde dat we nog wat meer tijd hadden, misschien kon ik je dan wel bekeren. Hij is de allergrootste, een zanger van het hart.'

'Doe maar geen moeite,' knorde Bracke. 'Ik ben niet van plan om hier één ogenblik langer dan nodig te blijven.'

'En het was net zo gezellig. Hoop ik toch, want je ziet er ongerust uit. Dat is nergens voor nodig. Je mag me gerust fouilleren als je dat op je gemak stelt,' zei Adamo beminnelijk. 'Ik ben ongewapend.'

'Ik geloof je op je woord,' antwoordde Bracke al even poeslief, maar de klank van zijn stem zei het omgekeerde. Ze waren net twee kemphanen die elkaar voor de kamp voorzichtig besnuffelden.

'Je hoeft echt niet zo zenuwachtig te zijn,' deelde Adamo een eerste plaagstoot uit. Hij wist zich meester van de situatie. Dit was zijn terrein. Een thuismatch waar hij zich lang op had voorbereid.

Bracke twijfelde, en stelde dan toch de vraag die op zijn lippen brandde.

'Wat is hier eigenlijk allemaal aan de hand?'

Adamo maakte een sussend gebaar.

'Niet zo snel. Alles op zijn tijd. Ik moet nergens heen. En jij toch ook niet, commissaris. Of moet ik zeggen ex-commissaris?'

Bracke deed alsof hij de sneer niet gehoord had. Hij voelde aan dat hij het over een andere boeg moest gooien. Ogenschijnlijk rustig ging hij de foto's aan de muur bestuderen. Hij drukte zijn nagels in zijn handpalmen om niet te laten merken dat hij vanbinnen van woede kookte.

Verschillende taferelen op de foto's kwamen hem vertrouwd voor. Onwillekeurig ging hij in gedachten terug in de tijd. Dansend met Annemie in de tangoclub terwijl hij haar een zoen in de nek gaf. Op de stoep voor het politiekantoor. Een broodje etend op een bank in het park, daar waar de gedenksteen voor de vermoorde Brecht van Damme[17] stond. Wandelend met de groep in Buenos Aires.

'Waarom, verdorie?' gooide Bracke eruit. 'Wat heb ik je misdaan?'

'Je ziet er echt dreigend uit als je kwaad bent, weet je dat?' zei Adamo geamuseerd. 'Maar je bent een heer van stand, en ik een oude, zieke man. Ik hoef niet bang van je te zijn. Hoewel, nu je niet meer in functie bent...' De superieure grijns kon niet verbergen dat hij pijn leed. Snel nam Adamo enkele pufjes van zijn inhalator.

17 Zie *Botero*.

'Mijn verontschuldigingen dat ik zo'n slechte gastheer ben en je geen koffie met koekjes aanbied. En maltwhisky heb ik ook al niet in huis,' klonk hij overdreven hoffelijk. 'Maar je hebt ook zolang op je laten wachten. Is dat nu die beroemde commissaris met de gevoelige speurneus? Dat valt me tegen van je, hoor. En die schorsing kan je niet lekker zitten.'

Bracke keek Adamo schattend aan. Die man bleef een raadsel voor hem.

'Je vraagt je natuurlijk af hoe ik dat allemaal weet. Je schorsing heeft misschien niet in de krant gestaan, maar de flikken die elke dag in 't Krochtje na hun uren pinten komen hijsen konden er maar niet over zwijgen.'

'Mag het raam niet open? De lucht is me hier te droog,' zei Bracke met schorre stem. Hij rukte aan het raam, maar kreeg er geen beweging in.

'Doe maar geen moeite, mijn beste George. Deze verdieping is al net als zijn bewoner. Ten einde krachten en rijp voor de sloophamer.'

Bracke trok het rolluik helemaal op zodat er toch enig licht binnenviel. Hij staarde treurig door het raam naar de binnenplaats. Een brutale mus trippelde vrolijk met een stukje brood in zijn bek richting straat, waar de Turkse jongens verdwenen waren. Hij ging naar de koffer, en haalde er een handvol pruiken uit.

'Je stelt geen vragen. Is dat niet de taak van een politieman?' vroeg Adamo. 'Excuus, je bent voorlopig natuurlijk geen politieman meer.'

'Daar heb jij anders wel keurig voor gezorgd,' zei Bracke, met de handen op de rug. Hij vermeed Adamo aan te kijken.

'Hoe kon je het raden,' probeerde Adamo niet te lachen. Hij legde zijn vuisten op zijn longen, in een vergeefse poging om het piepen wat te temperen.

Bracke nam zonder te kijken een appel van de fruitschotel en zette er zijn tanden in. Adamo schrok even, maar herstelde zich snel.

'Ik dacht even dat je me zou aanvallen. Maar ik ken je intussen door en door. Jij doet alles volgens het boekje. Technisch gezien ben je hier trouwens momenteel mijn gast. Zonder huiszoekingsbevel mag je niet eens de woning betreden als ik je niet heb binnengelaten. Maar je bent laat ons zeggen gewoon op mijn invitatie ingegaan.'

Bracke tastte naar een papier in zijn achterzak, maar verstijfde. Hij zag pas nu dat Adamo zijn pantoffels droeg.

'Ja, die ben je al een hele tijd kwijt, nietwaar? En je vraagt je natuurlijk af hoe ik ze heb bemachtigd. Vergeef me dit kleine binnenpretje, ik zal je nog even in je vet laten sudderen. Wie weet heb ik ze wel van Annemie gekregen.'

Bij het horen van die naam trok het bloed uit Brackes gezicht weg. Hij klemde zijn tanden op elkaar.

'Bewonderenswaardig toch, die wilskracht van je,' smakte Adamo prijzend met de lippen. 'Dan heeft die aikido toch nog iets opgeleverd.'

Bracke bleef opmerkelijk kalm, en dat zon zijn opponent duidelijk niet.

'Mooi van je hoe je jezelf probeert te bedwingen. Maar we weten beiden wel beter. Het is een kwestie van geduld hebben. Die rust is maar schijn. Ik weet welke vulkaan in je huist. Vroeg of laat barst die uit.'

Met enige moeite reikte Adamo's hand naar een lade onder de tafel. In een reflex greep Bracke al naar zijn heup, maar hij besefte toen dat hij ongewapend was. Zelfs in dienst droeg hij zelden of nooit *a piece* zoals Stormvogel dat zo graag noemde, en bij de schorsing had hij het pistool moeten inleveren.

'Wees maar niet bang,' lachte Adamo. Ik heb hier echt geen wapen verborgen. En jij hebt er ook geen. Je neemt toch geen pistool mee als je bij vrienden op bezoek gaat.'

Bracke ging weer zitten en knabbelde aan de appel. Adamo werd er kregelig van. Hij had gehoopt dat de commissaris helemaal van de kaart zou zijn.

'Ik heb genoeg tijd gehad om over de situatie na te denken,' zei Bracke met de mond vol appel. 'Je vindt jezelf natuurlijk ongelooflijk knap dat je dit allemaal bedacht hebt. Hier in dit duistere hok, met je computer en allerlei moderne technologische spullen binnen handbereik.'

Adamo lachte trots.

'Ik geef het graag toe, het is inderdaad het betere werk. En het heeft geholpen, nietwaar? Je bent je job waar je zo aan gehecht was kwijt, en ook je vrouw moet je niet meer hebben. Je kunt niet ontkennen dat ik succes geboekt heb. Vergeef me dat ik daar met volle teugen van geniet, het is sterker dan mezelf. Dat zal mijn slechte karakter wel zijn.'

Bracke ging niet op dit antwoord in. Hij legde zijn voeten op tafel en begon nu de pitten uit het klokhuis op te eten. Het leek alsof het hem allemaal niet kon deren.

'Ja, doe maar alsof je thuis bent,' spotte Adamo. 'Je superieuren moesten ons hier zien zitten. Ze zouden hun lol niet op kunnen, denk je ook niet?'

'Wil je echt weten wat ik denk? Dat je een paljas bent,' zei Bracke scherp. 'En ik moet je teleurstellen. Die zogenaamde successen van je stellen niets voor.'

Adamo verbleekte even, maar herwon snel zijn zelfvertrouwen.

'Ik moet het je nageven, je bent waarlijk een waardige prooi. Zelfs in het net blijf je nog verder spartelen. Dat maakt de uitdaging om toe te slaan alleen maar groter.'

'Oké, jij je zin,' zei Bracke. 'Ik heb geen zin om met jou in discussie te treden.'

'Annemie heeft dus gelijk,' snoof Adamo. 'Je kunt inderdaad behoorlijk eigenwijs zijn.'

Bracke kon er niet tegen dat zij erbij gesleurd werd.

'Wat heeft Annemie daar nu mee te maken? Laat haar hier buiten, wil je!'

Adamo kwam moeizaam overeind. Hij moest op zijn voorarmen op de leuning steunen om te kunnen opstaan. Hij sleepte zich naar een stapel papier en haalde er een schrift uit dat hij op tafel neerplofte.

Bracke herkende het dagboek van Annemie aan de omslag, een lederen wikkel met in kalligrafische letters haar naam erop.

'Geef het dagboek terug!' zei Bracke. 'Daar heb jij niets mee te maken!'

Adamo negeerde de uitgestoken hand van de commissaris.

'Leerzame lectuur, moet ik zeggen, erg nuttige informatie. Ze neemt geen blad voor de mond. Ze heeft het doorgaans in erg lovende bewoordingen over je, dat is waar. Maar ze beschrijft ook al je kleine kantjes, en daar heb ik mijn voordeel mee gedaan. Zal ik enkele voorbeelden geven?'

Hij begon lukraak te bladeren.

'Ha, hier, dat is een goeie. George pist op de wc-bril en ik mag de boel opkuisen. Of deze: je laat je vuile sokken op de mat naast het bed rondslingeren. En je valt in slaap van rode wijn.'

Bracke moest zich inspannen om niet uit te vliegen. Hij liet zijn vingers tegen de rand van de stoel kraken.

'Het is toch een pittige meid, die Annemie,' ging Adamo verder. Hij ging uitgeput weer zitten en probeerde zijn adem onder controle te krijgen. 'Jammer dat ze niet meer van je moet weten. Maar je hebt je kans gehad.'

'Ik weet waarom je dit alles doet,' koos Bracke voor de directe aanval. 'Mijn geheugen laat me soms in de steek, maar ik heb de puzzelstukjes in elkaar weten te schuiven.'

'Ja?' vroeg Adamo verwonderd. 'Ik luister. Niet dat het wat uitmaakt. Je hebt verloren, man. *Game, set and match.*'

Bracke opende zijn aktetas. Adamo keek nieuwsgierig naar de inhoud en zag dat de commissaris er een stapel foto's uit haalde die hij op de grond openspreidde.

'Denk je nu echt dat ik niets gemerkt heb? Ik had algauw door dat iemand me schaduwde. O ja, je wist jezelf goed te vermommen. Maar ik ben ook geen uil, man!'

Bracke toonde enkele foto's. Adamo tussen het volk in de Maïsstraat na de ontploffing. Nadien bij de ondervraging in de Wondelgemstraat bij het incident met Ida. Bracke volgend op café. In de straten van Buenos Aires.

Adamo hapte naar verse lucht. Hij moest dit duidelijk even verwerken.

'Mooie foto's, niet? Ze komen dan ook van een echte beroeps. Ik werkte toch al met Johan Martens samen, en ik heb hem nog een leuke bijkomende opdracht gegeven. Jij was niet de enige die op mijn huid kleefde, Godfried Bondeyne.'

Bondeyne zakte machteloos onderuit en werd lijkbleek.

'Je kent mijn naam?'

'Het heeft enig puzzelwerk gevergd, maar ik heb uiteindelijk het raadsel weten te ontcijferen. Niet dat het zo moeilijk was. Je hebt jezelf schromelijk overschat.'

De hersenen van Bondeyne draaiden op volle toeren. Deze ontknoping had hij allerminst verwacht. Hij zakte nog wat verder onderuit en begon onbedaarlijk te hoesten. Hij hield zijn zakdoek voor de mond, en de vod kleurde snel rood.

Bracke negeerde de hoestbui van zijn opponent.

'Het komt natuurlijk door die toestanden destijds in de balletschool,' zuchtte hij. 'Het was diep in mijn geheugen opgeborgen, maar het kwam allemaal snel terug.'

Bondeyne zat nog van de opdoffer te bekomen.

'Ik heb je blijkbaar onderschat, commissaris.'

Bracke haalde een map boven.

'Ik heb hier het dossier van die zaak bij me, een van mijn allereerste onderzoeken nota bene. De conciërge van een balletschool wordt na verhoor aangehouden omdat hij geld en kleding van de ballerina's stal.[18] Ondervraagd naar zijn motieven bekent hij dat hij van zijn moeder zelf nooit balletles heeft mogen volgen, en hij wreekt zich nu op de jongedames uit de school.'

Bondeyne beet zodanig hard op zijn lip dat er bloed uitspoot. Hij veegde achteloos zijn mond met zijn mouw schoon en spuwde een rode fluim uit.

'Ik heb het als volwassene nog geprobeerd, maar mijn enkels waren te zwak. Aan ballet moet je als kind kunnen beginnen, hoe vroeger hoe beter.'

'In die zaak was er één pikant detail,' herinnerde Bracke zich ook zonder het dossier, alsof het gisteren was. 'Je hebt ook een slipje van

18 Zie *Botero*.

een ballerina gestolen dat je als een relikwie onder je hoofdkussen bewaarde.'

Onwillekeurig moest Bondeyne bij die gedachte glimlachen. Hij beschouwde dit nog altijd als een overwinning.

'Die jonge vrouw heette Annemie Vervloet,' vervolgde Bracke. 'De zaak was snel opgelost, en kort nadien gingen we voor het eerst uit. Ik heb haar nooit over het slipje verteld.'

'Je hebt het wellicht voor jezelf gehouden,' grinnikte Adamo, die zich nog steeds de frisse meisjesgeur kon herinneren.

Bracke keek hem met een moordende blik aan.

'Ik heb het terug in haar tas gemoffeld,' zei hij ongemakkelijk. 'Maar daar heb jij niets mee te maken, Bondeyne.'

'Noem me liever Adamo,' huiverde Bondeyne. 'Ik haat die naam. Het is die van mijn moeder. Mijn vader heb ik nooit gekend, en zij wist allicht ook niet wie het was.'

'Je hebt je sporen keurig weten te verbergen,' zei Bracke, en er klonk zowaar iets van lof in zijn stem. 'Toen ik merkte dat ik gevolgd werd, heb ik Johan gevraagd om een oogje in het zeil te houden en indien mogelijk foto's te nemen. Het was hooguit een vermoeden, en ik had geen reden om een van mijn collega's officieel in te schakelen. Johan moest in het kader van de opdracht voor de minister van Justitie toch al vaak in mijn buurt rondhangen, dus dat viel niet zo op. Het is trouwens onrechtstreeks dankzij hem dat ik iets ben beginnen te vermoeden.'

Bracke haalde een foto uit de stapel. Bondeyne zag zichzelf tot zijn grote verbazing op de stoep van het huis van Bracke. Het was een nachtfoto, maar de fotograaf beschikte over voldoende vakkennis om ook bij schaars licht mooie plaatjes te schieten.

'In het kader van het fotoboek over de politie wilde Johan ook wat sfeerfoto's uit de leefwereld van inspecteurs en commissarissen, en hij was in de nacht dat je eh, me een bezoekje bracht in mijn straat bezig om wat algemene beelden te maken. Hij heeft daar heel wat foto's overdag én 's nachts genomen, en toevallig sta je op deze ene haarfijn afgedrukt. Toen ik deze foto zag, heb ik me daar aanvankelijk geen vragen bij gesteld. Iedereen heeft tenslotte het recht om op straat te lopen. Het is pas later dat ik me gerealiseerd heb dat je bij me had ingebroken.'

'Een fluitje van een cent,' spotte Bondeyne. 'Voor een politiecommissaris beschik je over verdomd slechte sloten. De eerste de beste amateur kan zich toegang tot je woning verschaffen.'

'Daar is intussen verandering in gebracht,' kuchte Bracke, nog steeds kregelig omdat hij zijn huis niet eerder had laten beveiligen. De schoonbroer van Staelens was een hele dag zoet geweest met een hightechveiligheidssysteem dat in rechtstreekse verbinding stond met het commissariaat.

'Ik had je toen gemakkelijk kunnen doden,' schudde Bondeyne mistroostig het hoofd. 'Maar je lag daar als een onschuldig lam zo zalig te slapen. En met Annemie aan je zijde kon ik het niet over mijn hart krijgen om je een paar kogels in het hoofd te pompen. Sentimenteel van me, ik weet het. Ze ziet er overigens prachtig uit, zo van dichtbij. En dan die heerlijke moedervlek onder haar oksel. Ze geurt daar verdomd lekker, weet je.'

Bracke liet zich niet op stang jagen. Hij gooide het snel over een andere boeg.

'Ik moet zeggen dat het een tijdje duurde voor het begon op te vallen dat ik gevolgd werd. Je vermommingen zijn uitmuntend,' complimenteerde Bracke, en Bondeyne genoot zichtbaar van de lofwoorden.

'Dank je,' rochelde hij.

'Alleen, die hoest van je kon je niet verbergen. Denk je nu echt dat ik niets in de gaten had?'

Bondeyne grijnslachte.

'Eerlijk gezegd niet, nee. Ik vond je een stomkop, en ik kon niet begrijpen hoe je ooit commissaris geworden was.'

'Toen Johan je bij verschillende gelegenheden wist te fotograferen, is er een lichtje beginnen te branden. Ik ben met de foto's naar de jongens van het technisch lab geweest om er tussen pot en pint even naar te kijken. Ze hebben de nodige vergrotingen en computersimulaties gemaakt, en we hadden vrij snel door dat ik steeds door dezelfde persoon gevolgd werd, weliswaar met telkens een anders vermomming. Alleen kon ik niet meteen ontdekken wie. Ik vond het nog altijd een beetje overdreven om je door een inspecteur te laten schaduwen, en ik kon dat werkje toch maar moeilijk door de fotograaf laten doen. Dat zou pas een kanjer van een procedurefout geweest zijn.'

'Je hebt geen zaak tegen me,' stotterde Bondeyne vermoeid. Hij begon er steeds slechter uit te zien, vond Bracke.

'Wellicht heb je gelijk. Ik kan niet bewijzen dat je bij me ingebroken hebt. Ik heb de moeite niet gedaan om mijn huis op vingerafdrukken te onderzoeken, maar ik ben er zeker van dat er niets te vinden zal zijn. En zolang je geen criminele feiten pleegt is het niet verboden om vermomd op straat te lopen.'

Bondeyne herademde.

'Weet je, ik vind het helemaal niet erg dat je me doorhad, dat maakt het genot van het succes alleen maar groter. Het heeft me niet belet mijn slag thuis te halen. Ik heb je danig in een slecht parket gebracht.'

'Dat zal ik niet ontkennen,' gaf Bracke met tegenzin toe. 'Ik heb er een hele kluif aan gehad om achter je ware identiteit te komen. Vertel me liever eens wat er gebeurd is nadat ik je destijds in de balletschool had laten aanhouden.'

'Moet dat echt?' zuchtte Bondeyne. 'Nu ja, ik gun je best je pleziertje. Ik heb uiteindelijk twee maanden effectief gekregen omdat ik al een voorwaardelijke straf op mijn conto had.'

'Wegens geweldpleging en diefstal,' zei Bracke. 'Dat herinner ik me nog van de ondervraging. Maar nadien leek je van de aardbol verdwenen.'

'Ik ben vier jaar huurling in Afrika geweest, en heb ook een hele tijd in Zuid-Amerika gezeten,' zei Bondeyne. 'Een behoorlijk leerrijke en lucratieve periode, want ik was verdomd goed in mijn werk. En ik heb altijd oog gehad voor de laatste technische snufjes.'

'Daar twijfel ik niet aan,' zei Bracke, en hij meende het. Met deze kerel maakte je best geen bonje, ook niet nu hij ten einde krachten was.

'Ik ben vijf jaar geleden teruggekeerd,' zei Bondeyne. 'Ik was toen al ziek, de dokters in die apenlanden hadden me als verloren opgegeven. Ik voelde me nog goed, maar helaas hadden ze gelijk. Ik heb handenvol zuurverdiend geld besteed aan de beste verzorging, allemaal tevergeefs. Uiteindelijk gingen al mijn spaarcenten er zelfs aan op, en ik moest weer mijn kost verdienen. Het had nochtans zo mooi kunnen zijn. Ik wilde mijn laatste jaren doorbrengen aan een exotisch strand met een van die leuke plaatselijke juffers om mij te verwennen. Maar het is anders gelopen.'

'Hoe ben je in dit danshuis terechtgekomen?'

'De eigenaar van dit gebouw had een conciërge nodig, en ik had blijkbaar de juiste referenties. Ik wist op dat ogenblik niet dat Pol hier met zijn danscentrum zat, anders had ik misschien niet toegehapt. Ik hou wel van ballet, maar niet van tango. Die muziek is me te lankmoedig en doet me wenen. Dat zal mijn geweten zijn, zeker.'

Bracke knikte begrijpend. Tango had soms ook dat verpletterende effect op hem.

'Toen ik je met Annemie voor de tangoles zag opduiken, was het wel even schrikken. Je was de allerlaatste persoon die ik wilde terugzien. Gelukkig hebben jullie me niet herkend.'

'Die baard stak de helft van je gezicht weg,' knorde Bracke. 'Ik had beter moeten kijken, dan was ons heel wat ellende bespaard gebleven. Ik moet trouwens eerlijk toegeven dat je blijkbaar steeds maar beter werd in je schaduwwerk. Een paar keer heb ik je niet opgemerkt, maar had Johan wel een foto van je. En toen Verlinden ontvoerd werd, was je ineens verdwenen. Tot dan zag ik er nog steeds geen kwaad in. Integendeel, ik dacht dat ik eindelijk van je verlost was.'

Bondeyne herbeleefde deze gloriemomenten in gedachten.

'Ik ben echt wel goed, hè!'

'Zo goed nu ook weer niet. Johan heeft je nog even in Buenos Aires voor zijn lens kunnen strikken. Hij was daar voor een journalistieke opdracht en had me niets gezegd omdat hij me wilde verrassen. Dat was een onverwachte meevaller. Toen was ik er pas zeker van dat je me volgde.'

'Ik heb die vent echt onderschat,' gromde Bondeyne. 'Hij heeft zijn roeping gemist. Als ik jonger en gezonder zou zijn, dan nam ik hem mee als assistent naar Zuid-Amerika. Daar valt voor snelle jongens een fortuin in de drugsmaffia te verdienen.'

'Jij hebt anders ook wel iets met foto's,' wist Bracke. 'Die foto's van Van Aken in dat bordeel waren behoorlijk onrustwekkend. Zeker omdat ze op het juiste ogenblik bij mij in de bus vielen. Ik was net op een geval van corruptie gestoten dat de jongens van Intern Toezicht keurig aan het uitrafelen waren. Overigens niets schokkends, een lagere officier die zich door een drugsdealer had laten omkopen en die meteen uit het korps werd gezet. Ik kon onmogelijk zeggen of die foto's echt waren, en wilde ze ook niet laten analyseren omdat iedereen in het lab Van Aken natuurlijk kent. Martens heeft ze dan maar eens grondig bestudeerd, en ik was nog nooit zo opgelucht als met zijn verdict: *Een zeer goede vervalsing*. Je kent blijkbaar wat van computers. Handig om doktersbriefjes mee na te maken bijvoorbeeld.'

'Met die dingen heb ik nog het meeste geld verdiend,' lachte Bondeyne. 'Ik heb ook wat door Amerika gezworven, en daar zitten de beste fraudeurs. Eenmaal terug in België heb ik me daar verder op toegelegd. Het is verbazingwekkend hoe gemakkelijk je mensen kunt bedriegen. Ze vragen er eigenlijk gewoon om. Was ik maar twintig jaar jonger, dan was ik binnen de kortste keren schatrijk. Maar ik klaag niet over mijn leven, ook al is het binnenkort afgelopen.'

'Toch heb je ook heel wat fouten gemaakt,' zei Bracke scherp, en dat beviel Bondeyne allerminst.

'Verklaar je nader.'

'Je hebt geprobeerd mij als een casanova af te schilderen, maar met alle respect, dat ben ik niet.'

'Toch heb ik iedereen om de tuin weten te leiden,' genoot Bondeyne nog na. 'Annemie heeft je aan de deur gezet, *remember*. En Van Aken geloofde echt dat je fouten hebt gemaakt, vandaar je schorsing.'

Nu was het Brackes beurt om te lachen.

'Ik moet je ontgoochelen, Bondeyne. Dat gedoe met die arme Laurette was om het in je broek te doen van het lachen. Annemie heeft op geen enkel ogenblik geloofd dat ik werkelijk iets met dat mens had. Ze kent me wel beter dan dat.'

Bondeyne keek grimmig.

'Ik dacht nochtans dat ik haar had weten te overtuigen.'

'Je mag heel wat kwaliteiten hebben, vrouwenkennis hoort daar duidelijk niet bij,' grinnikte Bracke. 'Waarom heb je Laurette vermoord? Ik had ook wel eens de neiging om haar te wurgen, maar ik besef nu dat ze maar een rolletje speelde. Zoals al die vrouwen die ineens mijn pad kruisten en voor me vielen. Dat moet je behoorlijk wat gekost hebben.'

'Ze werd te lastig,' wimpelde Bondeyne die lastige vraag snel af. 'En ik had al veel geld aan je ondergang gespendeerd zonder dat ik echt vooruitgang had geboekt. Ook ik moet een kosten-batenanalyse maken.'

Bracke gaf de indruk niet te luisteren. Hij nam zijn gsm en drukte een sneltoets in.

'Ja, André? George hier. Ja, ik heb hem, geen probleem. Is daar beneden alles in orde?'

Hij luisterde even naar het antwoord, en schakelde dan de telefoon uit.

Adamo moest even naar adem happen.

'André? Is dat Cornelis? Dat kan niet! Je bent toch geschorst!'

Dan klaarde zijn gezicht weer op.

'Ik snap het al, je doet natuurlijk maar alsof je met Cornelis belt, om mij op het verkeerde been te zetten. Bepaald zielig, hoor. Daar trap ik niet in.'

Bracke haalde de schouders op.

'Geloof voor mijn part wat je wilt geloven. Maar ik moet je ontgoochelen. Cornelis en Hassim zijn met het interventieteam net de kelder binnengedrongen, en ze hebben Verlinden gevonden. Hij leefde nog, en ik hoop voor jou dat het zo blijft.'

'Dat kan niet!' riep Bondeyne verontwaardigd uit. 'Jij bent toch geschorst!'

'Dat denk jij tenminste,' grijnsde Bracke. 'Je bent er met je ogen open ingelopen. De bedrieger bedrogen. Kijk hier maar.' En hij diepte uit zijn achterzak een huiszoekingsbevel op. 'Ik ben hier helemaal niet als gast. Ik kom om je te arresteren.'

Bondeyne keek niet naar het papier. Hij incasseerde de uppercut met verve.

'Oké, laten we aannemen dat je de waarheid spreekt. Waarom komt dat team hier dan niet binnenvallen? Van Aken houdt toch van spectaculaire operaties, liefst met een televisieploeg erbij?'

'Als je naar buiten zou kijken, zou je de jongens op de daken zien zitten,' zei Bracke. 'Ik zou maar opletten als ik jou was, want ze hebben de vinger al aan de trekker van hun telescopisch geweer. Het zijn harde kerels, dat kan ik je vertellen. En behoorlijk zenuwachtig, want ze krijgen toch zo zelden de kans om een prijs te schieten. Ik heb een halfuur gevraagd en gekregen om deze zaak eindelijk op te klaren.'

Bondeyne lachte zo luid hij kon, maar viel snel weer op zijn stoel neer. De pijn in zijn borst was nauwelijks te harden.

'Vergeef me als ik niet zit te beven van schrik. In mijn toestand zou een salvo kogels een vorm van humane euthanasie zijn. Maar ik geloof je niet, Bracke. Ik heb je gekraakt, en dat kun je niet aan.'

'Met die blonde troela heb je me in een lastig parket gebracht, dat is een feit. Maar je vergat één ding.'

'Werkelijk? Ik heb het nochtans allemaal goed overwogen. Waar heb ik een fout gemaakt?'

'Annemie en ik kennen elkaar door en door. Ze weet dat ik soms wel eens kanker over mijn midlifecrisis, maar dat ik gewoon te schijterig ben om iets met een andere vrouw te beginnen. En dan nog zo'n ordinaire blondine, godbetert! Ik heb wel een betere smaak dan dat! Mocht het nu nog Geertje de Ceuleneer zijn!'

'Maar Annemie is toch in het appartement gaan kijken?' stamelde Bondeyne.

'Daar heb je je volgende fout gemaakt. Ze rookte niet, maar toch lagen er sigaretten in de asbak. Gauloise zonder filter, zoals ik vroeger inderdaad een pakje per dag pafte. Je hebt dus inderdaad wat speurwerk verricht. Maar je weet blijkbaar niet dat ik al acht jaar gestopt ben. Intussen ben ik zodanig allergisch voor rook dat ik na één trekje al zou kokhalzen. Zo goed heb je je huiswerk dus ook weer niet gedaan. En er stond een fles J&B op het nachtkastje in ons zogenaamde liefdesnestje!' gruwde Bracke. Een grotere belediging was nauwelijks denkbaar. 'En dan die foto's aan de muur van mij met Nelly in een innige omhelzing, je hebt je met je computer weer laten gaan.'

'Ik kon het niet laten,' grijnsde Bondeyne moeizaam.

'Toegegeven, er lagen wat persoonlijke spulletjes van me in Nelly's liefdesnestje, en dat bracht Annemie even in verwarring. Maar ze bleef niet bij de pakken zitten. Ze heeft een tête-à-tête met Nelly gehad waaruit al snel de waarheid bleek. Je hebt het beoordelingsvermogen van mijn vrouw onderschat, makker.'

Bondeyne was even sprakeloos. Hij had duidelijk moeite om deze opdoffer te verwerken.

'De hijgtelefoontjes aan Annemie kan ik niet zo goed situeren. Wilde je haar misschien van streek brengen om uiteindelijk zelf als de grote beschermer op de proppen te komen?'

'Daar ben ik helaas te ziek voor. Maar anders graag. Het was een drang waaraan ik niet kon weerstaan. Gewoon haar stem, haar ademhaling horen, dat was al voldoende.'

'Met die telefoontjes heb je een doorslaggevende fout gemaakt. Blijkbaar heb je je toetsenvergrendeling niet aangezet, want op een bepaald moment heb je zonder dat je het zelf wist Annemie opgebeld. Eerlijk gezegd heb ik dat zelf ook al meegemaakt,' grijnsde Bracke.

'Die stomme gsm zit in je achterzak of je borstzakje, je gaat zitten en maakt zo zonder het zelf te beseffen verbinding met het laatste nummer dat je gebeld hebt. En de persoon aan de andere kant kan meevolgen wat er in je kamer gebeurt. Je was net met Nellie aan het bespreken wat ze nog allemaal moest zeggen en doen, en je onderhandelde ook over de bijkomende centen die ze daarvoor zou ontvangen. Gelukkig zat Annemie net op kantoor, waar ze de inkomende telefoons met een recorder kan opnemen. We wisten dus vooraf al wat er zou gebeuren, en toen hebben we een prestatie geleverd die Cornelis jaloers deed worden.'

Bondeyne keek hem niet-begrijpend aan. Zijn blik werd steeds waziger.

'We hebben toen een mooi toneeltje in elkaar gestoken. Iedereen zat in het complot, tot Cornelis en Van Aken toe. Op dat ogenblik wisten we nog niet wie je was, en omdat je me ook niet meer bespioneerde moesten we je wel op een andere manier uit je tent lokken. Vandaar de zogenaamde schorsing en mijn verhuizing naar het appartement van Cornelis. We gingen ervan uit dat je dat toch ter ore zou komen, zeker als we het zogenaamd geheim hielden maar het wel intern lieten uitlekken. Geen grotere kletskousen dan de flikken.'

Daar had Bondeyne niet van terug. Hij zat in gedachten duidelijk de feiten te reconstrueren.

'En blijkbaar deinsde je er niet voor terug om je in het hol van de leeuw te vertonen,' ging Bracke verder. 'Dat grapje met mijn wagen die op de parkeerplaats ineens een eindje verder stond, weet je nog wel? Ik heb dat gevalletje even onderzocht, en de portier had je met die takelwagen wel gezien. Maar hij had er zich geen verdere vragen bij gesteld omdat het niet in hem opkwam dat een extern iemand zoiets zou durven op de terreinen van de politie.'

'Ik wilde je van je stuk brengen,' grijnsde Bondeyne. 'Je aan jezelf doen twijfelen, en aan je collega's. Ik reed gewoon de parkeerplaats op, en niemand die me tegenhield. Een van die stomme agenten vroeg me zelfs of hij geen handje moest helpen.'

'Die zogenaamde rel in de Wondelgemstraat heeft me even in de war gebracht,' moest Bracke toegegeven. 'Hoe heb je die mensen kunnen overtuigen een klacht tegen me in te dienen?'

Bondeyne grinnikte.

'Zo moeilijk was dat nu ook weer niet. *Ces gens là, monsieur*. Ik heb twee weken geleden een volksfeest voor de buurt gegeven. Gratis spijs en drank, dat konden ze niet weerstaan. En een advocaat die een brief wilde schrijven was voor wat geld snel gevonden.'

'Het doet er ook niet toe. Je hebt je kaarten uitgespeeld en de wedstrijd verloren. Over en uit.'

'Verloren? Ik heb nog heel wat troeven in handen!' fluisterde Bondeyne. Het praten ging hem steeds moeizamer af, en hij gaf opnieuw bloed op. Hij tastte naar zijn verstuiver, die op de grond plofte.

'George, wil je me even helpen?'

Bracke deed alsof hij Bondeyne niet hoorde en liet hem op handen en voeten naar de verstuiver kruipen. Net voor de hijgende Bondeyne de puffer in handen had, schopte Bracke het ding een paar meter verder.

'Een kleine weerwraak voor de schorsing,' grijnsde hij, 'ik weet het, het is niet mooi van me maar je hebt het verdiend. Met die schorsing heb je me echt gekwetst. Van Aken geloofde op dat moment werkelijk dat ik die vrouw gemolesteerd had, ook al moest ik nog voor Intern Toezicht verschijnen. Ik heb toen even de tanden om elkaar geklemd gehouden omdat ik zelf nog niet goed wist wat er precies aan de hand was. Annemie had ik wel al in vertrouwen genomen, en we besloten het voor onszelf te houden. Het ergste was dat ik tegen mijn kinderen en schoonmoeder heb moeten liegen. Hoe minder mensen het wisten, hoe kleiner de kans dat het uitkwam. Dat zal ik je nooit vergeven. En waarom dat gedoe met die tekening in Julies agenda? Want daar zit jij ook achter, daar ben ik zeker van.'

'Tekenen mocht ik ook al niet van mijn moeder,' zette Bondeyne een sip gezicht op. 'En ik deed het zo graag. Heb ik dan echt zo weinig talent?'

Niet zonder moeite slofte hij naar een van de dozen en haalde er een kaft uit. Met enige trots spreidde hij een reeks houtskooltekeningen op de grond uit. Tot zijn verbazing merkte Bracke dat het bijna allemaal schetsen van Annemie waren. Sommige in weinig verhullende poses, en dat maakte hem alleen maar ontstemd.

'Ik hoop niet dat je van mij een oordeel over je artistieke werk verwacht. Ik ben Jan Hoet niet.'

'Niet schrikken, commissaris. Ze heeft helaas niet zo voor mij geposeerd,' spotte Bondeyne. 'Was het maar waar. Maar zeg eens, waar ben ik uit de bocht gegaan? Want het was bijna gelukt,' fluisterde Bondeyne. Het zweet van zijn voorhoofd vermengde zich met het bloed dat aangedroogd aan zijn mond hing.

'Je bent een amateur,' gromde Bracke. 'Met die Nellie heb je de bal pas goed misgeslagen. Toen Annemie haar ontmaskerd had, was het Van Aken snel duidelijk dat iemand een spelletje met me speelde. Dat gedoe met die Laurette en die dame in die bar in Buenos Aires die mij blijkbaar de meest onweerstaanbare man ter wereld vonden en dan die studie van die professor die Annemie ineens onder ogen kreeg, je hebt echt meer dan je best gedaan.'

Bondeyne was gestreeld in zijn ijdelheid. Hij had duidelijk binnenpretjes, want ondanks de pijn verscheen er even een glimlach op zijn lippen.

'We besloten de schorsing te handhaven in de hoop jou zo uit je tent te kunnen lokken,' vervolgde Bracke. 'We hebben Nellies voorgeschiedenis onderzocht, en die was niet zo fraai. Veroordelingen wegens tippelen, dealen, kortom genoeg om haar te overtuigen om met ons mee te werken. Ze heeft blijkbaar talent als actrice, want ze slaagde erin je ervan te overtuigen dat Annemie nog steeds geloofde dat ik een scheve schaats reed. Ze zwoer dat ze niets van Verlinden wist, en dat was ongetwijfeld ook zo. Ze dacht zelfs dat je gewoon een grap met me wilde uithalen. We weten ook dat zij het was die in jouw opdracht dat briefje schreef dat aan mij geadresseerd was en zogezegd per ongeluk op Annemies bureau belandde.'

'Die sloerie!' pufte Bondeyne. 'Ik had het kunnen weten. En ik was net zo goed bezig. Ik had een camera gekocht om leuke filmpjes van Verlinden te maken. Het is een taaie brok, dat wel. Ik was echt benieuwd om te zien hoe lang hij het zonder eten en drinken zou volhouden. Eerst zou ik je dagelijks een filmpje toesturen, en het was mijn bedoeling om ze ook op een website te zetten. Jammer toch.'

'Over briefjes gesproken, je hebt je echt wel uitgesloofd. Toen je Hassim in het ziekenhuis bloemen met een waarschuwing aan mijn adres bezorgde, wist die arme jongen eerst niet wat hij daarmee moest aanvangen. Uiteindelijk is hij mij toen ik zogezegd geschorst was bij Cornelis komen opzoeken, en toen was ik helemaal zeker dat iemand het op mij gemunt had. Dat briefje was natuurlijk maar bedoeld om mysterieus te doen.'

'Inderdaad,' grijnsde Bondeyne. 'Rookgordijnen, nietwaar. Maar nu weet ik nog altijd niet hoe je mij gevonden hebt,' dacht hij hardop na.

'Ik wil je niet ontgoochelen, maar we waren vooral bekommerd om het lot van Verlinden,' zette Bracke zijn verhaal verder. 'Zeker toen we een tijd niets meer van je hoorden vreesden we het ergste. De geluidsopname gaf ons weer enige hoop, ondanks de onrustwekkende taal. En met die cassette heb je je meest kapitale fout gemaakt.'

Bondeyne liet een pruillip hangen. Hij pijnigde zijn hersenen om te weten waar het was misgegaan.

'Mag ik even?'

Bracke wees naar de cassettespeler op de vensterbank. Bondeyne knikte niet-begrijpend. De commissaris stak een cassette in de houder en duwde op de *play*-toets. Verbaasd luisterde Bondeyne naar het liedje en herkende dan het soort muziek.

'Bah, tango!'

'Om juist te zijn, een milonga. *Milonga triste* meer bepaald. Nu even stil zijn.'

Een verdrietige vrouwenstem begon te zingen met een stem vol nauwelijks verteerde smart.

'Ik spreek slecht Spaans,' zei Bondeyne bits. 'Toen ik in Latijns-Amerika zat, liet ik mijn geweer het woord doen. En ik ben niet in de stemming voor dit soort pathetisch sentiment.'

Bracke luisterde met de ogen dicht en deinde mee op de maat van de muziek.

'Het gaat niet zozeer om de woorden van dit oude lied, maar om het gevoel. Weemoed om een liefde die door de dood abrupt wordt afgebroken, onvervalste *tristesse*. Verdriet dat nooit meer zal verdwijnen omdat het zo diep geworteld zit. Maar die gevoelens zijn aan jou wellicht niet besteed.'

'Wat heeft dat stomme lied met mijn cassette van Verlinden te maken?' brieste Bondeyne geërgerd. Hij had het onaangename gevoel dat zijn troeven een voor een uit de hand genomen werden en dat hij er niets kon tegen doen.

'We hebben die opname van je zeker honderd keer beluisterd. De experts wisten te vertellen dat de stem van Verlinden authentiek was. De dreigementen die je hem in de mond legde hebben zeker indruk gemaakt. Maar toen ik het volume luider zette, hoorde ik iets dat we niet eerder opgemerkt hadden.'

Bondeyne begreep er nog steeds niets van.

'Wat dan wel?' Hij pijnigde zijn hersenen.

'Het was nauwelijks hoorbaar, maar die technische jongens kunnen met hun speelgoed wonderen doen. Ze hebben de woorden van Verlinden weggefilterd, het geluid van zoveel mogelijk ruis ontdaan en tot bijna honderdmaal versterkt. En toen hoorden we, weliswaar heel moeilijk verstaanbaar, dit bewuste liedje. Ik herkende het meteen,' zei Bracke met nauwelijks verborgen fierheid in zijn stem. Hij zag dat Bondeyne nu toch naar het lied zat te luisteren en grote ogen opzette. Nog een die de zachte kracht van de milonga aan den lijve ondervonden had.

Bracke leunde genietend achterover, om zijn woorden te laten doordringen.

'*Milonga triste* is weliswaar een evergreen uit de jaren dertig die door velen werd opgenomen, maar deze rustige versie van het Luis Rizzo Cuarteto en gezongen door Suzanna Rizzi is hier nauwelijks bekend. Toen ik dit lied hoorde, wist ik meteen waar je zat en ook wie je was. Het leek alsof ik dat ene ontbrekende stukje in handen kreeg dat de puzzel compleet maakte. Ik kan je zelfs zeggen wanneer je dit bandje hebt opgenomen.'

Bracke nam zich een tweede appel en begon met gulzige happen te eten. Het sap liep langs zijn lippen. Bondeyne werd zo mogelijk nog bleker.

'Ik was eergisteren nog bij Pol. We moesten een verklaring opmaken voor de politie van Buenos Aires in verband met die arme Laurette, en ik zag dat hij verdriet had. Zijn oude kat Nimf was pas overleden, en Pol had zich enorm aan dit dier gehecht. Hij liet mij *Milonga triste* horen, dat hij trouwens ook op de begrafenis van zijn vader gespeeld heeft. Hij draaide het lied met de ramen open op maximumvolume, als eerbetoon aan Nimf die vaak op zijn dakterras ronddwierf. Het was een van die gewijde momenten,' zuchtte Bracke. 'Ik voelde de haartjes op mijn armen overeind komen, zo diep, zo intens ging de muziek door me heen.'

Bondeyne was even helemaal van de kaart. Hij zat Bracke met open mond aan te kijken.

'Ik was helemaal zeker toen ik op de opname ook nog een flard van de recente versie van Sandra Luna hoorde,' ging Bracke verder. 'Sandra is een wereldster in wording die hier nog nauwelijks bekend is, en Pol heeft een speciale band met haar. Tweemaal na elkaar hetzelfde lied in een andere versie, dat was iets van het goede te veel om toeval te zijn.'

Bondeyne scheen het maar niet te kunnen vatten.

'Op het moment dat ik die opname bij Verlinden maakte zat jij dus vlakbij, en we wisten het niet van elkaar. Ik heb je wagen nochtans niet horen stoppen.'

'Ik was te voet,' zei Bracke. 'Ik heb mijn voornemens om weer te gaan joggen eindelijk gerealiseerd, en danscentrum Polariteit ligt op mijn joggingroute.'

'Die rottango ook,' sakkerde Bondeyne. 'Je moest eens weten hoe vaak ik hier bij Van Assches verdomde lessen op mijn tanden zat te bijten.'

Met moeite kroop hij naar een hoek van de kamer en trok een houten plug uit de vloer.

'Hoe vaak heb ik hier niet naar beneden zitten kijken terwijl je met Annemie aan het dansen was. Tango's, milonga's, *whatever*. Die verschrikkelijke muziek deed me letterlijk pijn.'

'Het verschil tussen een tango en een milonga uitleggen zou ons te ver leiden,' zei Bracke. 'Het heeft ook geen belang. En nu wil ik dat er een einde aan dit gedoe komt. Mijn geduld is op, Bondeyne. Tijd voor de afrekening.'

Buiten was het scherpe geluid van een fluitje te horen, gevolgd door het gedreun van laarzen.

'De stormtroepen zijn daar,' grijnsde Bracke. 'Nu gaat het gebeuren. Ik zou het niet eens erg vinden als je je verzet. Ze laten geen morzel van je heel.'

Bondeyne bleef opvallend kalm.

'Mij zullen ze niet krijgen,' zei hij op een zodanig besliste toon dat Bracke er koud van werd. De hand van Bondeyne tastte onder tafel.

Brackes instinct luidde de alarmbel. Dit ging mis.

Bondeyne duwde op de knop. De deur sloeg in het slot.

Bracke haalde opgelucht adem.

'Dat deurtje zal die jongens niet tegenhouden.'

'Maar jou wel. Toch lang genoeg,' hijgde Bondeyne. Hij graaide in de fruitschaal.

'Voor mij is dit het einde van de reis. Maar ik ga niet alleen weg van deze wereld. Ik bied jou een gratis lift naar de hel aan.'

De alarmmeter in het hoofd van Bracke sloeg helemaal in het rood. Gedaan met de lieve woorden en het om elkaar heen cirkelen, nu was het menens.

Bondeyne zwaaide ineens met de handgranaat, die hij onder in de fruitschaal verborgen had. De granaat was groen geschilderd, en viel in het schemerduister tussen de appelen niet op.

'Shit!' riep Bracke uit. Daar had hij niet gekeken. Een noodlottige fout, wist hij.

Bondeyne trok de pin er met zijn tanden uit, liet de handgranaat in zijn binnenzak glijden en trok de ritssluiting dicht.

'Tot ziens, Bracke!' lachte Bondeyne.

Met één katachtige sprong stond Bracke bij de deur en hij rukte uit alle geweld aan de klink. Zonder succes. Het vijfpuntslot gaf geen kik, en het houtwerk was te stevig om in te beuken. Zijn hart raasde door zijn keel, en van de schrik zag hij niet meer helder uit zijn ogen. Schreeuwend wilde hij Bondeyne die helemaal onderuitgezakt op het einde lag te wachten te lijf gaan, maar halfweg bedacht hij zich. Ineens had hij lood in zijn aderen. Bracke besefte dat hij nog hooguit enkele seconden te leven had en kon zijn gedachten niet meer ordenen. Het laatste waar hij aan dacht was Annemie, en de kinderen.

20

Op het dak van de buren lag Van Aken verdekt opgesteld, walkie-talkie in de aanslag en omringd door schietgrage leden van de speciale interventiedienst.

'Nog vijftien seconden, en we gaan naar binnen! Iedereen op zijn positie!'

Met zijn verrekijker probeerde hij te zien wat er zich binnen afspeelde, maar het was te donker. Hij wuifde naar de schutters, die zich overal op de daken verspreid hadden.

'Ik had Bracke dit nooit mogen laten doen,' zuchtte Van Aken. 'Dit is niet goed voor mijn hart.'

'Maar wel goed voor zijn ego,' zei Cornelis. 'Kan hij eindelijk met zijn kwelduivel afrekenen.'

'Het is tijd.'

Vergezeld van Cornelis en drie gewapende inspecteurs holde Van Aken zo snel hij kon de trap af. De bewoners waren geruisloos geëvacueerd en zaten twee straten verder in het buurthuis te wachten.

Toen ze na een eeuwigheid eindelijk beneden waren, hoorden ze eerst het geluid van brekend glas en dan een luide schreeuw, gevolgd door een ontploffing.

21

Een zachte stem, heel ver weg. Kabbelend op witte wolkjes.

'George. Kun je me horen?'

Nog meer fluisterende stemmen in de kamer. Zijn ogen die niet open wilden. Hooguit op een spleetje.

Alles draaide. Hij voelde zich misselijk worden.

'Rustig,' suste Annemie. Ze had zijn hand vast. 'Slaap nu maar. Alles is in orde.'

'En Verlinden?' zei hij zwak, heel zwak. Ze had hem niet verstaan, maar wist zo ook wel wat hij vroeg. Ze legde haar wijsvinger op zijn mond.

'Later.'

Hij zakte langzaam weg in een toestand van half slapen en waken. Het nochtans gedempte licht deed pijn aan zijn ogen.

'We kunnen nu beter de kamer verlaten,' zei Annemie.

Op de gang stonden Van Aken en Cornelis te beraadslagen. Eens een flik altijd een flik, dacht Annemie. De hoofdverpleegster vroeg of ze haar even wilde volgen. Ze hadden heel wat te bespreken.

Van Aken wachtte geduldig tot ze terug was. Aan de balie telefoneerde hij naar de afdeling intensive care. Zijn gezicht klaarde op.

'Het wordt een lange revalidatie,' meldde Annemie. 'De hersenschudding en de enkelbreuk zullen snel genezen, en ook de gebroken ribben komen in orde. Het is vooral de open beenbreuk die de dokter zorgen baart. De breuk zit blijkbaar op een gecompliceerde plaats, en het bot is op meerdere plaatsen versplinterd. Ze willen onmiddellijk opereren.'

Van Aken wist niet wat hij moest zeggen. In dit soort situaties voelde hij zich machteloos.

Cornelis nam zijn baas even apart. Annemie probeerde zich kranig te houden, maar ze kon niet veel meer hebben. Er was de laatste tijd te veel gebeurd. Al die opgekropte spanning en het moeten doen alsof hadden veel van haar krachten gevergd.

'Dan ga ik nu maar, 'zei Van Aken aarzelend. 'Ik moet ook bij Verlinden nog eens langs, om zijn vrouw op te vangen. Je bent bij André in goede handen, Annemie.'

Hij gaf haar snel een zoen op de wang. Annemie kon zijn zweet ruiken. Ze had tijdens de bevrijdingsactie van Verlinden doodsangsten uitgestaan, vooral omdat het oneindig lang leek te duren. Toen het nieuws van de ontploffing via de dispatching werd doorgegeven, had ze een gil geslaakt die door merg en been ging.

'Ik wil nog even iets tegen hem gaan zeggen', snikte ze. Cornelis begreep. Hij hield haar hand vast en kneep er zachtjes in.

'George heeft wel erger meegemaakt dan een paar operaties. Hij is een kat met negen levens. En we zitten hier tenslotte in het beste ziekenhuis van het land.'

Ze lachte, een moeizaam lachje dat veel zei.

'Bedankt, André. Je hebt gelijk. Ons krijgen ze niet klein.'

Annemie glipte de kamer in. Bracke was helemaal ingedommeld. Ze ging op de rand van het bed zitten en gaf hem kleine zoentjes op het voorhoofd, op zijn mond.

'Het komt allemaal weer goed, George. Dat beloof ik je. Voor je het weet dansen we weer de tango. Desnoods eerst in je rolstoel, maar ik sleep je naar de dansvloer.'

Ze mocht hem echter niet vermoeien. Niet nu hij voor die belangrijke operatie stond.

'Tot straks, schat. We duimen allemaal voor je. Mijn moeder heeft in de kathedraal een kaars voor je aangestoken.'

Toen ze de deur uit was, knikte Bracke. Ze had gelijk. Niets nieuws onder de zon, Annemie had altijd gelijk.

Hij probeerde de beelden te verdringen. Van die grijnzende Bondeyne die de handgranaat in zijn vest verstopte. De seconden die tergend langzaam gingen. Het wanhopige rukken aan de deur. En dan de aanloop, met zijn armen voor zijn gezicht dwars door het raam heen. De ontploffing toen hij in de lucht hing, hij was al bewusteloos toen hij op de dozen met papier smakte. Van de rest wist hij niets meer.

De verpleegster kwam Bracke halen. Annemie en Cornelis keken hem na toen hij met zijn bed naar de lift werd gerold, beiden in gedachten verzonken.

'Hier kunnen we voorlopig weinig meer doen dan wortel schieten,' zei Cornelis. 'Het is misschien een ongewoon moment, maar ik nodig je uit om in de kantine een hapje te gaan eten.'

'Ik denk niet dat ik iets door mijn keel krijg,' zuchtte Annemie.

'Ik wellicht ook niet, maar we zullen het nooit weten als we het niet proberen. En we kunnen onderweg eens kijken hoe het met Verlinden gesteld is.'

André weet altijd de juiste woorden te zeggen, dacht Annemie. Of het waren misschien niet eens de woorden, maar vooral de manier waarop hij ze zei.

'Ik heb ook even met de hoofdverpleegster gesproken, en je hoeft echt niet bang te zijn voor de operatie,' vervolgde hij. 'Het is uiteraard een delicaat werkje, dat wel. Ze zullen verschillende uren zoet zijn. Maar het belangrijkste is dat hij achteraf voldoende rust, en dan revalideert. Hij zal daar hulp bij nodig hebben.'

'Dat heb ik met Van Aken al besproken,' zei Annemie. 'Hij is bereid me verlof te geven zolang dat nodig is.'

'Hij heeft dan toch een hart.'

Epiloog

Drie maanden later, de nieuwjaarswensen waren al een tijdje uitgewisseld en de goede voornemens alweer vergeten.

Voor het stadhuis had zich een nieuwsgierige menigte verzameld, en ook de pers was in groten getale aanwezig om dit evenement voor het nageslacht vast te leggen.

De ceremoniemeester had moeite om de vele notabelen te ontvangen. Onder zijn oksels waren zweetvlekken te zien, en af en toe wiste hij zijn voorhoofd schoon. Hij vroeg iedereen naar zijn invitatie en beval diegenen die er geen konden voorleggen beleefd maar uitdrukkelijk de geïmproviseerde welkomstruimte te verlaten om de plechtigheid niet te verstoren.

Bracke zat in zijn rolstoel het spektakel te aanschouwen. Het was de allereerste keer dat hij het ziekenhuis verliet, en hij had genoten van het frisse windje onderweg toen hij zich met het raampje open door Annemie had laten voeren. Ze was er zeker van dat hij de volgende dag keelpijn van de tocht zou hebben, maar kon het niet over haar hart krijgen hem een opmerking te maken. Na wat hij de voorbije maanden op de operatietafel en tijdens de revalidatie had afgezien kon een verkoudheid er nog wel bij.

De kinderen stonden trouw rond Bracke geschaard, allemaal op hun paasbest uitgedost. Julie speelde de bezorgde kloekhen en week geen duimbreed van de zijde van haar vader. Jonas liep er enigszins verstrooid bij en speelde stiekem wat op zijn gameboy met het spelletje dat hij voor nieuwjaar van Cornelis gekregen had. En zelfs Jorg had niet gemord toen Bracke hem duidelijk had gemaakt dat hij zijn aanwezigheid erg op prijs zou stellen. In het ziekenhuis had hij zijn vader meermaals uit vrije wil bezocht, en Bracke kon zich alleen maar gelukkig prijzen. Het zou echt wel goed komen met die jongen.

Op een dag kort na zijn tweede operatie hadden ze zowaar een echt gesprek van man tot man gevoerd. Bracke had nu tijd om zich eindelijk eens met zijn oudste zoon bezig te houden, wat die erg op prijs scheen te stellen. De commissaris had besloten het over een andere boeg te gooien en was met zijn zoon gewoon over koetjes en kalfjes beginnen te praten. Hij lette erop dat hij Jorg geen verwijten maakte en vooral niet over zijn gedrag begon. Toen was Jorg ineens vanzelf losgekomen. Bleek dat hij helemaal niet lastig was gaan doen omdat hij met de verkeerde vrienden omging, maar wel omdat hij verliefd was op de dochter van de slager bij wie hij één avond per week en in de weekends een handje ging helpen om wat bij te verdienen. Vertederd had Bracke teruggedacht aan zijn eigen tienerjaren, toen hijzelf om de haverklap halsoverkop verliefd werd op onbereikbare meisjes. Maar Jorg deed blijkbaar beter dan zijn vader, want hij had intussen al wel een paar afspraakjes met de inderdaad erg frisse juffrouw van zijn dromen versierd en volgende week gingen ze zowaar samen fietsen naar het provinciaal domein Puyenbroek.

Annemie was weliswaar niet in functie, maar ze werd om de haverklap aangeklampt door mensen die haar herkenden. Journalisten kwamen informeren of er geen nieuws was, ook al had ze de voorbije drie maanden niet gewerkt. Bracke had erop aangedrongen dat ze nu hij weer enigszins mobiel was zo snel mogelijk weer aan de slag zou gaan, maar ze hield de boot nog even af.

'Ik heb tijd. Zo snel raak je niet van mij verlost, Bracke.'

Gelukzalig leunde hij achterover. Maar ook weer niet te ver, want hij wilde zichzelf niet onsterfelijk belachelijk maken door voor het oog van iedereen uit zijn rolstoel te vallen.

Bracke keek nieuwsgierig om zich heen. Hij had de voorbije weken alleen maar bezoekers en patiënten in het ziekenhuis gezien, en het was een verademing eindelijk nog eens tussen gewone mensen te vertoeven.

Het leek wel de *place m'as-tu vu*. Al die mensen die hem de hand kwamen schudden, hij werd er duizelig van. Al de schepenen, hoofd Jan Schietekatte van de dienst Feestelijkheden, verschillende bankdirecteurs en dames van stand in wisselende staat van ontbinding, inspecteurs, politici uit Kamer en Senaat, minister Freya Van den Bossche, het moederke van de Muide, die goeie ouwe Mong Rosseel van de

Vieze Gasten en Jo Bonte van Pole Pole, iedereen die in deze stad ook maar iets te betekenen had stond geduldig in de rij te wachten om enkele steunende woorden met de commissaris te wisselen.

Allemaal hadden ze zijn wedervaren in de krant gevolgd, en hij voelde zich één ogenblik lang zowaar een bekende Vlaming. Ook die waren trouwens rijkelijk aanwezig, maar daar hield Bracke zich liever afzijdig van. Van Joyce de Troch tot Sabine de Vos, Koen Crucke en Isabelle Adam en haar vroegere manager Marc van Beveren, allemaal waren ze komen opdagen om een glimp van het spektakel op te vangen en door het oog van de camera geregistreerd te worden.

Aarzelend kwam een vrouw op Bracke af.

'Herken je me, commissaris?'

Bracke moest even kijken, want ze was overdadig geschminkt en droeg een voor haar sociale status veel te dure hoedje.

'Mevrouw Debleeckere?'

'Zeg maar Ida. Ik kom me verontschuldigen omdat ik je onrechtmatig beticht heb.'

'Het is al goed,' zei Bracke met een groots gebaar. 'Hoeveel heeft hij je eigenlijk betaald?'

'Duizend euro,' snikte Ida. 'Ik dacht eerst dat het om een grap ging, echt waar. Maar toen hij aandrong om met nog zwaardere beschuldigingen voor de dag te komen, begreep ik dat het ernst was. Ik heb uiteindelijk vrijwillig een verklaring afgelegd waarin ik alles weer introk.'

'Dat heb ik gehoord,' knikte Bracke. 'Ik ben je daar dankbaar om, want je hebt me op het juiste moment heel wat ellende bespaard. Die jongens van Intern Toezicht werden net op tijd weer aan de leiband gelegd.'

'Werkelijk?' zei Ida blij verrast. 'Dat doet me plezier. Dan ga ik maar eens. Het beste, commissaris.'

Bracke staarde Ida na tot ze tussen de massa verdwenen was om zich een goed plaatsje te zoeken.

'Al die bekenden,' zuchtte hij. 'Een mens zou er hoorndol van worden.'

Voor één keer was Van Aken de reddende engel.

'George, als ik je even van je fans mag wegrukken?'

'Alsjeblieft, Werner, *be my guest*,' zei Bracke dankbaar.

De chef van de politie duwde met een brede glimlach de rolstoel van zijn commissaris eigenhandig voor zich uit.

'Als iedereen ons even wil excuseren? We komen zo meteen terug.'

'Politieconclaaf op het hoogste niveau,' sneerde Sigiswald Steyaert. Bracke was verheugd dat zijn oude makker was komen opdagen. En niet in functie, had de reporter beklemtoond.

'Voor mijn part mag vandaag het Belfort ineenzakken, ik kom hier om aan oude vrienden hulde te brengen.'

Van Aken kende het stadhuis door en door. Hij was hier dan ook niet weg te slaan om bij de verschillende politici te lobbyen. Hij reed Bracke door de Pacificatiezaal naar een van de kleinere ruimtes die voor het publiek ontoegankelijk bleven. Bracke keek om en zag dat Annemie hen op de voet volgde.

Binnen waren slechts enkele personen aanwezig. Stormvogel, Verlindens secretaresse Vera, Van Akens persoonlijke secretaris Jean Vervaecke, procureur Delarue, korpspsychologe Nina Wijckmans, chef van het technisch lab Lode Dierkens en gerechtsdokter Jacques Van Dijck begonnen spontaan te applaudisseren toen Van Aken Bracke naar binnen rolde.

De commissaris zou het nooit toegeven, maar hij was ontroerd door de verwelkoming.

Van Aken ontkurkte zowaar een magnumfles champagne, weliswaar van een merk dat Bracke niet kende, maar het was het gebaar dat telde.

'Op George Bracke, die vanaf vandaag weer tussen ons is!' hief Van Aken het glas. 'Je begrijpt dat André er niet kon bij zijn, want hij heeft momenteel wel wat anders te doen. Maar ik wilde toch even dit privémoment creëren om namens iedereen op jouw gezondheid te klinken. Op een goede verdere genezing, George. En niet dat je je hoeft te haasten, maar we hopen je snel weer in ons midden te hebben.'

Nu werd van hem een dankwoordje verwacht, maar het lukte niet. Zijn keel leek wel dichtgesnoerd. Hij nam vlug een grote slok. Inderdaad rommel, proefde hij, zoals hij had gevreesd.

'Allemaal bedankt,' zei Bracke met de juiste snik in zijn stem.

'We hebben nog een verrassing,' glunderde Van Aken. Bracke merkte nu pas voor het eerst dat zijn chef best een mooie lach had als hij maar zijn best deed.

Met een plechtig, overdreven gebaar tastte Van Aken in zijn vestzak.

'Waar heb ik het ook weer gestopt? O ja, hier is het. Mag ik je dit in naam van het hele korps overhandigen?'

Hij gaf Bracke een envelop. Bracke keek erin en zag een stapel bankbiljetten.

'We zijn met de hoed rondgegaan. Om de afgebroken reis naar Argentinië nog eens over te doen,' lachte Van Aken. Bracke stond sprakeloos. Hij kon alleen maar verslagen met de bankbriefjes naar de aanwezigen zwaaien en een duim in de lucht steken.

Er werd voorzichtig aangeklopt.

'O ja, het is waar, ik verwachtte nog iemand,' zei Van Aken. 'Een ogenblikje.'

Hij deed open en verdween even in de gang. Annemie lachte. Zij wist natuurlijk wat er zou gebeuren. Bracke besloot het vandaag allemaal maar op zich af te laten komen. Hij kon toch niet weg, en was blij met de afleiding. De voorbije weken had hij afgezien als nooit tevoren, en de revalidatie was nog maar net begonnen.

De deur ging weer open. Van Aken kwam binnen, gevolgd door Verlinden, die iedereen de hand ging schudden maar vermeed zijn collega's aan te kijken.

Het deed Bracke pijn om te zien hoe de hoofdcommissaris nog steeds slechts een schim van zichzelf was. Na zijn bevrijding had het verschillende weken geduurd om hem weer enigszins op krachten te laten komen. Hij was bijna uitgehongerd en begon ook ernstige uitdrogingsverschijnselen te vertonen. Maar nog veel erger was de psychologische schade. Hij kon 's nachts niet slapen, en was nog lang niet aan werken toe.

Van Aken had vooraf met Nina overlegd, en die vond het een goed idee om Verlinden ook uit te nodigen. Ze konden best normaal tegen hem doen en vooral geen medelijden tonen.

Verlinden nam een stoel en ging naast Bracke zitten.

'Een belangrijke dag vandaag, George.'

'Tegen wie zeg je het. Ik heb hier lang naar uit gekeken. De dagen gaan traag voorbij als je jezelf in de fitness moet afbeulen.'

'Hoe doe je dat, George?' vroeg Verlinden op de man af.

Bracke wist niet waar hij het over had.

'Wat bedoel je, Omer? Ik kan even niet volgen.'

'Jezelf van je omgeving afsluiten, of hoe noem je dat? In die kelder heb ik het geprobeerd, telkens opnieuw. Maar het leek me maar niet te lukken.'

'De truc is helemaal niet te proberen,' wist Bracke. 'Alles gewoon op je af laten komen, en aan niets denken.'

Verlinden dacht duidelijk diep na.

'Zo had ik het nog niet bekeken. Je hebt gelijk. Ik ben bang geweest daar beneden, George. Doodsbang. Ik heb nog nooit in mijn leven zoveel angst gehad, en in mijn geval betekent dat wel wat.'

Daar kon Bracke van meespreken. Verlinden had de naam een grijze muis te zijn, maar kwam pas goed op dreef tijdens crisissituaties. Hij was in zijn jongere jaren meermaals bij vuurgevechten betrokken geweest en was tijdens de jaarlijkse fysieke proeven nog steeds een van de absolute toppers van het korps.

'Het ergste is nog dat ik op de duur hoopte dat die man zou terugkomen en me zou afmaken. Meer zelfs, ik begon hem te missen. En nu is hij dood, en lig ik 's nachts van hem te dromen. Ik luister dan of ik zijn voetstappen niet hoor. Ik denk dat ik gek geworden ben, George.'

Bracke wenkte Nina.

'Excuseer me even, Omer.'

Hij reed zijn rolstoel naar een hoek van de kamer en vertelde haar wat Verlinden gezegd had.

'Ik weet het,' zei ze. 'Hij zit nog volop in de verwerkingsfase. We hoeven nog niet ongerust te zijn, daar kan een hele tijd overheen gaan. Het is al positief dat hij er tegen jou over praat. Je kent Verlinden, hij is nogal op zijn strepen gesteld. Na wat er gebeurd is, beschouwt hij jou minstens als evenwaardig of kijkt hij zelfs naar je op.'

'Dames en heren, ik stel voor dat we ons glas leegdrinken en teruggaan. Ze zullen allicht al op ons wachten,' zei Van Aken, die zijn derde glas champagne in één keer naar binnen goot en al een behoorlijk rood hoofd begon te krijgen.

In de gang stonden enkele ijverige journalisten te wachten. Bracke herkende Donald Mertens van de commerciële televisie, die even aarzelde maar hem dan toch een hand kwam geven.

'Iets belangrijks aan de gang, commissaris?'

'Ik zou het echt niet weten, want ik ben nog steeds in ziekteverlof, meneer Mertens.'

Van Aken ging het gezelschap voor, alsof hij de gids was die elk hoekje en kantje kende. Wat wellicht ook zo is, dacht Bracke. Twee burgemeesters geleden had een ontsnapte gevangene uit de Nieuwewandeling zich in de wandelgangen van het stadhuis verborgen, maar was binnen de kortste keren door Van Aken eigenhandig bij de lurven gevat.

De ceremoniemeester stond nerveus op zijn horloge te kijken en slaakte een zucht van verlichting toen hij de politiemensen opmerkte.

'Eindelijk! Alle genodigden zijn er, en ik stel voor dat we beginnen. Als u me allemaal wilt volgen?'

Bracke liet zich door Annemie voortduwen. Samen met de kinderen sloten ze zich bij de bonte stoet aan. Bracke herkende in de menigte de tangogoeroe Pol Van Assche, whiskypaus Bob Minnekeer en zijn echtgenote Patsy, die er werkelijk om te stelen uitzag. Bob bofte toch maar met zo'n vrouw, dacht Bracke. Ze is zijn rots in de branding, en zonder haar zou de whiskyclub in de soep draaien. Achter elke sterke man staat een minstens even sterke vrouw. Maar dat kon hij niet hardop zeggen, want dan zou men hem maar een softie vinden.

Het geroezemoes in de zaal verstomde toen burgemeester Frank Beke in eigen persoon binnenkwam, geflankeerd door zowat het voltallige schepencollege. Buiten had ook een delegatie van het Vlaams Blok postgevat die tegen de plechtigheid wilde protesteren. Het was echter een onaangekondigde actie, en het waterkanon dat Van Aken bij wijze van voorzorg had laten opstellen had indruk gemaakt.

'Dames en heren, we zijn hier vandaag verzameld voor een bijzondere gebeurtenis,' stak de burgemeester van wal. De micro weigerde even dienst, maar dat werd snel verholpen. 'Ik stond erop persoonlijk aanwezig zijn om de gelukkigen mijn welgemeende felicitaties aan te bieden. Maar nu verleen ik graag het woord aan de schepen van Bevolking en ambtenaar van Burgerlijke Stand.'

Schepen Chantal Claeys had een prachtige jurk aangetrokken. Ze had die wellicht zelf uitgekozen, dacht Annemie. Of de Dienst Voorlichting had haar geadviseerd. Daar beseften ze heel goed dat de pers dit buitenkansje niet zou laten liggen.

De schepen vertelde in vloeiende volzinnen een parabel over hoe twee zwervende zielen elkaar onderweg hadden gevonden en nu besloten samen door het leven te gaan. Ze sprak met vuur, en je kon een speld horen vallen.

Bracke knipoogde naar Annemie, die eens stevig in zijn schouder kneep. Meer dan twintig jaar geleden hadden zij in dezelfde trouwzaal gestaan, maar dan wel voor veel minder volk.

Helemaal vooraan zat André Cornelis. Hij hield de hand van zijn vriend Bart vast alsof hij die nooit meer wilde loslaten. En dat was in feite ook het geval. Bracke zag dat zijn vriend tranen in de ogen had, en hij kreeg het zelf ook even te kwaad. Inderdaad, ik bén een softie, dacht hij.

Na de parabel was het tijd voor het officiële gedeelte.

'Mag ik jullie uitnodigen om vooraan plaats te nemen?'

Trots stond André Cornelis langzaam op. Hij draaide zich even om en keek Bracke recht in de ogen. Even kruisten hun blikken elkaar.

'André Cornelis, neemt u Bart Goetmaekers tot uw wettige echtgenoot?'

'Dat doe ik,' zei Cornelis met vaste en zekere stem.

'Bart Goetmaekers, neemt u André Cornelis tot uw wettige echtgenoot?'

'Zeker,' knikte Bart overtuigd.

'Dan verklaar ik u beiden man en, eh, man.'

De warme kus van het kersvers getrouwde koppel werd door een aanvankelijk aarzelend, maar steeds aanzwellend applaus begeleid.

Bracke was te zeer onder de indruk om te kunnen applaudisseren. Dat had hij bij een tango-optreden ook altijd.

Een lange rij schoof geduldig aan om de trouwers te feliciteren. Het amuseerde Bracke dat de meeste mannen aarzelden om Bart en André te zoenen. Ze kwamen niet verder dan een snelle kus op de wang, of eigenlijk vooral in de lucht.

Ook Annemie bekeek het tafereel rustig van op een afstand. Een mooi ventje, die Bart, dacht ze, zonde toch, en ze voelde zich schuldig voor die gedachte.

De fotografen en cameramensen deden gretig hun werk. Een politiecommissaris die met zijn vriend in het huwelijk trad, dat was natuurlijk nieuws. Cornelis had het in alle stilte willen doen, tot Annemie hem ervan wist te overtuigen dat de pers het toch te weten zou komen.

'Dan doen we het zoals het hoort,' was de reactie van Cornelis geweest. Tot ieders verbazing bij het korps had hij Van Aken de officiële toestemming gevraagd om een persconferentie te geven, en de chef was daar zonder aarzelen op ingegaan. Dit was de geknipte gelegenheid om aan te tonen dat de eenheidspolitie ruimdenkend en tolerant was, en dat iedereen er zich moest kunnen thuis voelen.

De persconferentie had indruk gemaakt, niet het minst op Bracke. Cornelis had op een waardige toon verteld dat hij met de liefde van zijn leven ging trouwen, en dat de hele wereld dat mocht weten. Zelfs de meest conservatieve pers had welwillend en sereen het bericht gebracht, voor Bracke het bewijs dat het met de media uiteindelijk allemaal nog best meeviel.

'Dag George Bracke,' grijnsde iemand die zijn hand op de schouder van de commissaris legde.

'Dag Georges Bracke,' grijnsde hij terug. Hij had de stem herkend van zijn naamgenoot op één letter na, de bassist van de Gentse rocktrots The Vipers, die trouwens op het avondfeest een stomend optreden zouden geven.

'Alles kits, man?' wees de muzikant bezorgd naar de benen van de commissaris.

Georges wist zelf goed genoeg wat revalideren was, want enkele jaren geleden was hij na een optreden bij het inladen brutaal opgeschept door een dronken bestuurder die een vluchtmisdrijf had gepleegd. De commissaris had toen nog een handje geholpen bij het onderzoek dat naar de arrestatie van de gevluchte bestuurder had geleid.

'Het begint te beteren,' zei Bracke. 'Maar dat is nog lang niet zo erg als wat Verlinden overkomen is. Die kampt met een zware depressie.'

De muzikant had Verlinden al een paar keer na een optreden ontmoet. De hoofdcommissaris bleek een onvermoede voorliefde voor de muziek uit de seventies te hebben, en de twee konden eindeloos herinneringen over obscure platen ophalen.

'Een mens kan in zijn leven wat tegenkomen,' knikte de bassist, door het leven onderweg wijs geworden. 'Allez, tot vanavond zeker. We zullen er eens flink tegenaan gaan. Ik heb speciaal voor jou een paar nummers van Deep Purple op de playlist gezet. En Cornelis wilde absoluut dat we *Your Song* spelen,' kon Georges Bracke zijn afschuw nauwelijks verbergen.

De grootste drukte was intussen verdwenen. Cornelis kwam zelf op de familie Bracke toegelopen. Eerst vlogen de kinderen hem om de hals. Bracke had zijn partner nog nooit zo zien stralen.

Annemie gaf Cornelis een lange knuffel en fluisterde een stel lieve woordjes in zijn oor. Ook Bart moest eraan geloven.

Bracke opende uitnodigend zijn armen.

'Kom hier, maat!'

Cornelis boog zich voorover. Hij kreeg een plakkerd op zijn voorhoofd, en dan een echte zoen op zijn mond.

'Je zoent lekker, man,' grinnikte Cornelis. Bracke negeerde het geplaag en onderwierp nu Bart aan dezelfde behandeling. De pasgetrouwden kwamen trots hun trouwringen tonen. Ze hadden duidelijk kosten noch moeite gespaard.

'Waar blijft hij toch?' knorde Cornelis. Zijn woorden waren nog niet koud of ineens stond Johan Martens voor zijn neus. Helemaal niet gekleed voor de gelegenheid, maar dat waren ze van hem zo gewend.

'Hier ben ik dan! Geen paniek, ik heb ook foto's van de plechtigheid, maar ik moest tussendoor nog een portret van de burgemeester nemen. Voor dat fameuze boek, weet je wel. Ik ben daar nu eindelijk klaar mee. Het mag ook wel, want volgende week gaat het in druk. Maar die minister wilde tot het laatste moment nog nieuwe foto's laten maken.'

'Allemaal niets van aantrekken en zwaar factureren,' knorde Bracke, die nog niet vergeten was dat de minister van Justitie hem bij de eerste klachten aan zijn adres als een baksteen had laten vallen. Het interne rapport had hij gelukkig naar Cornelis kunnen doorschuiven, die het in zijn lade had gegooid waar het allicht nog altijd stof lag te vergaren.

'Zullen we dan maar? Mag ik de trouwers even ontvoeren?' En weg was hij met Bart en André, om in het park de klassieke trouwfoto's te nemen.

Pol kwam even vragen hoe het met Bracke ging. Hij was al enkele keren in het ziekenhuis op bezoek geweest, en telkens had de commissaris naar zijn komst uitgekeken. Ook al was zijn tangozaal door de explosie vernield en moest hij nu tijdelijk uitwijken naar allerlei niet-geschikte locaties, toch verloor de tangoleraar zijn goed humeur er niet bij.

'Tegen de zomer is de zaal weer helemaal gerenoveerd. Zelfs mooier dan ooit, want naast het geld van de verzekering doet ook de eigenaar nog eens extra zijn duit in het zakje. Maar dat is toekomstmuziek. Eerst is er natuurlijk nog de *Noche de la Pasion* op paaszondag. Goede vooruitzichten dus.'

Pol kuchte discreet een geeuwtje weg. Bracke wist dat hij door zijn drukke avondlijke bezigheden een middagdutje best kon gebruiken en lachte.

'Ik ga me wat opfrissen. Tot vanavond.'

Annemie ging nog even mee met Pol tot aan de deur. Nu ze tijdelijk zonder danspartner zat nam Pol wat graag die rol over. Ze was zelfs al een keer ingevallen bij een lessenreeks om Pol te assisteren toen zijn partner haar ligamenten had gescheurd. Ze hadden nog een paar details te bespreken in verband met de tangoperformance die ze op het trouwfeest bij wijze van verrassingsact zouden geven. Bracke had Annemie al horen zeggen dat ze haar rode jurk met de adembenemende split zou aantrekken, en daar keek hij nu al naar uit.

Bob kwam snel even zijn cadeau tonen. Een doos met drie toppers, namelijk een Knockdhu 21 years[19], een Glen Garioch 21 years[20] en een Bladnoch Signatory[21] uit 1987.

'Goeie *marchandise*,' floot Bracke bewonderend tussen de tanden. 'Een mens zou er al eens voor trouwen.' Zelf had hij twaalf flessen Bollinger Grande Année 1996 en een selectie Château Trottevielle Saint-Emilion Grand Cru Classé uit de grote wijnjaren 1989 en 1990 versierd, een geschenk dat André en Bart pas bij het avondfeest zouden krijgen. Stormvogel had de inkopen gedaan, en op Brackes verzoek ook een nieuw kalfslederen dagboek voor Annemie gekocht.

Bob en Patsy hadden haast, want ze hielpen bij de hapjes op de receptie. Bob was op zijn oude dag zowaar ook aan het koken geslagen, en zijn vrouw assisteerde hem daar graag bij. Bob was een hele week in de weer geweest en had van hun keuken een puinhoop gemaakt, wist Patsy zuchtend te melden.

'We hebben nog wel even voor het feest,' keek Bracke op zijn horloge. 'Kunnen we nu naar het ziekenhuis?'

De wagen stond voor de deur. Het instappen was telkens weer een pijnlijk manoeuvre, maar op een dag als vandaag mocht hij niet klagen. Zeker niet als hij aan zijn vader dacht, die ze nu gingen bezoeken. Het was volgens de dokter nog een kwestie van dagen, hooguit weken.

19 Knockdhu 21 years: een van de Speyside malts, aanvankelijk gelanceerd om de blends van Haig op smaak te brengen. Deze *genietwhisky* is een schitterende digestief, zacht en romig in de mond met een fruitige geur en lange afdronk.

20 Glen Garioch 21 years: een iets duurdere whisky, door Bob vooral gekozen vanwege de prachtige karaf die een ereplaatsje op de nachttafel van Cornelis zal krijgen. Misschien de *stoeiwhisky* tijdens hun wittebroodsweken?

21 Bladnoch Signatory 1987: geselecteerd voor zijn erg lichte kleur, bijna witte wijn. De smaak is licht romig en zout met een duidelijke hint van mout.

'Arme opa,' zei Julie met tranen in de ogen. Ze herinnerde zich nog hoe ze als peuter met hem in het park had gespeeld, dat vermaledijde park waar die arme jongen vorig jaar was vermoord.[22]

Zelfs Jonas stribbelde niet tegen om op bezoek te gaan.

'Het is misschien een van de laatste keren,' zei hij, en hij had een krop in de keel.

'Kom jongens, het is wel feest vandaag!' probeerde Bracke er de stemming weer in te krijgen. Hij scharrelde lukraak in de cassettes en vond een oude tape met kinderliedjes.

Even later zaten ze met zijn allen vrolijk mee te zingen met *In een klein stationnetje*, Bracke nog het luidst van al.

Vanuit zijn ooghoeken bestudeerde hij Annemie, die haar aandacht op de weg hield maar bij het refreintje ook haar stem verhief. Eindelijk, voor het eerst sinds lang, voelde Bracke zich weer min of meer gelukkig.

22 Zie *Botero*.